FOCO INICIAL

Série *Scarpetta* em ordem de lançamento:

Post mortem
Corpo de delito
Restos mortais
Desumano e degradante
Lavoura de corpos
Cemitério de indigentes
Causa mortis
Contágio criminoso
Alerta negro
A última delegacia
Mosca-varejeira
Vestígio
Predador
Livro dos mortos
Scarpetta
Restos mortais

PATRICIA D. CORNWELL

FOCO INICIAL

Tradução:
CELSO NOGUEIRA

3ª reimpressão

COMPANHIA DAS LETRAS

Copyright © 1998 by Cornwell Enterprises, Inc.

Título original
Point of origin

Capa
João Baptista da Costa Aguiar

Preparação
Otacílio Nunes Jr.

Revisão
Beatriz de Freitas Moreira
Cláudia Cantarin

Dados Internacionais de Catalogação na Publicação (CIP)
(Câmara Brasileira do Livro, SP, Brasil)

Cornwell, Patricia
    Foco inicial / Patricia Cornwell ; tradução de Celso
Nogueira. — São Paulo : Companhia das Letras, 2002.

    Título original: Point of origin
    ISBN 978-85-359-0250-1

    1. Ficção policial e de mistério (Literatura norte-ameri-
cana) I. Título.

02-2591   CDD-813.0872

Índice para catálogo sistemático:
1. Ficção policial e de mistério : Literatura norte-americana
   813.0872

2019

Todos os direitos desta edição reservados à
EDITORA SCHWARCZ S.A.
Rua Bandeira Paulista, 702, cj. 32
04532-002 — São Paulo — SP
Telefone: (11) 3707-3500
www.companhiadasletras.com.br
www.blogdacompanhia.com.br
facebook.com/companhiadasletras
instagram.com/companhiadasletras
twitter.com/cialetras

Com amor,
para Barbara Bush
(pela importância que você tem)

A obra de cada um se manifestará; na verdade o dia a declarará, porque pelo fogo será descoberta, e o fogo provará qual seja a obra de cada um.*

(I Coríntios 3:13)

(*) Trad. de João Ferreira de Almeida para a Bíblia dos Gideões, a partir do texto em inglês conhecido como "the authorized (King James) version", usado pela autora. (N. T.)

DIA 523.6
PRAÇA DO FAISÃO, Nº 1
ENFERMARIA FEMININA DE KIRBY
ILHA WARD, NY

Oi DOC,

Tic Toc

Ossos serrados e fogo.

Ainda em casa sozinha com FIB o mentiroso? Olha o relógio GRANDE DOC!

Esguicha luz escura e espanto TRENSTRENSTRENS. GKSFWFY quer fotos.

Visita nós. No terceiro piso. VOCÊ trata com nós.

TIC TOC DOC (Lucy falará?)

LUCY-BOO na TV. Voa através da janela. Goza com nós Debaixo das cobertas. Goza até de manhã. Ri e canta. Mesma canção batida. LUCY LUCY LUCY e nós!

Espere e verá.

Carrie

1

Benton Wesley descalçava os tênis na cozinha de minha casa quando corri em sua direção com o coração transbordando de medo, ódio e horror inesquecível. A carta de Carrie Grethen estava no meio da pilha de correspondência e papelada que eu deixara de lado até pouco tempo atrás, quando resolvera examinar tudo tomando um chá de canela no aconchego de meu lar em Richmond, na Virgínia. Era uma tarde de domingo, 17h32 do dia 8 de junho.

"Suponho que ela tenha mandado a carta para o seu trabalho", Benton disse.

Não parecia abalado ao se abaixar para tirar as meias Nike brancas.

"Rose não lê as cartas com carimbo de pessoal e confidencial." Acrescentei um detalhe que já era de seu conhecimento, enquanto meu pulso disparava.

"Sugiro que ela passe a fazer isso. Pelo jeito, você tem inúmeros fãs perdidos por aí." Sua ironia perversa era afiada feito uma navalha.

Observei-o com os pés descalços apoiados no chão, os cotovelos nos joelhos e a cabeça baixa. O suor escorria pelos ombros e braços bem torneados para um sujeito daquela idade, e meus olhos desceram pelas coxas e joelhos até pararem nos tornozelos que ainda exibiam as marcas das meias. Ele passou os dedos pelo cabelo grisalho úmido e recostou o corpo na cadeira.

"Puxa vida", murmurou, enxugando o pescoço e o rosto com uma toalha. "Estou velho demais para essas coisas."

Respirou fundo e soltou o ar lentamente, mais irritado a cada segundo. O relógio Breitling Aerospace de aço que eu lhe dera de presente de Natal estava sobre a mesa. Ele o apanhou e pôs no pulso.

"Caramba, esse pessoal é pior do que câncer. Deixe-me ver isso", disse.

A carta fora manuscrita em letra de fôrma vermelha bizarra. No alto havia um desenho tosco de um pássaro com crista e longas plumas na cauda. Sob o desenho constava a enigmática palavra latina *ergo*, que significava *logo* ou *portanto*. No contexto, nada me era esclarecedor. Desdobrei a folha comum de papel sulfite branco segurando-a pela beirada e a depositei à frente dele sobre a mesa francesa de carvalho, uma antigüidade, onde tomávamos café-da-manhã. Ele não tocou no documento, que poderia servir como prova, ao examinar minuciosamente as palavras dementes de Carrie Grethen e depois submetê-las ao monumental banco de dados de sua mente.

"O carimbo do correio é de Nova York, e obviamente o julgamento dela foi noticiado em Nova York", falei enquanto continuava a racionalizar e rejeitar. "Li um artigo sensacionalista, faz umas duas semanas. Qualquer pessoa poderia ter tirado o nome de Carrie Grethen de lá. Sem falar que o endereço do meu departamento é público. A carta provavelmente nem veio dela. Aposto que foi outro maluco qualquer."

"Provavelmente é dela, sim senhora", disse ele, sem interromper a leitura.

"Ela poderia remeter isso de um hospital psiquiátrico judiciário sem que ninguém lesse?", rebati, mas o medo sufocava meu peito.

"Saint Elizabeth, Bellevue, Mid-Hudson, Kirby." Ele nem ergueu os olhos. "Carrie Grethen, John Hinckley Junior, Mark David Chapman e congêneres são pacientes, não presidiários. Eles desfrutam os mesmos direitos civis que nós enquanto se hospedam em penitenciárias e manicômios judiciários, criando páginas de pedofilia na internet em seus computadores e vendendo dicas para assassinatos em série por reembolso postal. Além de escrever cartas para intimidar a chefe do departamento de Medicina Legal."

Seu tom mordaz enchia as palavras de hostilidade. Os olhos de Benton faiscavam de ódio quando ele finalmente os ergueu e me encarou.

"Carrie Grethen está zombando de você, *grande chefe*. Do FBI. De mim", prosseguiu.

"FIB", murmurei, e em outra ocasião poderia ter achado aquilo engraçado.*

Wesley jogou a toalha sobre o ombro ao levantar-se.

"Vamos supor que seja ela", tentei continuar a conversa.

"É ela." Ele não tinha nenhuma dúvida.

"Tá. Então há mais do que zombaria aí, Benton."

"Claro. Ela faz questão de nos lembrar que era amante de Lucy, algo que o público em geral *ainda* não sabe. A questão óbvia é que Carrie Grethen ainda não desistiu de arruinar a vida das pessoas."

Eu mal suportava ouvir aquele nome e me enfurecia saber que naquele momento ela estava ali, dentro de minha casa, no West End. Como se estivesse sentada à mesa conosco, azedando o ambiente com sua presença maligna, asquerosa. Vi seu sorriso condescendente e os olhos ardentes, imaginando qual seria sua aparência atual, após cinco anos atrás das grades convivendo com criminosos insanos. Carrie não era maluca. Nunca fora. Sofria de um distúrbio de caráter, era psicopata, um ser violento sem um pingo de consciência.

Olhei para fora, vendo os bordos japoneses balançando no quintal e o muro de pedra incompleto que mal separava minha casa das vizinhas. O telefone tocou de repente; atendi relutante.

(*) FBI significa Federal Bureau of Investigation, ou Bureau Federal de Investigação. *Fib* em inglês quer dizer mentira trivial e inofensiva, lorota. (N. T.)

"Doutora Scarpetta", eu disse, enquanto observava os olhos de Benton fixos na página escrita em vermelho.

"Oi." A voz familiar de Peter Marino soou no aparelho. "Sou eu."

Ele era capitão do Departamento de Polícia de Richmond e eu o conhecia bem o suficiente para identificar seu tom de voz. Preparei-me para mais notícias ruins.

"O que houve?", perguntei.

"Uma fazenda de criação de cavalos pegou fogo ontem à noite, em Warrenton. Talvez você tenha visto algo no noticiário", disse. "Estábulos, uns vinte cavalos de raça caríssimos e a sede. Não sobrou nada. Queimou tudo até virar cinza."

Até ali, o caso não fazia sentido. "Marino, por que você me telefonou para falar sobre um incêndio? Para começo de conversa, o norte da Virgínia não tem nada a ver conosco."

"Agora tem", ele disse.

A cozinha dava a impressão de encolher e me sufocar. Preparei-me para o resto.

"O ATF acaba de convocar o NRT", explicou.

"Ou seja, nós", falei.

"É isso aí. Vossa Alteza e eu. Amanhã bem cedo."

O ATF era o Bureau de Álcool, Tabaco e Armas de Fogo. O NRT, ou Grupo Nacional de Investigação, era acionado em casos de incêndio de igrejas e empresas, atentados a bomba e qualquer outra ocorrência grave dentro da jurisdição do ATF. Marino e eu não fazíamos parte do ATF, mas não era raro que o pessoal de lá e outros órgãos nos recrutassem quando necessário. Nos últimos anos eu havia trabalhado nos atentados a bomba no World Trade Center, na cidade de Oklahoma e também no desastre com o vôo 800 da TWA. Ajudara na identificação dos membros do Ramo Davidiano em Waco e examinara as mutilações e mortes causadas pelo Unabomber. Sabia, pelas dolorosas experiências anteriores, que o ATF só me incluía na equipe quando morria alguém, e se Marino fora recrutado também, já suspeitavam de homicídio.

"Quantas vítimas?", perguntei, apanhando a prancheta com os boletins de ocorrência em branco.

"Não é quantas, doutora, é *qual*. O proprietário do haras é o magnata das comunicações Kenneth Sparkes, o chefão supremo da mídia. E pelo jeito desta vez ele não conseguiu se safar."

"Meu Deus", sussurrei ao perceber que caía sobre meu mundo uma névoa opaca que toldava a visão. "Tem certeza?"

"Bem, o sujeito sumiu."

"Você se importa de explicar por que só agora estou sendo informada de tudo isso?"

Senti a raiva crescendo e me contive na medida do possível para não descarregar tudo em cima dele. Afinal de contas, todas as mortes não-naturais na Virgínia estavam sob minha responsabilidade. Eu já deveria ter sido avisada e me enfureci com a equipe encarregada do norte da Virgínia por não ter telefonado para minha casa. Saber de tudo por intermédio de Marino era revoltante.

"Não precisa ficar brava com seus colegas de Fairfax", Marino disse, como se praticasse telepatia. "A comarca de Fauquier solicitou que o ATF assumisse a partir de agora, portanto está tudo nos conformes."

Mesmo assim, não gostei. De qualquer jeito, já estava mais do que na hora de entrar em ação.

"Deduzo, portanto, que nenhum corpo foi encontrado até o momento", falei, enquanto anotava os dados freneticamente.

"Claro que não, caramba. Ninguém ia querer tirar o gostinho de você."

Fiz uma pausa, depositando a caneta sobre a prancheta dos boletins de ocorrência. "Marino, trata-se de fogo em prédios particulares. Mesmo que haja suspeita de incêndio criminoso e o caso envolva um figurão, não vejo motivo para tanto interesse por parte do ATF."

"Uísque, metralhadoras, isso sem falar na compra e venda de cavalos de raça, se você quer saber. Grandes negociatas", Marino respondeu.

"Sensacional", murmurei.

"Só. O caso vai dar uma dor de cabeça daquelas. O chefe dos bombeiros vai telefonar para você ainda hoje. É melhor fazer a mala, pois o helicóptero vem buscar a gente antes de raiar o dia. Péssima hora, como sempre. Acho que você pode dar adeus a suas férias."

Benton e eu pretendíamos ir de automóvel até Hilton Head naquela noite e descansar uma semana na praia. Não passávamos alguns dias juntos sozinhos desde o início do ano, nosso relacionamento estava desgastado, mal conseguíamos aturar um ao outro. Temi encará-lo quando desliguei o telefone.

"Sinto muito", falei, "você já deve ter percebido que surgiu uma emergência importante."

Hesitei, estudando sua reação, mas ele não ergueu os olhos. Continuou decifrando a carta de Carrie.

"Preciso viajar. De madrugada. Talvez consiga ir para lá durante a semana e ficar com você."

Ele dava a impressão de não me escutar, pois não queria ouvir aquilo.

"Por favor, tente entender", falei.

Ele continuava fingindo não escutar nada. Percebi que estava profundamente decepcionado.

"Você esteve trabalhando nos casos dos torsos", ele disse enquanto lia. "Os desmembramentos na Irlanda e aqui. 'Ossos serrados.' E ela se masturba quando tem fantasias com Lucy. Atinge orgasmos múltiplos durante a noite, debaixo das cobertas. Ou pelo menos alega isso."

Seus olhos seguiam fixos na carta e ele parecia falar consigo mesmo.

"Está dizendo que elas ainda mantêm um relacionamento, Carrie e Lucy", prosseguiu. "Essa história de *nós* não passa de uma tentativa de alegar desassociação. Ela não está presente quando comete os crimes. Outra pessoa seria responsável. Múltipla personalidade. Uma alegação de insanidade previsível e batida. Eu esperava que ela demonstrasse um mínimo de originalidade."

"Ela é perfeitamente capaz de enfrentar um julgamento", respondi numa onda de raiva renovada.

"Você sabe disso e eu também." Ele bebeu Evian direto da garrafa plástica. "De onde vem esse *Lucy Boo*?"

Uma gota d'água escorreu pelo seu queixo. Ele a limpou com as costas da mão.

Gaguejei, no início. "Eu a chamava assim, carinhosamente, quando ela ainda estava no jardim-de-infância. Depois Lucy pediu que eu não usasse mais o apelido. De vez em quando eu me esqueço disso." Imaginei-a naquela época, por um momento. "Portanto, suponho que ela tenha contado a Carrie."

"Bem, já sabemos que Lucy se abriu com Carrie, durante determinado período", Wesley declarou o óbvio. "Foi o primeiro amor de Lucy. Sabemos que o primeiro amor a gente nunca esquece, por mais nojento que tenha sido."

"A maioria das pessoas não escolhe uma psicopata para iniciar a vida amorosa", falei. Ainda sentia dificuldade em acreditar que Lucy, minha própria sobrinha, agira assim.

"Os psicopatas somos nós, Kay", ele disse, como se eu nunca tivesse ouvido esse discurso. "As pessoas inteligentes e atraentes sentadas a seu lado no avião, atrás de você na fila. Alguém que conhecemos num evento ou que nos atrai no bate-papo pela internet. Irmãos, irmãs, colegas de classe, filhos, filhas, namorados. Parecem iguaizinhos a qualquer um. Lucy não teve a menor chance. Não era páreo para Carrie Grethen."

A grama do quintal tinha trevo demais, mas a primavera fora surpreendentemente fresca e perfeita para as rosas. Elas vergavam e oscilavam sob as rajadas de vento, algumas pétalas caíam no chão. Wesley, que se aposentara como chefe da unidade de perfis psicológicos do FBI, foi em frente.

"Carrie quer fotos de Gault. Imagens das cenas dos

crimes, fotos de autópsias. Entregue o material e em troca ela fornecerá detalhes úteis à investigação, pérolas forenses que você supostamente deixou passar. Coisas que podem ajudar a promotoria quando o caso for a julgamento, no próximo mês. Uma provocação. Ela insinua que você deixou passar alguma coisa importante. E que isso pode estar relacionado com Lucy, de algum modo."

Seus óculos de leitura estavam dobrados sobre sua peça do jogo americano e ele resolveu usá-los.

"Carrie quer que você a visite. Em Kirby."

Seu rosto revelava tensão quando me encarou.

"Foi ela."

Benton apontou para a carta.

"Está de volta. Eu sabia que voltaria." Falou como quem sente um cansaço espiritual medonho.

"E o que é a luz escura?", perguntei ao me levantar. Não suportaria ficar mais um instante sentada.

"Sangue." Foi uma resposta segura. "Quando você esfaqueou Gault na coxa, seccionando a artéria femural, ele sangrou até morrer. Ou teria sangrado, se o trem não abreviasse o desfecho. Temple Gault."

Ele tirou novamente os óculos, pois no fundo estava agitado.

"Enquanto Carrie Grethen continuar por aí, ele também estará. Os gêmeos do mal", acrescentou.

A bem da verdade, eles não eram gêmeos, mas descoloriram o cabelo e o cortaram rente ao crânio. Magros como pré-adolescentes, usavam o mesmo estilo andrógino no trajar quando os encontrei pela última vez em Nova York. Haviam cometido assassinatos juntos, antes que a capturássemos na área de Bowery e eu o matasse no túnel do metrô. Eu não tinha a menor intenção de tocar no sujeito, nem de vê-lo ou trocar uma palavra sequer com ele, minha missão nesta vida não era prender criminosos nem cometer homicídio no cumprimento do dever. Mas

Gault quisera que acontecesse assim. Ele havia sido o responsável, pois morrer por minhas mãos significava me ligar a sua pessoa para sempre. Eu não conseguia me livrar de Temple Gault, apesar de transcorridos cinco anos de sua morte. Em minha mente, os pedaços ensangüentados de seu corpo se espalhavam ao longo dos trilhos de aço reluzentes e os ratos se aglomeravam nas densas sombras esperando a chance de beber seu sangue.

Nos sonhos ruins, os olhos dele eram de um azul gelado, com íris dispersas como moléculas, e eu ouvia o barulho dos trens que se aproximavam com faróis iguais a duas ofuscantes luas cheias. Por vários anos, depois que o matei, evitei autópsias de vítimas de desastres ferroviários. Na condição de responsável pelo departamento de Medicina Legal da Virgínia, eu podia repassar os casos que desejasse a meus assistentes, e era isso mesmo que vinha fazendo. Mesmo agora, não conseguia encarar os bisturis de autópsia de frio aço com o esperado distanciamento, pois ele armou um esquema para me levar a enterrar um instrumento daqueles em seu corpo, e foi exatamente o que fiz. No meio da multidão eu via homens e mulheres devassos: eram ele. De noite, dormia com a pistola ao alcance da mão.

"Benton, por que você não toma um banho e depois conversamos mais sobre os planos para o fim de semana?", falei, afastando lembranças insuportáveis. "Uns dias por sua conta, lendo e passeando na praia, talvez seja exatamente o que você precisa. Sei que você adora pedalar nas trilhas. Acho que poderia ser bom para você dar um tempo."

"Lucy precisa saber." Ele também se levantou. "Embora Carrie esteja confinada no momento, causará problemas que envolverão Lucy. Carrie promete isso na carta que lhe escreveu."

E saiu da cozinha.

"Mas que problemas ela ainda poderia causar?", falei, indo atrás dele, sentindo as lágrimas me subirem aos olhos.

"Envolver sua sobrinha no julgamento", ele parou para explicar. "Publicamente. Manchete no *New York Times*. Notícias na AP, *Hard Copy, Entertainment Tonight*. No mundo inteiro. *Agente lésbica do FBI tinha um caso com assassina serial demente...*"

"Lucy saiu do FBI, deixando para trás todos os preconceitos, mentiras e preocupações com o modo como o Bureau vê o mundo." As lágrimas escorreram pela minha face. "Não sobrou nada. Não há mais nada que possam fazer para arrasar sua alma."

"Kay, isso tem a ver com muitas coisas, além do FBI", disse ele, e soava desanimado.

"Benton, não comece..." Não consegui terminar a frase.

Ele parou encostado no batente da porta que dava para o salão, onde a lareira estava acesa, pois a temperatura caíra para menos de quinze graus. Sua expressão revelava sofrimento. Não gostava que eu falasse daquele jeito nem queria entrar em contato com o lado mais escuro de sua alma. Evitava conjurar os atos malignos que Carrie poderia cometer, e se preocupava comigo também, claro. Eu seria intimada a depor na fase de instrução do julgamento de Carrie Grethen. Era tia de Lucy. Isso comprometeria minha credibilidade como testemunha, meu depoimento e minha carreira seriam destruídos.

"Vamos sair esta noite", Wesley sugeriu em tom mais brando. "Aonde você gostaria de ir? La Petite? Ou comer um churrasco e tomar cerveja no Benny's?"

"Vou descongelar uma sopa." Limpei os olhos e a voz me faltou. "Não sinto fome, e você?"

"Venha cá", ele chamou carinhosamente.

Cedi e o abracei. Benton segurou minha cabeça contra seu peito. Senti um gosto salgado quando nos beijamos, e como sempre me surpreendeu a firmeza de seu corpo flexível. Descansei a cabeça, a barba curta na ponta do queixo roçou meu cabelo, branca como a praia que eu não veria mais naquela semana. Nada de longas caminhadas na areia úmida nem demoradas conversas durante o jantar no La Polla e no Charlie's.

"Acho melhor ir ver o que ela quer", falei finalmente, colada a seu pescoço quente e úmido.

"Nem pensar."

"Fizeram a autópsia de Gault em Nova York. Não tenho as fotos."

"Carrie sabe muito bem quem foi o médico responsável pela autópsia de Gault."

"Então por que pede para mim, se já sabe que não as tenho?"

Cerrei os olhos e descansei a cabeça em seu peito. Fazendo uma pausa, ele beijou minha testa novamente, enquanto acariciava o cabelo.

"Você sabe muito bem", disse. "Manipulação. Criar tensão. É a especialidade de gente da laia dela. Quer usá-la para obter as fotos e ver Gault feito carne moída. Isso estimulará suas fantasias e a excitará. Ela planeja alguma coisa, e a sua pior reação seria qualquer forma de contato com ela."

"E essa história de GKSWF, ou algo assim? Seria uma pessoa?"

"Não faço idéia."

"E a Praça do Faisão?

"Não sei."

Permanecemos por muito tempo na soleira da porta da casa que eu continuava a considerar minha, inequívoca e unicamente minha. Benton compartilhava sua vida comigo quando não prestava consultoria em casos aberrantes, nos Estados Unidos e em outros países. Eu percebia seu aborrecimento quando me ouvia dizer *eu* isso e *meu* aquilo, embora soubesse muito bem que não éramos casados e que nada pertencia a nós dois, tudo tinha um único dono. Eu já atingira um ponto da vida em que me recusava a repartir meu dinheiro com quem quer que fosse, inclusive meu companheiro e minha família. Talvez eu soasse egoísta, e talvez fosse mesmo.

"E o que eu vou fazer amanhã, quando você partir?" Wesley voltou ao assunto.

"Pegue o carro, vá para Hilton Head, faça as compras", respondi. "Bastante Black Bush e Scotch. Mais do que o normal. Protetor solar fatores 35 e 50, pecãs da Carolina do Sul, tomate e cebola Vidalia."

Meus olhos se encheram de lágrimas. Limpei a garganta.

"Assim que puder, vou pegar o avião e encontrar você. Mas não sei que rumo vai tomar o caso de Warrenton. Já passamos por isso, e já agimos assim. Metade do tempo você não pode ir, e quando pode eu não posso."

"Acho essa vida uma droga", ele sussurrou no meu ouvido.

"Foi o que escolhemos, de certo modo", respondi, e acima de tudo sentia uma necessidade incontrolável de dormir.

"Pode ser."

Ele baixou a cabeça até chegar aos meus lábios e sua mão desceu aos pontos favoritos.

"Antes de tomar a sopa, vamos para a cama."

"Prevejo acontecimentos muito ruins durante o julgamento", falei. Mesmo querendo que meu corpo correspondesse a suas carícias, duvidava que isso fosse ocorrer.

"Todos nós em Nova York outra vez. O Bureau, você e Lucy, no julgamento de Carrie. Nos últimos cinco anos ela não pensou em mais nada, e causará todos os danos possíveis."

Afastei-me quando o rosto sarcástico de Carrie se delineou em minha mente. Lembrei-me da noite em que ela, espetacularmente linda, fumava com Lucy numa mesa de piquenique perto do estande de tiro da academia do FBI em Quantico. Eu ainda podia ouvir suas vozes baixas zombeteiras e ver os eróticos beijos na boca, longos e ávidos, entre mãos e cabelos emaranhados. Jamais me esquecerei da estranha sensação que fez meu sangue ferver enquanto eu fugia silenciosamente, evitando ser vista. Carrie começara ali a arruinar a vida de minha única sobrinha, e agora se aproximava o momento do desfecho grotesco.

"Benton, preciso arrumar a mala."

"Vá por mim, há tempo de sobra."

Suas mãos avançavam ávidas sob minha roupa, buscando desesperadamente a pele. Ele sempre me desejava com mais intensidade quando eu não estava no mesmo ritmo.

"Não posso garantir nada, no momento", murmurei. "Não posso dizer que tudo vai dar certo, pois não sei. Os advogados e jornalistas cairão matando em cima de Lucy e de mim. Vão nos prensar contra a parede e Carrie é capaz de sair livre. Imagine!"

Segurei seu rosto entre as mãos.

"Verdade e justiça. O jeito americano", concluí.

"Chega."

Imóvel, ele cravou os olhos nos meus.

"Não comece outra vez. Você não era cínica desse jeito."

"Não estou sendo cínica, e não comecei nada", retruquei, sentindo a raiva me dominar. "Não fui eu quem começou por um menino de onze anos, retirando parte de sua pele antes de largar o coitado nu numa caçamba de lixo com uma bala na cabeça. E depois matou um delegado e um guarda de presídio. Além de Jayne — a irmã gêmea de Gault. Você se lembra disso, Benton? Se lembra? Se lembra do Central Park, na véspera do Natal? Pegadas descalças na neve, sangue pingando e congelando na fonte?"

"Claro que me lembro. Eu estava lá. Conheço todos os detalhes, assim como você."

"Não conhece."

Eu estava furiosa, afastei-me dele e peguei minha roupa.

"Você não põe a mão dentro de corpos machucados, não toca nem mede suas feridas", falei. "Você não ouve suas vozes depois que morrem. Não vê os rostos dos parentes aguardando no saguão modesto do necrotério as palavras duras, impronunciáveis. Você não vê o que eu vejo. Não mesmo, Benton Wesley. Você consulta pastas com relatórios objetivos e fotos brilhantes da cena do crime. Dedica mais tempo aos assassinos do que a suas vítimas. E talvez consiga dormir melhor do que eu. Talvez não sinta medo de sonhar."

Ele saiu sem dizer nada. Eu sabia que fora longe demais, tinha sido injusta e mesquinha, além de falsear a verdade. Para Wesley, dormir era um tormento. Ficava sempre agitado, resmungava e suava frio. Raramente sonhava, ou pelo menos aprendera a não se lembrar de nada. Prendi as bordas da carta de Carrie Grethen com o saleiro e a pimenteira para evitar que dobrasse nos vincos. Suas palavras de escárnio e provocação eram agora uma prova que não podia ser tocada nem alterada.

Ninhydrina ou Luma Lite poderiam revelar impressões digitais no papel branco ordinário, ou amostras de sua caligrafia poderiam ser usadas para comprovar a autoria do texto que me enviara, revelando que postara a carta ameaçadora pouco antes de seu julgamento por homicídio no Tribunal de Justiça da Cidade de Nova York. O júri saberia que cinco anos de tratamento psiquiátrico realizado à custa dos contribuintes não haviam modificado sua personalidade. Ela jamais sentira remorso. Deleitava-se com seus crimes.

Eu não tinha dúvida de que Benton continuava na vizinhança, pois não ouvira o ruído do motor da BMW. Corri pelas ruas recentemente asfaltadas, passando por casas de tijolo aparente ou revestidas de reboco, até localizá-lo sob as árvores, olhando distraído para um trecho rochoso do rio James. A água estava gelada, cor de vidro; os cirros eram riscos tênues de giz no céu crepuscular. Ventava.

"Vou para a Carolina do Sul assim que voltarmos para sua casa. Farei as compras e arrumarei o apartamento, sem me esquecer do Scotch", ele disse sem se virar. "E do Black Bush."

"Não precisa ir esta noite", falei, temendo me aproximar do homem de cabelos esvoaçantes banhados pelos raios de sol enviesados. "Preciso levantar cedo amanhã. Sairemos na mesma hora."

Ele permaneceu silencioso, fitando a águia americana que me seguira desde a casa. Benton vestira um abrigo vermelho, mas parecia sentir o frio provocado pelo short úmido, pois cruzara os braços na altura do peito. Seu pomo-de-adão subiu e desceu quando engoliu em seco. Seu sofrimento brotava de um ponto escondido que fora mostrado apenas a mim. Em momentos como aquele eu não entendia como ele me suportava.

"Não espere que eu me comporte como uma máquina, Benton", falei em voz baixa pela milionésima vez desde que me apaixonara por ele.

Mesmo assim ele não disse nada, enquanto a água mal revelava energia suficiente para descer no sentido do centro, emitindo um som abafado ao se aproximar involuntariamente da violência das barragens.

"Agüento o máximo possível", expliquei. "Possuo uma resistência superior à da maioria das pessoas. Mas não espere demais de mim, Benton."

A águia voou em círculos, por cima das árvores altas. Benton mostrou-se mais resignado quando finalmente falou.

"E eu também agüento mais do que a maioria das pessoas", disse. "Em parte, graças a você."

"Sei disso, e sinto o mesmo."

Aproximei-me por trás dele e passei os braços em torno da cintura coberta pelo tecido liso de náilon vermelho.

"Temos um ao outro", ele disse.

Abracei-o com força e toquei suas costas com o queixo.

"O vizinho está espiando", ele disse. "Posso vê-lo através do vidro da janela. Sabia que há um abelhudo neste bairro tão chique e badalado?"

Pegando minha mão, ele ergueu um dedo de cada vez, sem nada de especial em mente.

"Claro, se eu vivesse aqui também ficaria de olho em você", acrescentou com um sorriso na voz.

"Você vive aqui."

"Não. Só durmo às vezes."

"Vamos conversar amanhã cedo. Como de costume, eles me apanharão no Instituto de Oftalmologia lá pelas cinco", avisei. "Por isso, se eu levantar lá pelas quatro..." Suspirei, pensando se a vida seria sempre assim. "Você pode passar a noite comigo."

"Mas eu não pretendo me levantar às quatro", ele disse.

2

A manhã seguinte despontou hostil num campo plano e ligeiramente azulado pelas primeiras luzes do dia. Eu havia acordado às quatro e Wesley também, já que decidira sair junto comigo. Trocamos um beijo rápido e mal nos olhamos antes de seguir para os respectivos automóveis, pois as despedidas rápidas eram mais fáceis que as demoradas. Contudo, quando eu seguia pela West Cary Street no rumo da ponte Huguenot, um peso desabou sobre minhas costas, e de repente senti tristeza e irritação.

Experiências desgastantes anteriores indicavam que eu dificilmente encontraria Wesley naquela semana. Nada de descanso, leitura, nem de dormir até tarde. Incêndios eram sempre difíceis, e o caso envolvendo uma figura importante de Washington e sua exuberante propriedade perto da capital exigiria no mínimo muito trabalho burocrático e flexibilidade política. Quanto mais atenção a morte atraía, mais pressão eu sofria.

Não havia luzes acesas no Instituto de Oftalmologia, que não era uma instituição de pesquisa mas sim uma simples clínica na qual eu fazia exame de vista várias vezes por ano e trocava os óculos quando necessário. Sempre me parecia estranho estacionar lá, perto do campo de pouso onde costumava ser apanhada e voar para o caos. Abri a porta do carro ouvindo acima das copas das árvores o barulho familiar ainda distante. Imaginei ossos queimados e dentes espalhados, misturados aos detritos enegrecidos e encharcados. Imaginei os ternos elegantes de Sparkes e seu rosto firme; o choque me arrepiou como a garoa gelada.

27

A silhueta de girino recortada contra a lua esmaecida foi baixando enquanto eu apanhava as sacolas de viagem à prova d'água, a valise de alumínio prateado Haliburton muito arranhada, na qual estavam diversos instrumentos e equipamentos próprios ao serviço de legista, inclusive máquinas fotográficas. Dois carros e uma picape reduziram a velocidade em Huguenot Road: conduziam viajantes matinais incapazes de resistir à visão de um helicóptero voando baixo, quase a pousar. Os curiosos pararam no estacionamento e viram as pás cortando o ar em busca lenta, desviando dos fios elétricos, procurando um local sem poças, lama, areia ou terra, pois tudo isso seria espalhado por sua força.

"Sparkes deve estar chegando", disse um senhor idoso que viera a bordo de um Plymouth velho todo enferrujado.

"Ou alguém que vai entregar um órgão", retrucou o motorista da picape ao fixar a vista em mim por um instante.

Suas palavras voaram como folhas secas quando o Bell Long-Ranger preto escolheu um ponto propício, parou no ar e iniciou a descida com elegância. Minha sobrinha Lucy, pilotando o aparelho, pairou no ar sobre a tempestade de grama recém-aparada e pousou suavemente no trecho iluminado pelas luzes brancas. Juntei meus pertences e segui na direção do vento forte. O Plexiglas fumê não permitia que eu visse o outro lado quando abri a porta traseira, mas reconheci o braço enorme estendido para pegar a bagagem. Subi no momento em que outros veículos paravam e observavam os alienígenas. Reflexos dourados tingiam as copas das árvores.

"Eu estava mesmo pensando por onde você andaria", ergui a voz acima do ruído dos rotores ao cerrar a porta.

"Aeroporto", Pete Marino respondeu quando me sentei a seu lado. "Fica perto."

"Não fica, não."

"Pelo menos lá tem café e banheiro", retrucou, e eu

sabia que invertera a ordem de prioridade. "Pelo jeito, Benton saiu de férias sozinho", acrescentou maldoso.

Lucy acelerou e as pás giraram mais rápido.

"Posso adiantar desde já que tenho um mau pressentimento", avisou ele em tom sombrio quando o helicóptero iniciou a subida. "Vamos enfrentar uma encrenca danada."

A especialidade de Marino era investigar mortes. Não obstante, vivia preocupado com a possibilidade de morrer. Odiava voar, principalmente em aeronaves que não tinham asas nem comissárias de bordo. O *Richmond Times Dispatch* jazia em seu colo, amarrotado. Ele se recusava a olhar para a terra que se afastava rapidamente e para o perfil distante da cidade que se erguia aos poucos no horizonte, como um sujeito alto quando se levanta.

A primeira página do jornal destacava a notícia do incêndio, incluindo uma foto aérea da AP que mostrava ruínas fumegantes ao longe, no escuro. Li a reportagem com atenção, mas não soube de novidade alguma, pois a maior parte não passava de repetição da história da suposta morte de Kenneth Sparkes, com destaque para o poder, a riqueza e o modo de vida do milionário em Warrenton. Eu não sabia que ele criava cavalos nem que um deles, chamado Wind, chegara em último lugar no Kentucky Derby e valia 1 milhão de dólares. Mas não me surpreendi. Sparkes sempre fora empreendedor, tinha um ego tão enorme quanto sua vaidade. Coloquei o jornal num assento vazio e notei que o cinto de segurança de Marino estava caído no chão sujo de pó.

"O que aconteceria se enfrentássemos uma turbulência intensa e você não estivesse usando o cinto de segurança?" Falei alto para superar o ruído da turbina.

"Eu ia derramar o café." Ele ajustou o revólver na cintura, o terno cáqui parecendo uma pele de salsicha a ponto de estourar. "Caso você ainda não tenha deduzido, doutora, depois de cortar tantos cadáveres, se esse bicho cair, o cinto de segurança não vai salvar sua vida. Nem o airbag, se houver algum."

Na verdade, ele odiava tudo o que apertasse sua barriga e passara a usar a calça tão baixa que a capacidade dos quadris para segurá-la no lugar me surpreendia. O saco de papel sujo de gordura farfalhou quando ele tirou dois pães de minuto Hardee. O maço de cigarros fazia volume no bolso da camisa e o rosto exibia o tom vermelho característico dos hipertensos. Quando mudei para a Virgínia, abandonando Miami, minha cidade natal, ele era investigador do departamento de homicídios, tão competente quanto detestável. Recordo-me de nossos primeiros encontros na morgue; ele me chamava de *senhora Scarpetta*, intimidava a equipe e pegava qualquer prova que o interessasse. Retirava projéteis antes que fossem catalogados, só para me provocar. Fumava usando luvas sujas de sangue e fazia piadas a respeito de corpos que haviam pertencido a seres humanos.

Olhei pela janela, para as nuvens que passavam pelo céu, pensando na passagem do tempo. Marino beirava os 55, eu mal podia crer nisso. Por mais de onze anos, e quase diariamente, irritáramos e defendêramos um ao outro.

"Quer um?" Ele ergueu um pãozinho engordurado envolto em papel-manteiga.

"Não quero nem olhar para esse negócio", retruquei com severidade.

Pete Marino sabia que seus hábitos insalubres me preocupavam e procurava apenas chamar minha atenção. Cuidadosamente, pôs mais açúcar no copo plástico de café que flutuava para cima e para baixo com a turbulência, usando o braço carnudo como amortecedor.

"Quer café?", insistiu. "Posso pegar."

"Não, obrigada. Que tal dados atuais?" Fui direto ao assunto, sentindo que a tensão aumentava. "Surgiu alguma novidade, depois da noite passada?"

"Ainda há fumaça em alguns pontos. Em geral, nas cocheiras", disse. "Mais cavalos do que imaginávamos. Uns

30

vinte viraram churrasco lá dentro, inclusive os puros-sangues, quartos-de-milha e dois potros de corrida, com pedigree. Você já deve saber, é claro, a respeito daquele que competiu no derby. O seguro deve ser uma fortuna. Uma suposta testemunha declarou que eles gritavam como gente."

"Que testemunha?" Era a primeira vez que eu ouvia falar em testemunha.

"Malucos aos montes começaram a telefonar dizendo que viram isso ou aquilo. A mesma merda que sempre acontece quando há um caso espalhafatoso. Também, não preciso de nenhuma *testemunha ocular* para me dizer que os cavalos guincharam e tentaram sair das cocheiras." E adotou um tom mais duro. "Vamos pegar o filho-da-mãe responsável por isso. Quero só ver o que ele vai dizer quando for a bunda dele que estiver pegando fogo."

"Nem sabemos se existe um filho-da-mãe responsável por isso, ou pelo menos ainda não dispomos de provas", alertei. "Ninguém afirmou até agora que se trata de incêndio criminoso. Claro, já imaginei que não nos convidaram para um passeio."

Ele virou o rosto para a janela.

"Odeio quando matam animais." Deixou cair café no joelho. "Merda." Olhou para mim como se fosse minha culpa. "Animais e crianças. Pensar nisso me revolta."

Aparentemente ele não se preocupava com o figurão que poderia ter morrido no incêndio, mas eu conhecia Marino bem o bastante para compreender que desviava os sentimentos para onde conseguia tolerá-los. Não odiava os seres humanos tanto quanto gostava de apregoar, e imaginei a cena que ele descrevera, cavalos e potros com os olhos arregalados de terror.

Mas não chegava ao ponto de imaginar os guinchos ou os coices desferidos contra as tábuas. As chamas percorreram a fazenda Warrenton como um rio de lava, arrasando a sede, os estábulos, o depósito de uísque envelhecido e a coleção de armas. O fogo não poupara nada, exceto algumas paredes de pedra.

Olhei para a cabine, adiante de Marino. Lucy falava pelo rádio, comentando com o co-piloto a presença de um helicóptero Chinook na linha do horizonte e um avião tão distante que mais parecia um caco de vidro. O sol foi iluminando nossa jornada aos poucos, e eu encontrava dificuldade em me concentrar, sentindo novamente uma pontada de pesar ao observar minha sobrinha.

Ela havia abandonado o FBI, pressionada pela instituição. Afastara-se do sistema de computador de inteligência artificial que criara, bem como dos robôs que programara e dos helicópteros que aprendera a pilotar no adorado Bureau. Lucy havia fechado seu coração e se colocara além do meu alcance. Eu não queria falar com ela a respeito de Carrie.

Acomodada em meu assento, passei a rever em silêncio a papelada sobre o caso Warrenton. Havia muito tempo eu aprendera a concentrar a atenção num ponto específico, deixando de lado meus pensamentos e meu estado de espírito. Senti outra vez o olhar de Marino quando ele tocou o maço de cigarros no bolso da camisa, para garantir que não ficaria sem seu vício. O barulho das pás aumentou quando ele abriu uma janela e puxou o maço para pegar um cigarro.

"Não faça isso", alertei, virando uma página. "De jeito nenhum."

"Não estou vendo a placa de Proibido Fumar", ele disse, enfiando um Marlboro na boca.

"Você nunca vê, nem que esteja na frente do seu nariz." Prossegui a leitura das minhas anotações, e mais uma vez a declaração feita pelo chefe dos bombeiros quando falamos pelo telefone na noite anterior me causou espanto.

"Incêndio criminoso para obter lucro?", comentei, erguendo a vista. "Significa que o proprietário, Kenneth Sparkes, pode ter sucumbido acidentalmente no fogo que ele mesmo ateou? Em que você se baseia?"

"Não acha que ele leva jeito para incendiário?", disse Marino. "Com esse nome, deve ser culpado."* Tragou com força, lascivo. "Se for o caso, teve o final merecido. Sabe, eles conseguem sair das ruas, mas as ruas não saem de dentro deles."

"Sparkes não foi criado na rua", falei. "Se você quer saber, ele fez carreira acadêmica em Rhodes."

"Para mim tanto faz se ele saiu da faculdade ou da favela", Marino insistiu. "Lembro muito bem quando o filho-da-mãe ficou criticando a polícia nos jornais dele. Todo mundo sabia que ele andava metido com cocaína e prostituição. Mas não conseguimos provar nada, ninguém aceitou testemunhar contra o elemento."

"Tem razão, não conseguiram provar nada. E você não pode concluir que alguém provocou um incêndio só porque discorda da linha editorial ou por causa do nome dele."

"Você sabe que está falando com um especialista em nomes bizarros que combinam direitinho com os crimes que os elementos cometeram?" Marino pegou mais café enquanto fumava. "*Gore*, o legista. *Slaughter*, o assassino serial. *Childs*, o pedófilo. O *senhor Bury* enterrava as vítimas em cemitérios. E temos também *Judges Gallow* e *Frye*. Além de Freddie *Gamble*. Foi detido em seu restaurante, que era fachada para a loteria clandestina. O *doutor Faggart* assassinou cinco homossexuais. Facadas no olho. Você não se lembra de *Crisp*?" Ele me encarou. "Fulminado por um raio. As roupas despedaçadas se espalharam pelo estacionamento da igreja e a fivela do cinto ficou magnetizada."**

(*) *Spark* significa faísca ou centelha, em inglês. (N. T.)
(**) Os sentidos dos nomes em inglês guardam semelhança com os casos criminais citados. *Gore* significa sangue derramado ou coagulado; *Slaughter*, matança ou abate; *Child*, criança ou filho; *To Bury*, enterrar; *Judge Gallow*, juiz, e forca ou patíbulo; *Frye*, fritar ou ser executado na cadeira elétrica; *Gamble*, jogar; *Faggart* tem pronúncia semelhante a *Faggot*, gíria para homossexual masculino; e *Crisp* significa torrado ou crocante. (N. T.)

Eu não agüentava esse tipo de conversa logo de manhã e estendi o braço para pegar um fone para desligar Marino e acompanhar as conversas na cabine.

"Eu não queria ser fulminado por um raio na saída da igreja para todo mundo achar a coincidência com o nome divertida", Marino insistiu.

Pegou mais café, como se não tivesse problemas na próstata e na uretra.

"Passei anos preparando uma lista. Nunca comentei isso com ninguém. Nem mesmo com você, doutora. Se a gente não anota casos desse tipo, acaba esquecendo." E tomou mais um gole. "Acho que existe mercado para isso. Quem sabe um livro de bolso, do tipo que fica ao lado do caixa, nas lojas."

Ajustei o fone de ouvido e observei as fazendas e campos arados que pouco a pouco davam lugar a casas próximas a estábulos enormes e acessos pavimentados. Vacas e bezerros formavam grupos de bolas minúsculas nos pastos cercados, e uma máquina de ceifar levantava poeira enquanto avançava lentamente pelos campos de feno.

Olhando para baixo, acompanhei a transformação da paisagem nas imediações da abastada Warrenton, onde a criminalidade era baixa e os terrenos ocupavam centenas de hectares, com mansões cercadas de casas de hóspedes, quadras de tênis, piscinas e cocheiras luxuosas. Sobrevoamos pistas de pouso particulares e lagos com patos e gansos. Marino estava de boca aberta.

Os pilotos passaram algum tempo em silêncio, esperando que seu sinal chegasse ao alcance do NRT em terra firme. De repente, ouvi a voz de Lucy, que mudou de freqüência e começou a transmitir.

"Eco Um, helicóptero nove-um-nove Delta Alfa. Teun, está me ouvindo?"

"Afirmativo, Delta Alfa", respondeu T. N. McGovern, líder do grupo.

"Estamos dez milhas ao sul do destino, pedimos permissão para pousar com passageiros", Lucy disse. "Chegada prevista para as oito horas."

"Entendido. Aqui faz um frio danado, parece que já estamos no inverno, e pelo jeito não vai melhorar."

Lucy sintonizou o Serviço Automático de Observações Meteorológicas de Manassas, conhecido como AWOS. Ouvi um longo relatório computadorizado a respeito das condições de vento, visibilidade, atmosfera, temperatura, ponto de condensação e ajuste do altímetro, pela hora de Sierra, que emitira o informe mais atualizado do dia. Não me animou muito saber que a temperatura caíra cinco graus centígrados desde minha saída de casa. Imaginei Benton a caminho da praia ensolarada e quente.

"Está chovendo lá adiante", avisou o co-piloto de Lucy, usando seu microfone.

"Fica pelo menos vinte milhas a oeste, e o vento sopra no sentido oeste", Lucy comentou. "E ainda estamos em junho."

"Parece haver outro Chinook vindo em nossa direção, na linha do horizonte."

"Vamos avisar que estamos aqui", Lucy disse, mudando para uma freqüência diferente. "Chinook sobre Warrenton, aqui helicóptero nove-um-nove Delta Alfa. Qual é sua rota? Estamos em três horas, a duas milhas no rumo norte, mil pés."

"Já o vimos, Delta Alfa", respondeu o helicóptero do Exército. A aeronave de dois rotores recebera o nome de uma tribo indígena. "Boa viagem."

Minha sobrinha clicou duas vezes no botão de transmissão. Sua voz calma e baixa não soava familiar para mim, irradiada pelo espaço, entrando pela antena de desconhecidos. Continuei escutando e assim que pude entrei na conversa.

"O que foi dito a respeito do vento e do frio?", perguntei, olhando para a nuca de Lucy.

"Vinte nós, com rajadas de vinte e cinco a oeste", soou sua voz no fone. "Vai piorar. Tudo bem com vocês aí atrás?"

"Tudo bem", eu disse, pensando novamente na carta perturbadora de Carrie.

Lucy usava a farda azul do ATF e óculos escuros Cébé que ocultavam seus olhos. Deixara crescer o cabelo, que formava cachos graciosos no ombro e me fazia lembrar a cor do mogno envelhecido, envernizado e exótico, completamente diferente do meu, louro com mechas grisalhas e curto. Pensei na maneira suave com que acionava os comandos e dosava a pressão nos pedais antitorque para fazer o helicóptero voar suavemente.

Ela aprendera a pilotar com a mesma facilidade revelada em tudo que aprendera. Obteve o brevê para vôos particulares e comerciais após o mínimo de horas exigidas e logo tirou licença de instrutora, pois apreciava muito passar adiante seus conhecimentos.

Nem era preciso anunciar que a viagem estava chegando ao final, pois voávamos pouco acima das copas das árvores de um bosque onde vi troncos caídos ao acaso. Estradas de terra e trilhas estreitas serpenteavam pela colina, e do outro lado surgiram nuvens cinzentas, dando a impressão de que desciam verticalmente e se transformavam em vagas colunas de fumaça já débil, resquícios do incêndio assassino. A fazenda de Kenneth Sparkes se transformara num poço negro assustador, numa terra fumegante de carnificina devastadora.

O fogo deixara marcas em sua passagem assassina, e do ar acompanhei a devastação provocada nas esplêndidas edificações de pedra, cocheiras e celeiros. As chamas se espalharam, queimando a vegetação, deixando grandes áreas de terra nua. Caminhões de bombeiro derrubaram trechos da cerca branca que protegia a propriedade, fazendo sulcos profundos no gramado perfeito. A quilômetros de distância havia mais pastos, uma estradinha estreita asfaltada, depois uma subestação elétrica e adiante outras residências.

Invadimos a privilegiada fazenda de Sparkes na Virgínia pouco antes das oito horas, pousando num ponto afastado das ruínas para evitar que o vento das pás as perturbasse. Marino saltou e seguiu em frente sem mim. Esperei até que os pilotos travassem o rotor principal e desligassem todos os comutadores.

"Grata pela carona", falei ao agente especial Jim Mowery, que ajudara Lucy naquele vôo.

"Quem pilotou foi ela."

Ele abriu o compartimento de bagagem.

"Posso cuidar de tudo aqui, se quiser ir com eles", disse o co-piloto, dirigindo-se a minha sobrinha.

"Acho que você está pegando o jeito dessa coisa", brinquei com Lucy enquanto nos afastávamos.

Ela carregou a maleta de alumínio, que não parecia pesar muito em sua mão firme. Caminhávamos juntas, vestindo fardas semelhantes, embora eu não usasse pistola nem rádio portátil. As botas pretas reforçadas com aço estavam tão gastas que começavam a desbotar. A lama negra grudava nas solas conforme nos aproximávamos da barraca inflável cinza que seria nosso posto de comando nos próximos dias. A seu lado vi o imenso caminhão Pierce branco especial com o distintivo do Departamento do Tesouro, luzes de emergência e avisos em azul brilhante: ATF — INVESTIGAÇÃO DE EXPLOSÕES.

Lucy ia um passo à frente, um boné azul-escuro sombreava sua face. Fora transferida para a Filadélfia e em breve mudaria para Washington, D. C.; a idéia me dava uma sensação de velhice e desalento. Ela havia crescido e progredira tanto quanto eu havia progredido profissionalmente, na sua idade. E eu não queria que se afastasse ainda mais, embora não tivesse dito nada a ela.

"Esse foi feio", ela falou, puxando conversa. "Pelo menos o porão fica quase no nível do solo. Mas só há uma porta. Portanto, a maior parte da água escorreu para lá e formou uma piscina. O caminhão com as bombas já está a caminho."

"Qual a profundidade?"

Pensei em milhares de litros de água despejados pelas mangueiras e imaginei um caldo negro cheio de detritos perigosos.

"Depende do local. Se eu fosse você, recusaria o chamado", disse, num tom que fez com que eu me sentisse indesejada.

"Recusaria, nada", respondi magoada.

Lucy não se esforçava para ocultar seus sentimentos a respeito de trabalhar comigo em alguns casos. Não era rude, mas quando estava com os colegas costumava agir como se mal me conhecesse. Lembrei-me do passado, quando a visitava na UVA e ela evitava que outros estudantes nos vissem juntas. Sabia que não se envergonhava de mim, mas me considerava uma figura dominadora, e eu lutava arduamente para não interferir em sua vida.

"Já empacotou tudo?", perguntei com uma leveza insincera.

"Nem me fale nisso", respondeu.

"Decidiu mesmo ir?"

"Claro. É uma ótima oportunidade."

"Sei disso, fico contente por você", falei. "E Janet, como vai? Sei que deve ser duro..."

"Você fala como se fôssemos viver em hemisférios diferentes. Não é bem assim...", Lucy me cortou.

Janet era agente do FBI e Lucy, mais do que eu, tinha noção da situação. As duas namoravam desde quando iniciaram o treinamento em Quantico. Agora trabalhavam em instituições distintas de combate ao crime e logo residiriam em cidades diferentes. Aumentavam as chances de que as respectivas carreiras impedissem a retomada do relacionamento.

"Você acha que poderíamos arranjar um tempinho para conversar hoje?", falei enquanto caminhávamos desviando das poças.

"Claro. Quando terminar o serviço vamos tomar uma

cerveja, se encontrarmos algum bar aberto aqui na roça", retrucou. Cresceu a força do vento.

"Não me importo se for muito tarde", acrescentei.

"Vamos lá", Lucy resmungou, suspirando, quando nos aproximamos da barraca. "Ei, pessoal", chamou. "Cadê todo mundo?"

"Todos aqui."

"Doutora, resolveu atender em domicílio, agora?"

"Não, ela veio tomar conta de Lucy."

Além de Marino e de mim, o grupo reunido para o caso compunha-se de nove homens e duas mulheres. A outra, McGovern, comandava a equipe. Todos nós usávamos fardas azul-escuras, desbotadas e remendadas, gastas como as botas. Os agentes se movimentavam afobados perto da traseira aberta do imenso caminhão, em cujo baú revestido de alumínio reluzente havia armários e assentos escamoteáveis. Por fora era possível acessar os compartimentos com rolos de fita amarela para isolamento do local, pás, picaretas, lanternas e refletores, escovas, barras de ferro e serras.

Nossa sede móvel estava equipada também com computadores, copiadora e aparelho de fax, além de pulverizadores de água, aríete, marreta e cortador de metal, que poderiam ser usados para desmontar um local ou salvar uma vida humana. A bem da verdade, era difícil pensar em algo que o caminhão não tivesse, com exceção de cozinheiro e, mais importante, banheiro.

Alguns agentes descontaminavam botas, rastelos e pás em bombonas plásticas cheias de água com sabão. Um esforço interminável, num tempo ruim. Mãos e pés nunca chegavam a secar ou esquentar totalmente. Até o escapamento possuía filtro especial para eliminar resíduos de petróleo, e todas as ferramentas eram elétricas ou hidráulicas, em vez de usar gasolina, como precaução para o dia em que tudo seria questionado e julgado no tribunal.

McGovern estava sentada atrás de uma mesa, dentro

da barraca, com a prancheta sobre o joelho e o zíper da bota aberto.

"Certo", disse, dirigindo-se ao grupo. "Já discutimos quase tudo no posto dos bombeiros, onde vocês perderam o café e donuts deliciosos", acrescentou para nós, os recém-chegados. "Mesmo assim, prestem atenção. Até agora sabemos apenas que o fogo começou provavelmente na madrugada de anteontem, dia 7, por volta das duas da manhã."

McGovern tinha mais ou menos a minha idade e trabalhava na central de Filadélfia. Olhei para ela e vi a nova mentora de Lucy, sentindo os músculos enrijecerem.

"Pelo menos foi essa a hora em que o alarme contra incêndio da casa disparou", McGovern prosseguiu. "Quando o corpo de bombeiros chegou aqui, a casa estava tomada pelas chamas. As cocheiras também queimavam. Os carros não conseguiram chegar perto, apenas cercaram a área e jogaram água. Ou tentaram fazer isso. Calculamos que haja cerca de 120 mil litros de água no porão. Ou seja, precisamos de seis horas para bombear tudo para fora, supondo que as quatro bombas funcionem e não ocorram muitos entupimentos. Por falar nisso, a força foi desligada. Mas o corpo de bombeiros local vai nos ajudar, providenciando iluminação interna."

"Quanto tempo eles levaram para chegar aqui?", Marino perguntou.

"Dezessete minutos", ela respondeu. "Precisaram convocar reforços. O pessoal daqui é voluntário."

Alguém resmungou.

McGovern admoestou sua equipe: "Não sejam tão rigorosos com eles. Usaram todos os caminhões-tanque disponíveis para trazer água suficiente, portanto o problema não foi esse". E continuou: "O lugar queimou feito papel, ventava demais para usar espuma, e mesmo que isso fosse possível, não resolveria nada". Ela se levantou e seguiu na direção do caminhão. "A questão é: foi um incêndio *rápido* e *intenso*. Trata-se de um fato confirmado."

40

Ela abriu uma porta revestida de vermelho e iniciou a distribuição de pás e ancinhos.

"Não temos a menor pista da causa nem do ponto de origem", prosseguiu. "Mas acredita-se que o proprietário, Kenneth Sparkes, dono da cadeia de jornais, estava dentro da casa e não conseguiu sair a tempo. Por isso convocamos a doutora."

McGovern me fitou diretamente, com seus olhos penetrantes que não deixavam escapar nada.

"O que nos leva a pensar que ele estava em casa na hora do incêndio?", perguntei.

"Para começar, ele desapareceu. E um Mercedes pegou fogo, nos fundos. Ainda não checamos a placa, mas deduzimos que era o carro dele", respondeu um investigador. "E o ferrador dos cavalos dele esteve aqui dois dias antes do incêndio, na quinta-feira, dia 5. Sparkes estava em casa e não falou que pretendia se ausentar."

"Quem tomava conta dos cavalos quando ele estava fora?", perguntei.

"Não sabemos ainda", McGovern disse.

"Quero o nome e o telefone do encarregado das ferraduras", falei.

"Tudo bem. Kurt?", disse ela a um dos investigadores.

"Está na mão." Ele folheou um bloco espiralado com as mãos jovens, porém imensas e calejadas após anos de serviço.

McGovern apanhou capacetes azuis vistosos em outro compartimento e os distribuiu enquanto repassava as funções de cada um.

"Lucy, Robby, Frank, Jennifer, vocês vão para o buraco comigo. Bill fica no apoio geral, Mick poderá ajudá-lo, pois é a primeira missão de Bill com o Grupo Nacional de Investigação."

"Sorte dele."

"Uau, é virgem!"

"Dá um tempo, cara", disse o agente chamado Bill. "Minha mulher faz aniversário hoje. Quarenta anos. Nunca mais vai falar comigo."

"Rusty se encarrega do caminhão", McGovern prosseguiu. "Marino e a doutora entram em ação se houver necessidade."

"Sparkes recebeu alguma ameaça?", Marino perguntou, pois sua parte era pensar em homicídio.

"Sabemos tanto quanto você, a esta altura", respondeu o investigador chamado Robby.

"E a respeito da suposta testemunha?", indaguei.

"Recebemos um telefonema", ele explicou. "Voz masculina, não quis dar o nome, ligação de fora. Portanto, não temos como dizer se é confiável."

"Mas ele declarou ter ouvido os cavalos guinchando enquanto morriam", insisti.

"Isso mesmo. Disse que pareciam gritos humanos."

"Ele por acaso explicou como chegou perto o suficiente para ouvi-los?" Senti voltar a irritação.

"Disse que viu o fogo de longe e veio até aqui de carro, olhar mais de perto. Ficou uns quinze minutos e saiu rapidinho quando ouviu a sirene do carro dos bombeiros."

"Puxa, isso para mim é novidade e me deixa intrigado", disse Marino em tom sinistro. "A declaração dele confere com o tempo de atendimento. E sabemos como esses malucos adoram ficar por perto vendo o circo pegar fogo por causa deles. Alguma pista da raça?"

"Só conversamos cerca de meio minuto", Robby respondeu. "Mas não notei sotaque nem entonação característica. O sujeito falava bem, com muita calma."

Seguiu-se uma pausa. Todos digeriram em silêncio o desapontamento pela impossibilidade de identificar a testemunha ou confirmar que o relato era genuíno. McGovern prosseguiu com a atribuição de tarefas para o dia.

"Johnny Kostylo, nosso querido ASAC na Filadélfia, cuidará dos meios de comunicação e autoridades locais, como o prefeito de Warrenton, que já telefonou dizendo que não quer que sua cidade seja caluniada."

Ela ergueu os olhos da prancheta, perscrutando nossos rostos.

"Um dos nossos auditores está a caminho", continuou. "E Pepper virá em breve para nos ajudar."

Vários agentes assobiaram em sinal de contentamento pela convocação de Pepper, o cão farejador de incêndios criminosos.

"Felizmente, Pepper não foi treinado para farejar álcool", McGovern disse ao colocar seu capacete. "Pois há cerca de 4 mil litros de bourbon aqui."

"O que mais sabemos a respeito disso?", Marino perguntou. "Por acaso Sparkes fabricava ou vendia bebidas? Puxa vida, é muito uísque para um cara tomar sozinho."

"Pelo que se comenta, Sparkes colecionava as coisas boas da vida." McGovern falava de Sparkes dando como certa sua morte. "Bourbon, charutos, armas automáticas, cavalos de raça. Ignoramos se havia alguma coisa ilegal ou não. Por isso vocês foram chamados, em vez dos Feebs."

"Lamento informar, mas os Feebs já estão fuçando por aí. Querem saber se podem ajudar em algo."

"Eles não são uma gracinha?"

"Vamos pedir para nos ensinarem a investigar um incêndio."

"Onde eles estão?", McGovern quis saber.

"Na estrada, numa Suburban branca a um quilômetro e meio daqui. Três agentes usando coletes do FBI à prova de balas. Já conversaram com os jornalistas."

"Merda. Aparecem sempre onde há câmeras."

Risos irônicos e outros ruídos comprovavam o desprezo do ATF pelo FBI, cujos agentes eram rudemente chamados de *Feebs*.* Não era segredo a rivalidade entre as duas instituições, e era comum o FBI se apropriar indevidamente dos êxitos alheios.

(*) *Feeb* em inglês coloquial quer dizer fraco ou idiota. (N. T.)

"Por falar em pé no saco", outro agente falou, "o motel Budget não aceita AmEx, chefe. Ganhamos uma miséria e ainda vamos ter de usar nossos próprios cartões de crédito?"

"Para completar, o serviço de quarto termina às sete."

"Além de ser uma porcaria."

"Dá para arranjar outro lugar?"

"Vou cuidar disso", McGovern prometeu.

"É por isso que amamos tanto você."

Um carro de bombeiros vermelho-berrante surgiu na estrada de terra, levantando poeira e pedrisco. Era a esperada ajuda para tirar a água do local. Dois bombeiros fardados com botas de borracha altas desceram e conferenciaram brevemente com McGovern, antes de começarem a desenrolar as mangueiras de três quartos de polegada presas a filtros que ergueram e levaram nos ombros para dentro das ruínas da mansão de pedra, depositando-os em quatro pontos distintos, dentro d'água. Retornaram ao caminhão e acionaram as potentes bombas de sucção Prosser portáteis, ligando-as no gerador com extensões. Logo o som do equipamento tornou-se ensurdecedor e as mangueiras incharam, despejando a água suja no gramado.

Peguei as luvas grossas de lona emborrachada e vesti a capa de proteção antes de ajustar o capacete. Em seguida, comecei a limpar as botas Red Wing, mergulhando-as nas bombonas espumantes de água fria com sabão, que ensopou os cordões e vazou pelas línguas de couro. Eu não havia pensado em usar roupa de baixo de seda sob a farda, pois ainda estávamos em junho. Cometi um erro. O vento soprava com força, vindo do norte, e cada gotícula úmida parecia reduzir minha temperatura corporal em mais um grau. Eu odiava sentir frio. Odiava não poder confiar no tato, quando as mãos estavam geladas ou cobertas por luvas grossas. McGovern veio em minha direção quando eu bafejava nas pontas dos dedos e abotoava a capa pesada até o queixo.

"Temos um longo dia pela frente", comentou, tremendo. "Onde foi parar o verão?"

"Teun, suspendi as férias por sua causa. Você está destruindo minha vida pessoal." Eu não pretendia facilitar as coisas para ela.

"Pelo menos você tem as duas coisas." McGovern também começou a limpar suas botas.

Teun era a pronúncia deturpada das iniciais T. N., que ocultavam um nome sulista horroroso qualquer, como Tina Nola, comentava-se. Eu já a conhecera como Teun, ao entrar para o Grupo Nacional de Investigação, ou NRT, por isso a chamava assim. Era eficiente e divorciada. Firme e atlética, impressionava pelos olhos cinzentos penetrantes e pelo físico avantajado. McGovern podia ser feroz. Testemunhei sua fúria explodir como um salão em chamas, assim como a vi em momentos de generosidade e ternura. Ela se especializara em incêndios criminosos e, segundo a lenda, seria capaz de intuir a causa do fogo só de ouvir a descrição do local.

Calcei dois pares de luvas de látex enquanto McGovern perscrutava o horizonte, fixando a vista por um longo tempo nas ruínas de granito que cercavam o poço enegrecido. Acompanhei seu olhar até as cocheiras queimadas e mentalmente ouvi os relinchos e coices dos cavalos em pânico. Por um instante senti um nó na garganta. Vira mãos machucadas pelas tentativas de cavar de pessoas enterradas vivas, ferimentos variados nas vítimas que lutaram contra seus assassinos. Sabia como a vida lutava contra a morte e não suportava as cenas terríveis que surgiam em minha mente.

"Repórteres desgraçados", McGovern disse, olhando para um pequeno helicóptero que sobrevoava o local em vôos rasantes.

Era um Schweizer branco sem identificação nem câmeras visíveis. McGovern deu um passo à frente e abrangeu com um gesto largo todos os representantes dos meios de comunicação no raio de oito quilômetros, passando a identificá-los em seguida.

"Aquela perua ali", informou, "é de uma emissora local de rádio, uma FM cujo maior talento se chama Jezebel. Ela conta histórias comoventes sobre a vida, seu filho aleijado e o cão de três pernas chamado Sport. Adiante temos outra rádio. O Ford Escort ao lado é de um jornaleco sensacionalista. Algum tablóide da capital, certamente. E por falar em Washington, temos também o *Post*." Ela apontou para um Honda. "Cuidado com a repórter de lá. Morena, tem pernas sensacionais. Dá para imaginar alguém usando saia curta aqui? Provavelmente ela acha que assim conseguirá entrevistas com os homens. Meu pessoal, porém, sabe se comportar. Ao contrário dos Feebs."

Ela recuou para pegar um par de luvas de látex no caminhão. Enfiei a mão no fundo do bolso da capa. Já me acostumara às diatribes de McGovern contra a mídia, para ela sempre *preconceituosa e falsa*. Mal lhe dava ouvidos.

"E isso é apenas o começo", insistiu. "Os vermes logo estarão rastejando por todos os lados, pois eu já faço idéia do que aconteceu com nosso magnata das comunicações. Não é preciso ser vidente para adivinhar como a fazenda pegou fogo, matando os coitados dos cavalos."

"Você parece mais animada do que de costume", retruquei secamente.

"Animada não é o termo."

Ela apoiou o pé na traseira reluzente do caminhão superequipado enquanto uma perua velha estacionava. Pepper, o cão de caça treinado para farejar indícios de incêndios criminosos, era um belo labrador preto. Usava coleira com o logotipo do ATF e viajava confortavelmente instalado no banco da frente, onde descansaria até que precisássemos de sua ajuda.

"Posso ajudar em algo?", perguntei. "Além de ficar fora do caminho até chegar a minha hora de agir?"

Ela olhava para outro lado. "Se eu fosse você, ficaria

com Pepper, ou dentro do caminhão. Os dois veículos têm aquecimento."

McGovern trabalhara comigo antes e sabia que eu era capaz de mergulhar num rio ou vasculhar escombros de incêndios e explosões, se fosse necessário. Sabia que eu estava disposta a empunhar uma pá em vez de ficar só olhando. Fiquei ressentida com seu comentário, intuindo nele uma certa aspereza. Quando me voltei para falar com ela novamente, percebi que estava imóvel, atenta como um cão de caça ao farejar a presa. Seu rosto incrédulo se fixara num ponto do horizonte.

"Meu Deus do céu", murmurou.

Segui seu olhar até encontrar um potro negro solitário, cerca de cem metros a leste, pouco adiante das ruínas das cocheiras. Visto de longe, o magnífico animal parecia entalhado em ébano. Mas logo percebi o movimento dos músculos e da cauda quando ele deu a impressão de reagir à nossa atenção.

"Os estábulos queimaram", McGovern disse, atônita. "Diacho, como ele conseguiu escapar das cocheiras?"

E acionou o rádio portátil.

"Teun a Jennifer", disse.

"Prossiga."

"Dê uma olhada atrás dos estábulos. O que vê?"

"Entendido. Quadrúpede adiante."

"Investigue o caso. Precisamos descobrir se o elemento é sobrevivente ou fugiu de outro lugar. Interrogue os moradores."

"Positivo."

McGovern afastou-se com a pá no ombro. Observei-a seguir no rumo das ruínas malcheirosas e escolher um ponto onde supostamente ficava a ampla porta de entrada, com água até o joelho. Lá longe, o cavalo negro tremulava na névoa, como se fosse feito de fogo. Comecei a caminhar com as botas úmidas, sentindo os dedos cada vez mais rijos. Em pouco tempo precisaria ir ao banheiro, o que no caso seria atrás de uma árvore ou barranco, qualquer lugar protegido onde não houvesse homens no raio de um quilômetro.

Não me aproximei das ruínas de pedra inicialmente, preferi caminhar sem pressa pelas redondezas, contornando a casa. A queda das estruturas remanescentes representava um perigo óbvio e extremo em cenários de destruição maciça. Embora as paredes da casa transmitissem uma impressão de solidez, eu preferia que tivessem sido removidas por um guindaste. Apesar do vento frio, decidi iniciar a investigação, sentindo um aperto no coração por não saber por onde começar. O ombro doía com o peso da maleta de alumínio, e só de pensar em passar um rastelo pelos destroços submersos eu sentia dor nas costas. E tinha a certeza de que McGovern me observaria para ver quanto tempo eu agüentava.

Pelos vãos das portas e janelas vi um poço de água misturada com fuligem cheio de aros de fita de aço usados em barris de uísque. Imaginei o bourbon envelhecido explodindo nos barris de carvalho em chamas, despejando porta afora um rio de fogo que desceu até os estábulos que abrigavam os preciosos cavalos de Kenneth Sparkes. Enquanto os responsáveis pela investigação tentavam determinar onde o fogo começara e sua causa, avancei pisando nas poças e subindo em tudo o que parecesse firme o bastante para agüentar meu peso.

Havia pregos por todos os lados, e com a tenaz do canivete suíço que ganhara de Lucy removi um deles da sola da bota esquerda. Parei sob o retângulo perfeito do vão da porta de entrada da mansão destruída. Dediquei alguns minutos à observação do quadro geral. Ao contrário de muitos investigadores, eu não tirava fotos a cada passo, quando me aproximava da cena do crime. Aprendera a esperar, deixando que a vista registrasse tudo primeiro. Percorrendo o local com olhos atentos, fiquei surpresa com várias coisas.

A frente da casa, como era de esperar, oferecia uma vista espetacular. Dos andares superiores desaparecidos seria possível apreciar os bosques e as colinas relvadas, o treinamento dos cavalos que o dono da casa comprava, trocava, cruzava e vendia. Supunha-se que Kenneth Sparkes estivesse em casa na noite do incêndio, 7 de junho. Recordei que o tempo estava claro e quente, soprava apenas uma leve brisa sob a lua cheia.

Examinei a casca vazia do que antes fora uma mansão, vendo restos carbonizados de sofás, pedaços de metal e vidro, partes de televisores e eletrodomésticos derretidos. Havia centenas de livros parcialmente queimados, fragmentos de quadros, colchões e mobília. Os andares superiores tinham desabado, formando camadas encharcadas sobre o porão. Assim como eu imaginara Sparkes na noite em que o alarme contra incêndio disparou, imaginei-o na sala de estar com vista panorâmica, na cozinha, quem sabe até cozinhando. No entanto, quanto mais eu explorava os lugares onde ele poderia ter estado, menos entendia como não havia conseguido escapar. Só se estivesse incapacitado por álcool e drogas ou tivesse morrido sufocado pelo monóxido de carbono, tentando apagar o incêndio.

Lucy e seus colegas, na extremidade oposta, tentavam abrir um quadro de força que o calor e a água enferrujaram instantaneamente.

"Boa sorte", ouvi McGovern dizer quando se aproximou deles, vadeando o poço. "Mas não vão encontrar aí a origem do fogo."

Ela continuou falando ao afastar as ferragens enegrecidas de uma tábua de passar, junto com o ferro e os restos de fio que o acompanhavam. Chutou para longe os aros dos barris, como se descarregasse neles o ódio sentido pelo responsável por aquela bagunça toda.

"Vocês notaram as janelas?", disse a eles. "Vidro quebrado do lado de dentro. Acham que alguém forçou a entrada?"

"Não necessariamente", Lucy respondeu, agachando-se para examinar os fragmentos. "O impacto térmico ocorreu na parte interna do vidro, que esquentou e se expandiu mais depressa do que a superfície externa, provocando tensão desigual e fissuras termais distintas das causadas por impacto."

Entregou um pedaço de vidro a McGovern, sua supervisora.

"A fumaça sai da casa", Lucy prosseguiu, "e o ar de fora entra. Equalização da pressão. Não há indícios de arrombamento."

"Nota 7", McGovern disse.

"Que nada. Nota 10."

Vários agentes riram.

"Sou levado a concordar com a argumentação de Lucy", declarou um deles. "Até agora, não encontramos sinais de entrada forçada."

A líder da equipe continuou percorrendo o local do desastre, que se tornara uma sala de aula para os candidatos a Investigadores Oficiais de Incêndios, os CFI.

"Vocês se lembram do que falamos a respeito de fumaça passando por tijolos?", prosseguiu, apontando para trechos da parede de pedra na altura do telhado que pareciam arranhados por uma escova de cerdas metálicas. "Ou isso seria efeito da erosão provocada pelos jatos de água?"

"Não, a argamassa foi parcialmente destruída. Trata-se de fumaça."

"Isso mesmo. A fumaça exerce pressão nas juntas." McGovern falava com desenvoltura. "O fogo cria seu próprio caminho para se expandir. E nas paredes, mais embaixo, ali, ali e ali" — apontou —, "a pedra foi queimada até a remoção de qualquer resíduo de combustão incompleta. Temos vidro e canos de cobre derretidos."

"Começou no primeiro andar", Lucy disse. "Na parte social da casa."

"É o que tudo indica, na minha opinião."

"E as chamas subiram mais de três metros, atingindo .o segundo andar e o telhado."

50

"O que exige material altamente combustível."

"Aceleradores. Mas nem adianta procurar sinais de uso de combustível nessa meleca."

"Sempre vale a pena procurar", McGovern disse ao grupo. "Não sabemos se foi necessário algum combustível para avivar as chamas, pois desconhecemos os materiais inflamáveis presentes no primeiro andar."

Eles pisavam na água e trabalhavam enquanto discutiam, rodeados pelo gorgolejar da água e pelo ronco constante das bombas. Interessei-me pelas molas de colchão que apanhei com o rastelo. Abaixei-me para pegar pedras e madeira chamuscada com as mãos. É preciso sempre levar em conta a possibilidade de a vítima ter morrido na cama, quando se trata de incêndio. Ergui os olhos para onde seria o andar de cima. Continuei cavoucando, rastelando, puxando, sem localizar nada que fosse remotamente humano. Só achei resíduos encharcados do que fora arrasado na fina morada de Kenneth Sparkes. Alguns objetos ainda fumegavam no alto das pilhas de detritos que não estavam submersas. A maior parte do material recolhido por mim, todavia, era frio e exalava o odor nauseante de bourbon queimado.

A busca durou a manhã inteira. Conforme eu passava de um trecho enlameado a outro, ia dando preferência ao que sabia fazer melhor: tateava e procurava usando as mãos. Quando encontrava uma forma inesperada, removia a pesada luva de bombeiro e tateava um pouco mais com dedos precariamente protegidos pelo látex. A turma de McGovern se espalhara e cada um se concentrava em sua tarefa. Perto do meio-dia, ela se aproximou de mim novamente.

"Agüentando firme?", perguntou.

"Vou levando."

"Nada mau para uma detetive de poltrona." Ela sorriu.

"Vou tomar isso como elogio."

"Vê como são as coisas?" Ela apontou com o dedo sujo da luva. "Fogo de alta temperatura, de uma ponta a outra da casa. Chamas altas e tão fortes que incendiaram os dois andares superiores e praticamente tudo o que havia neles. Não podemos falar em curto-circuito elétrico ou ferro de passar esquecido em cima da tábua neste caso, nem em frigideira com gordura esquecida no fogão. Ele foi esperto e avassalador."

Com o passar dos anos, fui percebendo que as pessoas responsáveis por combater o fogo falavam dele como se estivesse vivo, possuísse vontade e personalidade próprias. McGovern passou a trabalhar ao meu lado, e o que não conseguia remover empilhava em cima de um barril. Limpei o que poderia ser osso de um dedo, mas não passava de uma pedrinha. Ela apontou com o cabo de madeira do rastelo para o céu nublado.

"O segundo andar foi o último a cair", afirmou. "Em outras palavras, detritos do teto e do segundo andar devem ter ficado por cima de tudo. Portanto, concluo que estamos vasculhando o que havia lá, no momento." Ela bateu com o rastelo na viga de aço retorcida que antes apoiava o teto. "Só pode ser", prosseguiu, "pois há muito material isolante e telhas de ardósia entre os detritos."

Seguimos em frente, sem fazer pausas superiores a quinze minutos. O corpo de bombeiros local encarregou-se do suprimento de café, sanduíches e refrigerantes, além de instalar refletores de quartzo que nos permitiam enxergar tudo durante o serviço nos escombros inundados. Nas duas extremidades, bombas Prosser sugavam a água e a despejavam do outro lado das paredes de granito. Após a remoção de milhares de litros, nossas condições não pareciam ter melhorado muito. Várias horas transcorreram até que o nível da água baixasse perceptivelmente.

Saí do local às duas e meia, não agüentava mais. Procurei o lugar menos visível, atrás dos galhos baixos de um abeto imenso, nos fundos dos estábulos fumegantes. Sentia as mãos e os pés dormentes, mas o resto do corpo, protegido pelas roupas grossas, estava suado. Agachei-me enquanto vigiava nervosamente, temendo que alguém se aproximasse. Depois de me levantar, forcei-me a passar pelas cocheiras carbonizadas. O cheiro da morte penetrou por minhas narinas e deu a impressão de se acumular nos espaços vagos no crânio.

Os cavalos haviam sido empilhados uns por cima dos outros. As patas se dobraram como pernas de um pugilista, o couro arrebentou quando a carne inchou e encolheu no fogo. Éguas, garanhões e potrinhos queimaram até os ossos. Ainda saía fumaça das carcaças carbonizadas. Torci para que tivessem sucumbido ao envenenamento por monóxido de carbono antes de sentir a força das chamas.

Contei dezenove animais, inclusive duas crias e um potro. O miasma de pêlo eqüino queimado e morte chegava a sufocar, envolvendo-me como um pesado manto enquanto eu seguia na direção do gramado que levava aos escombros da sede. No horizonte, o único sobrevivente me observava novamente, imóvel, solitário e pesaroso.

McGovern seguia chafurdando na lama, removendo material com a pá e tirando lixo do caminho. Notei nela sinais de cansaço, o que me deu um prazer perverso. Aproximava-se o final do dia. O céu estava mais escuro e o vento frio soprava com mais força.

"O potro continua lá", informei.

"Pena que ele não saiba falar." Ela empertigou o corpo e massageou as costas.

"Ele escapou por algum motivo", falei. "Não faz sentido pensar que fugiu por conta própria. Espero que alguém tome conta dele."

"Estamos providenciando."

"Será que um dos vizinhos não aceitaria ajudar?" Não consegui me conter, pois a situação do cavalo me incomodava.

"A suíte principal e seu respectivo banheiro ficavam ali", ela anunciou ao tirar um pedaço de mármore branco da água suja. "Piso de mármore, acessórios de latão, partes metálicas de uma Jacuzzi. Uma moldura de clarabóia, que, por falar nisso, estava aberta no momento do incêndio. A quinze centímetros de onde está, do lado esquerdo, você encontrará o que restou da banheira."

O nível da água seguia baixando, conforme as bombas a sugavam para formar riachos no declive gramado. Os agentes espalhados por ali removiam o piso de tábuas antigas de carvalho, queimadas em cima. Restara apenas um fundo de madeira intacto. O serviço prosseguiu, e os indícios acumulados sugeriam que o incêndio começara no segundo andar, na área da suíte principal, onde recuperamos puxadores de latão dos móveis e armários de mogno, além de centenas de cabides. Vasculhamos no meio do cedro queimado, encontrando restos de roupas e sapatos de homem no lugar do closet.

Lá pelas cinco da tarde a água baixara mais trinta centímetros, revelando uma paisagem desolada que lembrava um depósito de lixo cheio de restos de aparelhos e partes de sofás. McGovern e eu trabalhávamos ainda no setor do banheiro da suíte, recolhendo frascos de remédio, xampu e loção hidratante. Finalmente, surgiu o primeiro indício tênue de morte. Limpei cuidadosamente a fuligem de um fragmento de vidro plano.

"Acho que encontrei algo", falei, mas minha voz parecia estar sendo engolida pelo barulho da água e pelo ronco das bombas.

McGovern apontou a lanterna para o local onde eu trabalhava e parou, chocada.

"Meu Deus do céu", disse.

Olhos leitosos de morte nos fitavam através do vidro partido e molhado.

"Uma janela ou quem sabe a porta do box caiu em cima do corpo, impedindo que fosse queimado até os ossos, pelo menos em parte", falei.

Puxei o vidro quebrado para o lado e McGovern ficou momentaneamente sem fala ao ver o cadáver grotesco que eu logo soube não ser o de Kenneth Sparkes. A parte superior do rosto estava prensada debaixo do vidro grosso estilhaçado. Os olhos eram cinza-azulados e foscos, pois a cor original se perdera no fogo. Eles nos olhavam das órbitas vazias queimadas até os ossos. Mas longas mechas de cabelos louros se soltaram e boiavam na água suja que aos poucos escorria para fora. Não havia nariz nem boca, só ossos calcinados e dentes queimados até não restar nenhum resíduo orgânico neles.

O pescoço estava parcialmente intacto, o torso também coberto de vidro partido. Sobre a carne cozida, os restos de uma blusa ou camisa haviam derretido, mas ainda era possível distinguir a trama. Quadris e pélvis foram poupados, igualmente graças ao vidro. A vítima usava calça jeans. Das pernas só restaram ossos, mas botas de couro protegeram os pés. Não sobrara nada dos antebraços e mãos, nem sequer encontrei vestígios de seus ossos.

"Quem é essa aí, caramba?", McGovern disse, atônita. "Ele morava com alguém?"

"Não sei", falei ao tirar mais água da banheira.

"Pode confirmar que se trata de uma mulher?", McGovern disse, curvando-se para ver melhor, sempre com a lanterna acesa.

"Não posso jurar no tribunal antes de realizar um exame completo. Mas aposto que é um corpo feminino", respondi.

Olhei para o céu aberto, imaginando o banheiro no qual aquela mulher provavelmente morrera. Tirei a máquina fotográfica da valise, sentindo os pés gelados de umidade. Pepper, o cão farejador, surgiu num vão de porta, acompanhado do treinador. Lucy e alguns colegas vieram em nossa direção assim que a notícia da descoberta foi transmitida pelo rádio. Pensei em Sparkes, mas ali nada fazia sentido; certa por enquanto era só a presença de uma mulher dentro da casa na noite do incêndio. Temi que também o cadáver dele estivesse em algum lugar.

Os agentes se aproximaram; um deles trazia o saco usado no transporte de corpos. Abri-o e tirei mais fotos.

A carne aderira ao vidro e teria de ser separada. Eu faria isso no necrotério. Ordenei que os detritos ao redor do defunto também fossem recolhidos.

"Preciso de ajuda", disse ao grupo. "Necessitamos de uma prancha e tecido plastificado. Alguém, por favor, avise a funerária local responsável pelo transporte dos cadáveres para mandar uma perua. Tomem cuidado, o vidro é afiado. Vamos transportá-la na posição em que se encontra agora, *in situ*. Com o rosto para cima, para não provocarmos deformações no corpo e rompimento da pele. Assim, isso mesmo. Abra o saco um pouco mais. O máximo possível."

"Não vai caber."

"Acho melhor quebrar o vidro um pouco mais aqui nesta beirada", McGovern sugeriu. "Alguém tem um martelo?"

"Não dá. Vamos cobri-la do jeito que está." Dei outras ordens, assumindo o comando a partir daquele momento. "Cubram o corpo com tecido. Protejam as bordas para não cortarem as mãos. Todos estão usando luvas?"

"Sim."

"Quem não estiver aqui ajudando na remoção pode continuar a busca. Talvez haja outra vítima. Permaneçam atentos."

Tensa e irritada, esperei o retorno dos dois agentes com a prancha de madeira e o tecido azul plastificado que a cobriria.

"Muito bem", disse quando chegaram. "Vamos lá. Vou contar até três."

A água espirrou e ondulou quando nós quatro procuramos apoio para erguer o corpo. Foi terrível buscar um ponto para firmar os pés, segurando vidro molhado e afiado o bastante para cortar couro.

"Agora vamos colocá-lo sobre a prancha. Um, dois, três, levantem."

Depositamos o cadáver no centro da prancha. Cobri-o do melhor modo possível com tecido plastificado e o prendi com correias. Com passos curtos e hesitantes, seguimos adiante. A lâmina de água não cobria mais as botas. Mal notávamos o ronco constante do gerador e das bombas Prosser enquanto conduzíamos nossa carga mórbida rumo ao espaço vazio onde antes havia uma porta. Senti o cheiro de carne queimada e morte, o odor acre dos tecidos, alimentos, móveis e tudo o que queimara na casa de Kenneth Sparkes e começava a apodrecer. Sem fôlego, atordoada pela tensão e pelo frio, atingi o lado externo debilmente iluminado pelas derradeiras luzes do dia.

Baixamos o corpo no solo e eu montei guarda enquanto o resto da equipe retomava as escavações. Abri as cobertas e examinei de perto, por um longo tempo, aquele pobre ser humano desfigurado. Apanhei a lanterna e a lente de aumento na maleta de alumínio. O vidro derretera em torno da cabeça e na parte superior do nariz. Resíduos de material rosado e cinzas se misturavam aos cabelos. Usei a lanterna e a lupa para examinar as áreas em que a pele fora poupada, pensando que poderia ser produto da minha imaginação uma hemorragia no tecido chamuscado da região temporal esquerda, a cerca de dois centímetros do olho.

Lucy materializou-se subitamente a meu lado, e a perua azul-escura reluzente da Funerária Wiser estacionou.

"Descobriu algo?", Lucy indagou.

"Não tenho certeza, mas isso parece hemorragia, e não ressecamento e rompimento da pele."

"Você quer dizer rompimento por causa do calor?"

"Isso mesmo. A carne aquecida se expande, rompendo a pele."

"O mesmo ocorre quando assamos um frango no forno."

"Exato", falei.

Danos à pele, músculos e ossos podem ser facilmente confundidos com ferimentos decorrentes de violência, se a pessoa não estiver familiarizada com a ação do fogo. Lucy agachou-se a meu lado e também examinou o local.

"Encontraram algo mais por lá?", perguntei. "Nenhum cadáver, espero."

"Nada, por enquanto", ela respondeu. "Logo vai escurecer e só nos restará cuidar da segurança do local até podermos recomeçar o serviço pela manhã."

Ergui os olhos para o sujeito de terno risca-de-giz que desceu do carro funerário e calçou luvas de látex. Ruidosamente, ele puxou a maca da traseira e desdobrou as pernas de metal, que tilintaram.

"Vai começar o serviço esta noite, doutora?", ele perguntou. Senti que já o vira antes, em algum lugar.

"Vamos levá-la para Richmond, iniciarei a autópsia pela manhã", informei.

"A última vez que nos encontramos foi no tiroteio de Moser. A moça que provocou a briga continua causando problemas aqui."

"Sim, claro." Lembrei-me vagamente do caso, não faltavam tiroteios e moças que causavam problemas. "Obrigada pela ajuda", falei.

Erguemos o corpo pelas bordas do pesado saco de vinil e o colocamos na maca, que deslizou sobre as rodas até a traseira da perua. Ele bateu as duas portas.

"Espero que o falecido não seja Kenneth Sparkes", comentou.

"Ainda não identifiquei o corpo", retruquei.

Ele suspirou e acomodou-se ao volante.

"Bem, eu gostaria de dizer uma coisa", prosseguiu, ligando o veículo. "Não me importa o que os outros digam, ele era um bom sujeito."

Acompanhei sua partida e senti os olhos de Lucy fixos em mim. Ela tocou meu braço.

"Você está exausta", disse. "Por que não passa a noite aqui? Posso levá-la amanhã para casa, de helicóptero. Se encontrarmos mais alguma coisa, informarei imediatamente. Não adianta permanecer neste local por mais tempo."

Eu tinha uma tarefa dificílima pela frente, e a atitude mais sensata seria voltar imediatamente para Richmond. Na verdade, porém, eu não sentia a menor vontade de retornar a minha casa vazia. Benton estava em Hilton Head e Lucy ficaria em Warrenton. Era muito tarde para chamar uma amiga e eu estava cansada demais para conversas educadas. Em momentos como aquele parecia que nada poderia me confortar.

"Teun nos transferiu para um hotel decente e há uma cama extra no meu quarto, tia Kay", Lucy acrescentou com um sorriso ao tirar a chave do carro do bolso.

"Quer dizer que virei tia Kay outra vez."

"Enquanto não houver ninguém por perto."

"Preciso comer alguma coisa", falei.

3

Saímos pela noite escura e muito fria. Compramos Whoppers e batata frita no Burger King de Broadview, para comer no hotel. Faróis em sentido contrário feriam meus olhos; não haveria analgésicos no mundo capazes de aliviar a dor de cabeça lancinante e o aperto no peito que eu sentia. Lucy trouxera seus CDs e pusera um deles para tocar bem alto no Ford LTD preto alugado enquanto percorríamos Warrenton.

"O que estamos ouvindo?", perguntei, em tom de reclamação.

"Jim Brickman", ela respondeu com doçura.

"Não acredito", falei alto, competindo com flautas e tambores. "Para mim, parece música indígena. Dá para baixar um pouquinho?"

Em vez disso, ela aumentou o volume.

"David Arkenstone. *Spirit wind*. Você precisa ampliar os horizontes, tia Kay. Essa música se chama 'Destiny'."

Lucy dirigia voando como o vento, e minha mente começou a flutuar.

"Você está bancando a doida comigo", falei, imaginando lobos e fogueiras noturnas.

"A música dele fala de relacionamentos, descoberta do seu caminho e força positiva", prosseguiu. A canção ganhou vida e guitarras. "Não acha que combina?"

Não pude evitar o riso ao ouvir a complicada explicação. Lucy precisava saber como tudo funcionava e o motivo. A música realmente era adequada, senti-me leve, mais calma em relação às questões pavorosas que me passavam pela mente.

"O que você acha que aconteceu, tia Kay?", perguntou Lucy de repente, quebrando o encanto. "Quero dizer, intuitivamente."

"Por enquanto é impossível saber", respondi, como responderia a qualquer outra pessoa. "E não devemos presumir nada, nem mesmo o sexo ou quem poderia estar na casa."

"Teun aposta em incêndio criminoso, assim como eu", ela declarou descontraidamente. "Curioso, Pepper não farejou nada nas áreas que julgávamos suspeitas."

"Como a suíte principal no primeiro andar", falei.

"Por exemplo. Nada, ali. Pepper trabalhou feito um cão e não ganhou nem a comida."

O cão de caça labrador fora treinado para receber alimento como recompensa desde pequeno. Aprendera a farejar produtos refinados do petróleo, como querosene, gasolina, fluido de isqueiro, tíner, solventes, óleo combustível. Todas as opções possíveis, mesmo improváveis, para um incendiário começar um incêndio grande riscando apenas um fósforo. Quando combustíveis são espalhados num local, formam poças e escorrem enquanto seus vapores queimam. O líquido penetra nos tecidos, colchões e carpetes. Vaza pelos vãos dos móveis e do assoalho. Não sendo solúvel em água nem fácil de lavar, se Pepper não tinha encontrado odores capazes de excitar seu faro, provavelmente não havia nada do gênero por lá.

"Precisamos descobrir o que havia na casa exatamente, para calcular o total de material combustível", prosseguiu Lucy enquanto violinos entravam na canção, completando as flautas e tambores com seu lamento triste. "Aí teremos uma noção mais precisa do material que seria necessário para provocar um incêndio assim, e qual o volume."

"Havia alumínio e vidro derretidos. O corpo foi praticamente torrado nas coxas e nos antebraços, ou seja, nas áreas desprotegidas pela porta de vidro do box", falei. "Is-

61

so sugere que a vítima estava deitada, provavelmente na banheira, quando o fogo atingiu o local."

"Seria bizarro considerar que um incêndio desses começou num banheiro de mármore", minha sobrinha comentou.

"E quanto à eletricidade? Alguma chance?", perguntei, vendo o luminoso vermelho e amarelo de nosso hotel na beira da rodovia, a cerca de um quilômetro à frente.

"Comprovamos que a instalação elétrica havia sido reforçada. Quando o fogo atingiu os cabos e derreteu o isolamento, os fios entraram em contato, provocando um curto-circuito que acionou os disjuntores, cortando a corrente", ela explicou. "Era exatamente o que eu esperava que acontecesse, num incêndio criminoso ou acidental. Mesmo assim, fica difícil afirmar algo com absoluta certeza. Ainda restam vários aspectos a investigar e o laboratório realizará análises diversas, claro. Mas o acendedor usado para iniciar o fogo fez com que se propagasse rapidamente. Pode-se verificar isso no piso. Há uma diferença visível entre as tábuas que queimaram praticamente até o fim e outras quase sem danos. Isso indica um fogo forte e rápido."

Pensei na madeira próxima ao corpo, era exatamente como ela descrevera. Chamuscada na superfície em alguns trechos, queimada profundamente em outros.

"Continuamos suspeitando do primeiro andar, portanto", falei. Minhas expectativas pessoais em relação ao caso eram cada vez mais sombrias.

"Provavelmente. Além disso, sabemos que tudo aconteceu muito depressa, com base no que os bombeiros encontraram ao chegar, dezessete minutos após o disparo do alarme contra incêndio." Ela refletiu por um momento e prosseguiu. "O banheiro e a possível hemorragia perto do olho esquerdo. O que me diz? Acha que ela estava tomando banho? Caiu e bateu a cabeça, sufocada pelo monóxido de carbono?"

"Tudo indica que estava totalmente vestida no momento da ocorrência", ressaltei. "Usava até botas. Se o alarme contra incêndio soar quando uma pessoa está tomando banho, duvido que tenha tempo de vestir tudo isso."

Lucy aumentou ainda mais o volume e ajustou os graves. Sinos tocaram junto com os tambores, e curiosamente pensei em incenso e mirra. Queria deitar na praia, tomar sol ao lado de Benton e dormir. Queria sentir o mar batendo em meus pés quando caminhasse de manhã cedo na areia. Recordei-me da última vez que encontrei Kenneth Sparkes. Antecipei a visão do que restava dele, seria a próxima descoberta.

"Essa música se chama 'The wolf hunt'", disse Lucy ao entrar na loja de conveniência de tijolos brancos do posto Shell. "Quem sabe não nos metemos nisso mesmo, numa caça ao lobo? Ao grande lobo mau?"

"Não", retruquei quando ela estacionou. "Creio que procuramos um dragão."

Ela vestiu o casaco Nike de náilon para ocultar a arma e a identificação.

"Você não viu nada", disse Lucy ao abrir a porta. "Teun ia me esfolar viva, se soubesse."

"Agora você resolveu seguir o mau exemplo de Marino, é?" Ele raramente obedecia às regras e costumava transportar cerveja para casa no porta-malas da viatura policial chapa fria que usava.

Lucy entrou na loja. Duvido que fosse capaz de enganar alguém com aquelas botas sujas e a calça azul desbotada cheia de bolsos, sem falar no inconfundível cheiro de fumaça. Teclados e chocalhos marcaram a mudança de ritmo do CD enquanto eu esperava no carro. Eu não via a hora de dormir. Lucy voltou com meia dúzia de cervejas Heineken, e fomos embora ao som de flauta e percussão, até que imagens súbitas provocaram um choque que me fez pular no banco. Vi dentes soltos na boca descarnada e olhos mortiços, branco-azulados como ovos cozidos. Cabelo flutuando na água escura, como cabelos de milho, vidro fissurado derretido formando uma intrincada teia brilhante em volta do que restara do corpo.

"Está se sentindo bem?", perguntou Lucy, olhando para mim preocupada.

"Acho que cochilei um pouco. Mas tudo bem."

O motel Johnson ficava logo adiante, do outro lado da pista. Paredes revestidas de pedra sob o teto metálico vermelho e branco. O luminoso vermelho e amarelo no alto alardeava ar-condicionado e funcionamento 24 horas. O NÃO antes de HÁ VAGAS estava apagado, boa notícia para quem procurava um lugar para dormir. Descemos, e um capacho dizia BEM-VINDO na entrada. Lucy tocou a sineta. Uma gata preta enorme surgiu na porta, e logo uma mulher imensa que parecia ter se materializado no ar nos recebeu.

"Fizemos reserva. Apartamento para duas pessoas", Lucy disse.

"A diária vence às onze da manhã", avisou a mulher ao dar a volta para se posicionar atrás do balcão. "Podem ficar no 15, daquele lado, no final."

"Somos do ATF", Lucy disse.

"Moça, isso eu já sabia. A outra senhora já chegou e pagou tudo."

Um aviso sobre a porta anunciava que o estabelecimento não aceitava cheques. Cartões MasterCard e Visa eram bem-vindos, porém. Pensei em McGovern e sua capacidade de dar um jeito em tudo.

"Querem duas chaves?", indagou a recepcionista ao abrir a gaveta.

"Por favor."

"Pronto, moça. Vocês encontrarão duas camas confortáveis e bem-arrumadas. Se eu não estiver aqui quando saírem, é só deixar as chaves em cima do balcão."

"Segurança reforçada, espero", disse Lucy com ironia.

"Claro. Basta dar duas voltas na chave."

"Até que horas funciona o serviço de quarto?", continuou a zombar Lucy.

"Até a máquina de Coca-Cola da entrada quebrar", respondeu a mulher, sorrindo.

Tinha pelo menos sessenta anos, cabelo tingido de vermelho e queixo duplo. Seu corpo retangular pressionava violentamente cada centímetro da calça justa de poliéster marrom e da blusa de malha amarela. Obviamente, adorava vacas malhadas de preto-e-branco. Vários exemplares de madeira e cerâmica enfeitavam as prateleiras e paredes. O pequeno aquário exibia um curioso sortimento de girinos e alevinos. Não consegui me conter.

"Você mesma os apanhou?", perguntei.

Ela me brindou com um sorriso tímido. "Isso mesmo. No laguinho que tem aí no fundo. Um deles virou rã outro dia e se afogou. Eu não sabia que as rãs não conseguem viver debaixo d'água."

"Vou usar o orelhão", disse Lucy, abrindo a porta. "Por acaso você sabe o que foi feito de Marino?"

"Creio que ele saiu para comer com a turma", falei.

Ela saiu com nossos sacos do Burger King. Desconfiei que pretendia telefonar para Janet. Nossos Whoppers estariam gelados quando finalmente chegasse a hora de comê-los. Encostada no balcão, notei que do outro lado, sobre a mesa bagunçada da recepção, havia um exemplar do jornal local com a seguinte manchete na primeira página: INCÊNDIO NA FAZENDA DO REI DA MÍDIA. Reconheci uma intimação para comparecer em juízo no meio da papelada e cartazes prometendo recompensa por informações sobre criminosos pregados na parede, com retratos falados de assassinos, estupradores e assaltantes. Mesmo assim, Fauquier era uma região calma, tipicamente rural, onde as pessoas tinham a impressão de viver em segurança.

"Espero que você não fique aqui sozinha de noite", falei à recepcionista, incapaz de conter minha mania de alertar as pessoas sobre segurança, quer desejassem conselhos ou não.

"Picles me faz companhia", ela disse, referindo-se à gata preta e gorda.

"Nome interessante."

"Se a gente deixar um vidro de picles aberto, ela come tudo na hora. Enfia a pata lá dentro e vai puxando, desde que era pequena."

Picles estava sentada na soleira da porta que dava para a área onde residia a recepcionista. Os olhos da gata eram duas moedas de ouro fixas em mim enquanto o rabo peludo ondulava no ar. Parecia entediada quando a campainha tocou e sua dona destrancou a porta para um sujeito de camiseta regata que exibia uma lâmpada queimada.

"Parece que queimou de novo, Helen", disse ele, entregando a prova.

Ela abriu o armário e pegou uma caixa de lâmpadas enquanto eu dava a Lucy o tempo necessário para terminar o telefonema, pois também pretendia ligar em seguida. Consultando o relógio, calculei que naquela hora Benton já deveria ter chegado a Hilton Head.

"Pronto, Big Jim", ela disse, trocando a lâmpada queimada por uma nova. "Sessenta watts, certo?" Semicerrou os olhos para conferir. "Legal. Vai ficar por aqui mais algum tempo?" Pelo seu tom de voz, ela torcia por uma resposta positiva.

"Sei lá, diacho."

"Puxa vida", Helen disse. "Então as coisas ainda não estão numa boa?"

"Algum dia estiveram, por acaso?" Ele balançou a cabeça e saiu.

"Brigou com a mulher de novo", comentou Helen, a recepcionista, balançando a cabeça também. "Ele já se hospedou aqui antes, é claro. Em parte, brigam muito por causa disso. Nunca imaginei que tanta gente pulava a cerca. Metade do movimento é de gente que mora num raio de seis quilômetros."

"Mas eles não conseguem enganar você", falei.

"De jeito nenhum. Mas isso não é da minha conta, desde que deixem o quarto em ordem."

"A fazenda que pegou fogo não fica longe daqui, não é?", falei distraidamente.

Ela se animou. "Isso mesmo. Eu estava trabalhando

naquela noite. Dava para ver as chamas daqui, como se fosse um vulcão explodindo." Seus braços se abriram num gesto largo. "Os hóspedes saíram todos para ver o incêndio e ouvir as sirenes. Coitadinhos dos cavalos. Isso me dói lá no fundo."

"Você conhecia Kenneth Sparkes?", perguntei, curiosa.

"Acho que nunca o vi de perto."

"E a mulher que freqüentava a casa?" Avancei um pouco mais. "Ouviu falar nela?"

"Só escutei alguns comentários do pessoal." Helen olhava para a porta, como se alguém estivesse para chegar a qualquer momento.

"Que comentários?", insisti.

"Bom, acho que o senhor Sparkes é um cavalheiro", Helen disse. "Não que fosse muito popular na região, mas tinha lá o seu charme. E gostava de mulheres jovens e bonitas."

Ela se calou por um momento, pensativa. Depois olhou para mim enquanto as mariposas se chocavam contra a janela.

"Muita gente o invejava quando ele desfilava por aí de namorada nova. Sabe, podem dizer o que quiserem, aqui continua sendo o Sul de sempre."

"Você sabe de alguém que não gostava disso?"

"Claro, o pessoal do Jackson. Estão sempre procurando confusão, por qualquer motivo", contou, sem tirar o olho na porta. "Para começar, desprezam gente de cor. E ele sempre estava acompanhado de moças bonitas e brancas... Bem, o povo comentava. E vamos deixar por isso mesmo."

Eu imaginei membros da Ku Klux Klan de olhos frios, com suas cruzes flamejantes, defendendo a supremacia branca de armas na mão. Conhecia bem aquele tipo de ódio. Pusera as mãos nas vítimas das carnificinas provocadas por ele durante a maior parte da vida. Sentia um aperto no peito ao desejar boa-noite à recepcionista Helen. Tentava não tirar conclusões precipitadas sobre preconceito e intenção de matar Sparkes no lugar da moça cujo corpo estava a caminho de Richmond. Claro, talvez os responsáveis visassem somente destruir a magnífica fazenda de Sparkes, ignorando que havia alguém na sede.

O sujeito de camiseta regata usava o orelhão quando saí. Segurava a lâmpada nova distraidamente e falava em voz baixa, mas veemente. Quando passei, sua raiva explodiu.

"Puxa vida, Louie! Será que você não percebe? Não me escuta nunca?", ele rosnou ao telefone. Decidi ligar para Benton mais tarde.

Destranquei a porta do quarto 15, e Lucy fingiu que não estava esperando por mim, sentada na poltrona estofada, consultando um caderno de espiral e fazendo anotações e cálculos. Contudo, não tocara na comida. E eu sabia que ela estava morrendo de fome. Tirei os Whoppers e a batata frita dos sacos e pus tudo em cima da mesa, sobre guardanapos de papel.

"Esfriou", falei simplesmente.

"A gente se acostuma", comentou ela, num tom distante e distraído.

"Quer tomar banho primeiro?", perguntei, por educação.

"Não, pode ir em frente", ela respondeu, concentrada na matemática, com a testa enrugada.

O apartamento era muito asseado e bem decorado em tons de marrom, se levássemos em conta o preço. Havia um televisor Zenith quase da idade de minha sobrinha. Abajures chineses e luminárias com borlas, bibelôs de porcelana, quadros de paisagem e colchas com estampado florido. O carpete grosso de lã áspera em estilo indígena combinava com os temas florestais do papel de parede. A mobília era de fórmica ou recebera uma camada tão grossa de resina que ocultava os veios da madeira.

Inspecionei o banheiro, revestido com azulejos brancos e cor-de-rosa alternados. Provavelmente, datavam da década de 1950. Havia copos de isopor e sabonetinhos Lisa Luxury na pia. Mas foi a rosa de plástico solitária na janela que me comoveu mais. Alguém fizera o máximo possível para que os hóspedes se sentissem especiais, embora eu duvidasse que a freguesia notasse ou se importasse com tudo isso. Talvez tanto cuidado e atenção fizesse diferença quarenta anos atrás, quando as pessoas pareciam mais civilizadas do que nos dias de hoje.

Abaixei a tampa do vaso sanitário e me sentei para tirar a bota imunda e úmida. Depois lidei com botões e fechos até formar uma pilha de roupa no chão. Fiquei debaixo do chuveiro tempo bastante para me sentir quente e limpa, livre do odor de fogo e morte. Lucy trabalhava no laptop quando surgi usando uma camiseta velha da faculdade de medicina da Virgínia e abri a primeira cerveja.

"E aí?", perguntei ao me sentar no sofá.

"Só brincando um pouquinho. Não tenho dados suficientes para fazer nada sério", ela respondeu. "Mas foi um fogo e tanto, tia Kay. E pelo jeito não foi provocado por gasolina."

Eu não tinha nada a dizer a respeito.

"E uma pessoa morreu lá dentro? No banheiro da suíte principal? Como é possível? O que houve? Foi às oito horas da noite?"

Eu não sabia.

"Quero dizer, será que ela estava escovando os dentes e o alarme tocou?"

Lucy me encarou, séria.

"E depois?", perguntou. "A moça ficou lá e morreu?" Ela parou para movimentar os ombros tensos.

"Diga o que houve, doutora. Você é a especialista."

"Não posso explicar nada, Lucy."

"Então é isso aí, senhoras e senhores. A famosa legista, doutora Kay Scarpetta, não pode explicar nada." Ela se comportava de um jeito irritante. "Dezenove cavalos", prosseguiu. "E quem tomava conta deles? Sparkes não mantinha um cavalariço? E por que um dos cavalos conseguiu fugir? O jovem garanhão negro?"

"Como você sabe que é macho?", falei, quando alguém bateu na porta. "Quem é?", perguntei.

"Oi. Sou eu", Marino proclamou, emburrado.

Abri a porta e percebi por sua fisionomia que trazia notícias.

"Kenneth Sparkes está vivo e lépido", anunciou.

"Onde?" Fiquei muito confusa.

"Pelo jeito ele saiu do país e voltou quando ouviu a notícia. Está no Beaverdam e não parece ter a menor idéia de nada. Diz que nem sabe quem é a vítima", Marino contou.

"Por que em Beaverdam?", perguntei, calculando quanto tempo de viagem seria necessário para chegar àquela parte remota da comarca de Hanover.

"A treinadora dele mora lá."

"Quem?"

"A treinadora dos cavalos. Não treinador dele, tipo preparador físico nem nada."

"Entendi."

"Vou sair amanhã por volta das nove", disse ele para mim. "Você pode ir para Richmond ou me acompanhar na diligência."

"Preciso identificar o corpo. Portanto, tenho de interrogá-lo, quer ele alegue saber de alguma coisa, quer não. Acho melhor ir com você", falei sob o olhar atento de Lucy. "Você pretende que nosso intrépido piloto nos leve até lá ou arranjou um carro?"

"Por mim, o helicóptero está fora da jogada", Marino apressou-se em responder. "E devo lembrá-la de que deixou Sparkes furioso quando conversou com ele pela última vez."

"Eu nem me recordava", falei, o que era a pura verdade. Afinal, eu irritara Sparkes em mais de uma ocasião, quando discordávamos a respeito da publicação de certos detalhes dos casos.

"Aposto que ele não se esqueceu, doutora. Afinal de contas, você vai oferecer uma cerveja para mim ou não?"

"É difícil acreditar que você não tenha trazido uma caixa", disse Lucy, antes de retornar a atenção ao laptop e digitar novos dados.

Ele foi até a geladeira e pegou uma garrafa.

"Quer saber minha opinião, como balanço do dia?", Marino falou. "É a mesma de antes."

"Ou seja?", indagou Lucy, erguendo a vista.

"Sparkes está por trás de tudo."

Ele pôs o abridor em cima da mesa de centro e parou na porta, apoiando a mão na maçaneta.

"Para começo de conversa, foi conveniente pra cacete ele estar fora do país quando tudo aconteceu", falou Marino, bocejando. "Deve ter arranjado alguém para fazer o trabalho sujo. Tem dinheiro." Tirou um cigarro do maço que levava no bolso da camisa e o colocou entre os lábios. "O filho-da-mãe só pensa nisso. Em dinheiro e no pau dele."

"Marino, pelo amor de Deus", reclamei.

Queria que ele calasse a boca e fosse logo embora. Mas ele ignorou meu comentário.

"A pior notícia de todas é que provavelmente temos um caso de homicídio nas mãos", disse ao abrir a porta. "Isso significa que este seu criado está mais preso ao caso do que mosca no mel. O mesmo vale para vocês duas. Que bosta."

Ele sacou o isqueiro. O cigarro se mexia junto com os lábios.

"A última coisa que eu queria fazer no momento era isso. Sabem quanta gente aquele bundão tem no bolso?" Marino não pretendia parar. "Juízes, delegados, chefes de bombeiros..."

"Marino", interrompi, pois ele só piorava a situação com tais observações, "você está tirando conclusões precipitadas. A bem da verdade, delirando."

Ele apontou o cigarro apagado para mim. "Espere e

verá", disse ao sair. "Tudo o que conseguir contra ele se voltará contra você."

"Já estou acostumada", falei.

"Acha mesmo? Você ainda não viu nada, então."

E saiu batendo a porta.

"Ei, não precisa destruir o hotel", Lucy gritou para ele.

"Vai passar a noite trabalhando no computador?", perguntei a ela.

"A noite inteira, não."

"Está ficando tarde e precisamos discutir um assunto antes de dormir", falei. Carrie Grethen não me saía da cabeça.

"E se eu dissesse que não estou a fim?" Lucy não estava brincando.

"Não faria a menor diferença", insisti. "Precisamos conversar."

"Sabe, tia Kay, se pretende implicar com Teun e Philly..."

"Como é?", falei, surpresa. "O que Teun tem a ver com isso?"

"Dá para perceber que você não gosta dela."

"Isso é absolutamente ridículo."

"Está escrito na sua testa", ela insistiu.

"Não tenho nada contra Teun e ela não tem nada a ver com o assunto em pauta."

Minha sobrinha se calou e começou a descalçar a bota.

"Lucy, recebi uma carta de Carrie."

Esperei uma reação que não aconteceu.

"Um texto bizarro. Fazendo ameaças, pressões. Do Centro Kirby de Psiquiatria Forense, em Nova York."

Fiz outra pausa quando Lucy deixou cair a bota no carpete grosso.

"Basicamente, ela queria deixar claro que pretende causar muitos problemas durante o julgamento", expliquei. "Não que isso seja uma grande surpresa. Mas, bem... eu...", gaguejei enquanto ela tirava a meia e massageava o pé pálido. "Precisamos nos preparar, só isso."

Lucy desafivelou o cinto e abriu o zíper da calça como se não tivesse escutado uma única palavra do que eu havia dito. Puxou a camiseta imunda e jogou no chão, depois tirou o sutiã e a calcinha de algodão. Andou até o banheiro, seu corpo era belo e esguio. Fiquei parada, observando-a atônita até ouvir o ruído do chuveiro.

Era como se eu nunca tivesse realmente notado seus lábios carnudos, seios firmes, pernas e braços finos e fortes como um arco de caça. No fundo, talvez eu me recusasse a vê-la como uma pessoa distinta de mim e atraente, pois preferia não entender seu jeito nem seu modo de vida. Senti vergonha e confusão quando a vi, por um instante, como a namorada submissa e dependente de Carrie. Não achava tão estranho assim que uma mulher quisesse acariciar minha sobrinha.

Lucy demorou bastante tempo no chuveiro. Deliberadamente, eu sabia, por causa da conversa que íamos ter. Precisava refletir. Desconfiei que estava furiosa. Intuí que descarregaria a raiva em mim. Contudo, quando saiu do banho pouco depois, usando uma camiseta dos bombeiros da Filadélfia que só serviu para me contrariar ainda mais, estava leve e cheirando a limão.

"Sei que não é da minha conta", falei, olhando o logotipo.

"Ganhei de Teun", ela disse.

"Ah."

"E você tem razão, tia Kay. Não é da sua conta."

"Só gostaria de saber por que você não aprende a..." Parei, controlando meu temperamento explosivo.

"Aprendo a?"

Ela bancou a desentendida para me irritar, constranger e mudar de assunto.

"Aprende a não dormir com suas colegas de trabalho."

As emoções me empurravam para um caminho traiçoeiro. Eu estava sendo injusta, tirando conclusões precipitadas a partir de indícios insuficientes. Mas temia por Lucy em todos os aspectos imagináveis.

73

"Alguém me dá uma camiseta e isso quer dizer que estou dormindo com a pessoa? Sei. Grande dedução, doutora Scarpetta", Lucy retrucou furiosa. "Além disso, você não tem moral para falar a respeito de dormir com colegas de trabalho. Não se lembra mais de quem praticamente mora com você, é?"

Se estivesse vestida, tenho certeza de que Lucy iria embora batendo a porta. Mas ela apenas me deu as costas e ficou olhando para a cortina da janela. Enxugou as lágrimas de revolta do rosto enquanto eu tentava salvar o que restava de um encontro que não deveria ter seguido aquele rumo.

"Estamos exaustas, nós duas", falei com suavidade. "Tivemos um dia terrível e agora Carrie conseguiu exatamente o que pretendia. Pôr uma contra a outra."

Minha sobrinha não se moveu nem falou ao passar a mão no rosto outra vez. Suas costas pareciam um muro impenetrável.

"Não estou insinuando que você dorme com Teun", prossegui. "Apenas alertando para o sofrimento e o caos que podem... Bem, dá para entender como essas coisas acontecem."

Ela se virou para mim com um olhar desafiador.

"O que você quer dizer com isso? Como assim, *dá para entender como essas coisas acontecem?*" Não pretendia baixar a guarda. "Ela é lésbica? Não me lembro de Teun ter me contado isso."

"Talvez sua relação com Janet não esteja numa fase tão boa", falei. "As pessoas são assim mesmo."

Ela sentou na beirada da minha cama e ficou claro que pretendia levar o assunto até o fim.

"Assim como?"

"Assim como são. Não sou nenhuma troglodita. As preferências sexuais de Teun pouco me importam. Não sei de nada a respeito. Mas, e se vocês sentirem atração uma pela outra? O que impede alguém de desejar qualquer uma das duas? Ambas são admiráveis, intensas, brilhantes e corajosas. Estou apenas lembrando que ela é sua chefe, mais nada, Lucy."

Meu sangue latejava conforme a voz ganhava intensidade.

"E daí, como ficaria?", perguntei. "Você vai pular de uma instituição federal a outra, até acabar com sua carreira? Essa é a questão, Lucy, quer você goste ou não. E não pretendo tocar mais nesse assunto."

Os olhos de minha sobrinha brilharam, novamente úmidos. Ela não os enxugou, encarou-me enquanto as lágrimas escorriam pelo rosto e molhavam a camiseta que ganhara de Teun.

"Desculpe, Lucy", falei carinhosamente. "Sei que sua vida não é fácil."

Passamos algum tempo em silêncio, enquanto ela chorava, virando o rosto. Depois respirou fundo, com tanta força que seu peito tremeu.

"Você já amou uma mulher?", quis saber.

"Amo você."

"Você sabe a que me refiro."

"Não me apaixonei por nenhuma", falei. "Não que eu saiba."

"Você está sendo evasiva."

"Não tive a intenção."

"Poderia?"

"Poderia o quê?"

"Amar uma mulher", insistiu.

"Não sei. Ando pensando que não sei mais nada." Fui o mais sincera possível. "Provavelmente, essa parte do meu cérebro foi bloqueada."

"Não tem nada a ver com o cérebro."

Eu não sabia direito o que dizer.

"Já fui para a cama com dois homens", ela disse. "Conheço a diferença, se você quer saber."

"Lucy, você não precisa defender seu caso para mim."

"Minha vida pessoal não é um *caso*."

"Mas está a ponto de se tornar", falei, retornando ao

tema em pauta. "Qual será o próximo movimento de Carrie, na sua opinião?"

Lucy abriu outra cerveja e olhou para meu copo de relance, para ver se ainda estava cheio.

"Mandar cartas aos jornais?", especulei no lugar dela. "Mentir sob juramento? Ocupar o banco dos réus e relatar com detalhes escabrosos tudo o que vocês duas fizeram, disseram e sonharam?"

"Como posso saber, droga?", Lucy retrucou. "Ela teve cinco anos à disposição, sem nada para fazer exceto arquitetar seu plano, enquanto nós andávamos ocupadíssimas."

"E o que mais ela sabe que pode prejudicar você?", fui forçada a perguntar.

Lucy levantou-se e começou a andar de um lado para outro.

"Você confiava nela, na época", insisti. "Contou muitas coisas quando ela era cúmplice de Gault. Funcionou como informante, Lucy. Uma espiã em nosso meio."

"Estou cansada demais para falar sobre isso", ela disse.

Mas ia ter de falar. Eu estava decidida a ir até o fim. Levantei-me e apaguei a luz de cima, pois sempre considerei mais fácil conversar num ambiente aconchegante, rodeado de sombras. Depois ajeitei os travesseiros da cama dela e da minha, antes de abrir as cobertas. No início, Lucy não aceitou o convite e continuou andando para lá e para cá como um bicho enjaulado enquanto eu a observava em silêncio. Então, relutante, sentou na cama e por fim relaxou um pouco.

"Vamos abordar outro aspecto, deixar de lado sua reputação por um momento", tentei, com voz calma. "Vamos falar sobre o que está em jogo no julgamento de Nova York."

"Sei tudo sobre o assunto."

Eu pretendia apresentar um resumo do caso, de todo modo, e ergui a mão para pedir que me ouvisse.

"Temple Gault assassinou pelo menos cinco pessoas na Virgínia", comecei, "e sabemos que Carrie esteve envolvida em pelo menos um dos crimes, pois temos uma fita que registra o momento em que ela meteu uma bala na cabeça da vítima, um homem. Você se lembra disso."

Ela não disse nada.

"Você estava na sala quando assistimos àquela cena terrível, em cores."

"Estava e sei de tudo."

A raiva tomara conta da voz de Lucy novamente.

"Repassamos o caso um milhão de vezes", ela disse.

"Você a viu matando", falei. "Aquela mulher foi sua namorada quando você tinha dezenove anos, era inocente e estagiava no ERF, programando o CAIN."

Percebi que sua tensão crescia conforme meu monólogo se tornava mais penoso. O ERF era o Departamento de Pesquisa de Engenharia, que patrocinara a Rede de Inteligência Artificial contra o Crime, um sistema de bancos de dados interligados conhecido como CAIN. Lucy projetara o CAIN e fora a força propulsora para sua implantação. Agora estava afastada do projeto e não podia nem ouvir o nome.

"Você viu sua namorada matando, depois que ela lhe preparou uma armadilha, premeditando tudo com incrível sangue-frio. Você não era páreo para ela", falei.

"Por que você está fazendo isso?", Lucy perguntou com voz sumida, repousando o rosto no braço.

"Estou verificando seu senso de realidade."

"Não é preciso."

"Acho que é. E, por falar nisso, vamos pular os detalhes da minha vida pessoal que Carrie e Gault descobriram. Passemos a Nova York, onde Gault assassinou a própria irmã e pelo menos um policial. Temos provas de que não agiu sozinho. As impressões digitais de Carrie foram encontradas nos pertences de Jayne Gault. Quando capturaram Carrie em Bowery, havia sangue de Jayne em sua calça. Pelo que sabemos, Carrie também puxou o gatilho naquela ocasião."

"Provavelmente", Lucy disse. "E eu já sabia disso também."

"Mas não sabia a respeito de Eddie Heath. Lembra-se da barra de chocolate e da lata de sopa que ele comprou no 7-Eleven? Encontramos uma sacola ao lado de seu corpo mutilado e moribundo, e nela havia uma impressão digital do polegar de Carrie."

"Impossível!" Lucy ficou chocada.

"E tem mais."

"Por que você não me contou tudo isso antes? Ela o ajudou desde o início. E provavelmente colaborou em sua fuga da prisão, também."

"Sem dúvida. Brincavam de Bonnie e Clyde muito antes que vocês se conhecessem, Lucy. Ela matava desde quando você tinha dezessete anos e nunca havia beijado alguém."

"Você não sabe se eu havia beijado alguém ou não", minha sobrinha retrucou, insensata.

Permanecemos um tempo em silêncio.

Depois Lucy disse, com voz trêmula: "Então você acha que ela passou dois anos planejando um modo de me conhecer e se tornar... E fazer aquelas coisas...".

"Ela seduziu você", interrompi. "Não sei se planejou tudo com tanta antecedência. Francamente, não importa." Minha revolta cresceu. "Movemos mundos e fundos para levá-la a julgamento na Virgínia por esses crimes. Mas Nova York não abriu mão."

Minha cerveja estava choca e esquecida em minhas mãos quando fechei os olhos e imagens dos mortos relampejaram em minha mente. Vi Eddie Heath apoiado numa caçamba de lixo enquanto a chuva diluía o sangue de suas feridas, vi o delegado e o guarda da prisão assassinados por Gault, provavelmente com a ajuda de Carrie. Eu tocara seus corpos e transferira sua dor para diagramas, relatórios de autópsia e diagramas dentários. Não podia evitar. Desejava a morte de Carrie pelo que havia feito a eles, a minha sobrinha e a mim.

"Ela é um monstro", falei, com a voz embargada pela

dor e pela fúria. "Farei qualquer coisa para garantir que seja punida."

"Por que você está pregando isso para mim?", Lucy gritou, perturbada. "Acha que eu não quero a mesma coisa, por acaso?"

"Sei que você quer."

"Eu gostaria de acionar o controle ou dar a injeção no braço dela."

"Não permita que seu relacionamento anterior a desvie da lei, Lucy."

"Meu Deus."

"Sei que é muito difícil para você. E, se perder a noção de justiça, Carrie triunfará."

"Meu Deus", Lucy repetiu. "Não quero ouvir mais nada."

"Sabe o que ela quer?" Eu não pretendia parar agora. "Posso explicar exatamente. Manipular. É a especialidade dela. E depois? Conseguirá se safar alegando insanidade mental e o juiz a mandará de volta para Kirby. Aí ela começará a melhorar, de um modo tão surpreendente como rápido. Os médicos de Kirby concluirão que ela não está mais louca e lhe darão alta. Carrie não poderá ser julgada duas vezes pelos mesmos crimes. Voltará para as ruas."

"Se sair andando por aí", Lucy disse friamente, "eu a encontrarei e arrebentarei seus miolos."

"Que tipo de resposta é essa?"

Observei sua silhueta ereta, tendo ao fundo os travesseiros. Rígida, ofegava de tanto ódio.

"Ninguém se importa realmente com quem dorme ou dormiu com você, a não ser que você permita isso", falei com tranqüilidade. "Na verdade, creio que o júri compreenderá como tudo aconteceu na época. Você era muito nova. Ela era mais velha, inteligente e muito bonita. Além de carismática e atenciosa, era sua supervisora."

"Como Teun", Lucy disse, e eu não saberia dizer se zombava de mim ou não.

"Teun não é psicopata", respondi.

4

Na manhã seguinte cochilei no LTD alugado e acordei entre milharais e silos, passando por árvores anteriores à Guerra da Secessão. Marino guiava, e nós atravessamos trechos enormes de terra nua, cercada de arame farpado. Postes telefônicos seguiam até casas com caixas de correio pintadas com flores ou com a figura do Tio Sam. Havia lagoas e regatos, fazendas pecuárias com pasto crescido e entremeado de mato. Notei particularmente as casas pequenas com cercas tortas e varais cheios de roupas simples esvoaçando na aragem.

Disfarcei um bocejo com a mão e virei o rosto, pois sempre considerara sinal de fraqueza parecer cansada ou entediada. Em poucos minutos atingimos a Rodovia 715, ou Beaverdam Road, onde entramos à direita e começamos a ver vacas. Ao lado dos celeiros pintados de cinza havia caminhões desmantelados; pelo jeito, ali as pessoas nunca pensavam em remover máquinas imprestáveis. O proprietário da fazenda Hootowl residia numa casa grande de tijolos brancos rodeada por uma vista interminável de pastos e cercas. Segundo a placa na frente da casa, ela havia sido construída em 1730. Agora contava com piscina e uma antena parabólica que parecia ter potência para interceptar sinais de outra galáxia.

Betty Foster surgiu para nos receber antes mesmo que descêssemos do carro. Cinqüentona, exibia um ar aristocrático e pele profundamente enrugada pelo sol. Usava o cabelo branco comprido em coque e andava com a disposição de alguém com metade de sua idade. Cumprimentou-me com um aperto de mão firme e forte, enquanto me olhava com olhos castanhos tristonhos.

"Eu sou a Betty", disse. "Você deve ser a doutora Scarpetta, e ele o capitão Marino."

Ela apertou a mão dele também, com um movimento rápido e confiante. Betty Foster usava jeans e camisa de brim de mangas curtas. O barro cobria todo o salto de sua bota marrom velha e gasta. Debaixo de sua hospitalidade se ocultavam outras emoções, e ela parecia um pouco atrapalhada com nossa presença, como se não soubesse por onde começar.

"Kenneth está na pista de equitação", ela nos informou. "Esperava a chegada de vocês, e posso adiantar que está profundamente perturbado. Adorava os cavalos, todos eles. Além disso, claro, ficou desolado ao saber que uma pessoa morreu dentro da casa."

"Qual é exatamente seu relacionamento com ele?", Marino perguntou, enquanto seguíamos a pé pelo caminho de terra que conduzia aos estábulos.

"Criei e treinei os cavalos dele durante muitos anos", ela disse. "Desde que voltou a morar em Warrenton. Tinha os melhores Morgans da Commonwealth. Além de muitos quartos-de-milha e puros-sangues."

"Ele trazia os cavalos para cá?", perguntei.

"Às vezes. Ou comprava de mim potros de um ano e os deixava aqui para serem treinados por uns dois anos. Depois os levava para seu estábulo. Ou criava cavalos de corrida para vendê-los quando atingiam a idade apropriada para serem preparados para as pistas. Eu ia bastante à fazenda dele, até duas ou três vezes por semana. Basicamente, supervisionava o serviço."

"Ele não tem cavalariços?", perguntei.

"O último foi embora faz poucos meses. Desde então, Kenny tem feito a maior parte do serviço sozinho. Ele não contrata qualquer um. Tem de tomar muito cuidado."

"Eu gostaria de saber mais sobre o cavalariço que largou o emprego", Marino disse, tomando nota de tudo.

"Um senhor idoso adorável, com problemas cardíacos", ela disse.

"Talvez um cavalo tenha sobrevivido ao incêndio", contei a ela.

Ela não fez nenhum comentário imediatamente, enquanto nos aproximávamos de um celeiro vermelho enorme e uma placa de CUIDADO COM O CÃO presa a um mourão da cerca.

"Era novo, creio. Preto", falei.

"Macho ou fêmea?", ela quis saber.

"Não faço idéia. Não pude identificar o sexo."

"E você viu uma marca estrelada na testa?", disse, referindo-se à mancha branca que alguns cavalos possuem.

"Não cheguei muito perto", admiti.

"Bem, Kenny tinha um potro chamado Windsong", Foster contou. "A mãe, Wind, correu o derby e chegou em último, mas ter participado já foi um triunfo. Além disso, o pai ganhou vários prêmios importantes. Portanto, Windsong provavelmente era o cavalo mais valioso do plantel de Kenny."

"Bem, Windsong talvez tenha dado um jeito de escapar", repeti. "E foi poupado."

"Espero que não esteja por lá ainda, rondando."

"Se estiver, não será por muito tempo. A polícia já o viu."

Marino não se mostrava particularmente interessado no cavalo sobrevivente. Quando entramos na pista de equitação, ouvimos o som de ferraduras e o cacarejar de galos garnisé e galinhas-d'angola que circulavam livremente. Marino tossiu e semicerrou os olhos, pois a poeira avermelhada formava uma densa nuvem no ar, devido ao trote largo da égua Morgan castanha. Os cavalos em suas cocheiras relinchavam e guinchavam conforme o cavaleiro e sua montaria passavam mais perto, e embora eu reconhecesse Kenneth Sparkes no alto da sela inglesa, era estranho vê-lo pela primeira vez usando calça de brim encardido e bota. Era um excelente cavaleiro e não deu sinais de reconhecimento ou alegria quando nossos olhares se cruzaram rapidamente durante sua passagem. Percebi claramente que não nos queria ali.

"Há um lugar onde possamos conversar com ele?", perguntei a Foster.

"Há cadeiras do lado de fora." Ela apontou. "Ou vocês podem usar meu escritório, se preferirem."

Sparkes fez o cavalo aumentar a velocidade e avançou em nossa direção. As galinhas-d'angola eriçaram as penas como se arregaçassem as saias, para fugir do perigo.

"Você sabe alguma coisa a respeito de uma moça hospedada na casa dele, em Warrenton?", perguntei na saída da pista. "Você via alguém por lá, quando ia cuidar dos cavalos?"

"Não", Foster disse.

Pegamos as cadeiras plásticas e nos sentamos de costas para a pista, apreciando a vista do bosque.

"Mas, sabe como é, Kenny teve várias namoradas. Nem sempre eu ficava sabendo", Foster completou, virando a cadeira para ver a pista. "A não ser que você tenha razão a respeito de Windsong, Kenny está montando o único cavalo que lhe restou. Black Opal. O apelido é Pal."

Marino e eu não respondemos, só viramos a cabeça para ver Sparkes desmontar e entregar as rédeas a um dos ajudantes de Foster.

"Muito bem, Pal", Sparkes disse, acariciando o pescoço e a cabeça do belo cavalo.

"Há algum motivo especial para esse cavalo não estar junto com os outros, na fazenda?", perguntei a Foster.

"Muito novo, ainda. É castrado, mal completou três anos, ainda precisa de muito treino. Por isso continua aqui, o sortudo."

Seu rosto traiu o sofrimento, por um instante. Imediatamente, ela virou a cabeça, limpou a garganta e levantou-se da cadeira. Afastou-se quando Sparkes saiu da pista de equitação apertando a cinta e ajeitando a calça jeans. Levantei-me e Marino também. Respeitosamente, apertei sua mão. Ele suava na camisa Izod vermelha desbotada e limpou a testa com um lenço amarelo que desatou do pescoço.

"Sentem-se, por favor", disse educadamente, como se nos concedesse uma audiência.

Voltamos a sentar nas cadeiras. Ele puxou uma delas e a virou de frente para nós. Sua pele estava esticada em torno dos olhos firmes porém avermelhados.

"Gostaria de começar dizendo qual é minha opinião, antes de mais nada. O incêndio não foi acidental", disse ele.

"Senhor, estamos aqui para investigar o caso", disse Marino, mais educado que de costume.

"Creio que o motivo do crime foi racismo." Os músculos da face de Sparkes se retesaram e a fúria tomou conta de sua voz. "Os culpados — sejam quem forem eles — mataram intencionalmente meus cavalos, destruindo tudo o que amo."

"Se o motivo foi racismo", disse Marino, "por que *eles* não verificaram se você estaria em casa?"

"Há coisas piores que a morte. Talvez preferissem que eu vivesse para sofrer mais. É só somar dois mais dois."

"Estamos tentando descobrir o que houve", disse Marino.

"E nem pensem em me culpar pelo crime."

Ele apontou o dedo para nós dois.

"Sei exatamente como vocês pensam", prosseguiu. "Claro, botei fogo na minha própria fazenda e matei os cavalos para receber o seguro. Agora prestem bem atenção."

Debruçando-se em nossa direção, falou: "Estou dizendo que não fui eu. Eu seria incapaz de fazer isso, jamais faria isso. Não tive nada a ver com o ocorrido. Sou a vítima nessa história, e tive sorte de escapar com vida."

"Vamos falar a respeito da outra vítima", sugeri calmamente. "Uma moça de cabelo louro comprido. Sabe quem poderia estar na sua casa naquela noite?"

"Não deveria haver ninguém na minha casa!", exclamou.

"Trabalhamos com a hipótese de que a pessoa tenha morrido na suíte principal", continuei. "Talvez no banheiro."

"Seja lá quem for, entrou à força", ele disse. "Ou pode ter sido a responsável pelo incêndio e não conseguiu escapar."

"Não há evidências de que alguém tenha forçado a entrada, senhor", retrucou Marino. "Se o alarme contra roubo estava ligado, não disparou naquela noite. Só o alarme contra incêndio."

"Não entendo." Sparkes parecia sincero. "Acionei o alarme antes de sair da cidade."

"E para onde o senhor foi?", provocou Marino.

"Londres. Cheguei lá e fui imediatamente notificado. Nem cheguei a sair de Heathrow, peguei o primeiro vôo de volta", explicou. "Desci em Washington, peguei o carro e vim direto para cá."

Ele olhou para o chão, desolado.

"Que carro?", perguntou Marino.

"Meu Cherokee. Estava no estacionamento, em Dulles."

"O senhor tem o recibo?"

"Sim."

"E quanto ao Mercedes na sua casa?", continuou Marino.

Sparkes franziu a testa. "Que Mercedes? Não tenho nenhum Mercedes. Sempre preferi carros americanos."

Lembrei-me de que ele sempre alardeara ser essa sua política.

"Há um Mercedes nos fundos da casa. Pegou fogo também, por isso ainda não sabemos de nada a respeito do veículo", explicou Marino. "Mas parece que não é um modelo recente. Sedã, do tipo quadradão, como os antigos."

Sparkes balançou a cabeça.

"Então poderia ser o carro da vítima", deduziu Marino. "Talvez alguém que tenha ido visitá-lo de surpresa. Quem mais tinha a chave da casa, ou conhecia o código do alarme?"

"Meu Deus", disse Sparkes, procurando uma resposta. "Josh tinha a chave. Meu cavalariço; ele está acima de qualquer suspeita. Ele pediu demissão por motivo de saúde e não me dei ao trabalho de trocar o segredo da fechadura."

"Precisamos saber onde encontrá-lo", disse Marino.

"Ele nunca faria...", Sparkes começou a dizer, mas parou, e uma expressão de incredulidade tomou conta de seu rosto. "Meu Deus", murmurou com um suspiro de dar dó. "Meu Deus."

Ele olhou para mim.

"Você disse que ela era loura", falou.

"Isso mesmo", confirmei.

"Pode me falar algo mais sobre sua aparência?" Sua voz revelava pânico.

"Parece magra, provavelmente é branca. Usava jeans, blusa e bota. De amarrar, não do tipo caubói."

"Alta?", quis saber ele.

"Não sabemos. Preciso examiná-la primeiro."

"Usava jóias?"

"As mãos foram queimadas."

Após suspirar novamente, ele falou com voz trêmula: "O cabelo era bem comprido, chegando ao meio das costas, cor de ouro claro?".

"Tivemos essa impressão, inicialmente."

"Houve uma moça", ele começou a contar, limpando a garganta várias vezes. "Meu Deus... tenho uma casa na praia, em Wrightsville, e a encontrava lá. Estudava na universidade, ou pelo menos estava matriculada, não era assídua. Durou pouco tempo, uns seis meses. Ela ficou comigo na fazenda várias vezes. A última vez que nos encontramos foi lá, terminei o relacionamento porque não estava mais dando certo."

"Ela tinha um Mercedes antigo?", perguntou Marino.

Sparkes negou com a cabeça. Cobriu o rosto com as mãos, esforçando-se para recobrar a compostura.

"Um Volkswagen qualquer. Azul-claro", conseguiu dizer. "Não tinha dinheiro. Dei-lhe um pouco quando terminamos, antes que fosse embora. Mil dólares em dinheiro. Aconselhei-a a retomar os estudos, terminar o curso universitário. Seu nome era Claire Rawley, suponho que tenha apanhado uma cópia da chave sem que eu percebesse, quando se hospedou na fazenda. Quem sabe tenha visto o código de alarme, quando o desativei."

"E o senhor não teve mais nenhum contato com Claire Rawley por mais de um ano?", falei.

"Nem uma palavra", respondeu. "Parece algo muito distante no passado. Não passou de um caso bobo. Eu a vi quando surfava, começamos a conversar na praia, em Wrightsville. Admito, era a mulher mais sensacional que eu já havia visto. Passei um tempo fora do ar, depois recuperei a sensatez. Havia muitos problemas, complicações. Claire precisava de alguém que cuidasse dela, e eu não tinha disponibilidade."

"Preciso saber tudo o que o senhor puder dizer a respeito dela", falei, sentindo pena. "De onde era, onde a família vivia. Qualquer coisa capaz de ajudar a identificar o corpo ou descartar Claire Rawley. Entrarei em contato com a universidade também, claro."

"Doutora Scarpetta, lamento informar que nunca soube nada a respeito dela. Nosso relacionamento era basicamente sexual. Eu a ajudava, dando dinheiro e colaborando no que estivesse ao meu alcance para resolver seus problemas. Importava-me com a moça." Ele fez uma pausa. "Mas nunca houve um envolvimento profundo, pelo menos de minha parte. Quero dizer, jamais considerei viável um casamento."

Ele não precisava explicar mais nada. Sparkes era poderoso. Transpirava poder e conseguia seduzir quase todas as mulheres que o atraíam. Mas eu não estava ali para julgá-lo.

"Lamento", ele disse ao se levantar. "Só sei que era uma espécie de artista frustrada. Sonhava em ser atriz, mas passava a maior parte do tempo surfando e passeando na praia. Depois de algum tempo de relacionamento, comecei a notar que havia algo esquisito nela. A falta de motivação, o comportamento ocasionalmente excêntrico ou ausente."

"Ela bebia muito?", perguntei.

"Cronicamente, não. Muitas calorias."

"Drogas?"

"Foi o que comecei a suspeitar, e eu não poderia aceitar nada nessa linha. Mas não tenho certeza."

"O senhor poderia soletrar o nome dela para mim, por favor?", pedi.

"Antes de encerrarmos", interrompeu Marino, e reconheci em seu tom de voz o retorno do policial matreiro, "o senhor tem certeza de que não houve uma espécie de assassinato seguido de suicídio? Simplesmente ela mata tudo o que o senhor possui e se entrega às chamas, no final? O senhor pode garantir que ela não tinha nenhum motivo para agir assim, senhor Sparkes?"

"A esta altura, não posso garantir nada", respondeu Sparkes, parando na soleira da porta aberta do celeiro.

Marino também se levantou.

"Bem, essa história não bate, com todo o respeito", disse Marino. "E eu preciso ver os recibos de sua viagem a Londres. O tíquete do estacionamento em Dulles. Sei que o ATF ficou muito curioso a respeito de seu porão cheio de bourbon e armas automáticas."

"Eu coleciono armamento da Segunda Guerra Mundial, e todas as armas são registradas e legais", disse ele, tenso. "Comprei o bourbon de uma destilaria no Kentucky, quando a empresa fechou as portas há cinco anos. Eles não deveriam ter vendido para mim e eu não deveria ter comprado. Mas foi o que aconteceu."

"Creio que o ATF está atrás de coisas mais importantes do que o seu bourbon", disse Marino. "Bem, se tiver algum dos recibos com o senhor agora, eu gostaria que os entregasse."

"E o senhor pretende me revistar em seguida, capitão?", disse Sparkes, cravando um olhar duro em Marino.

Marino o encarou enquanto as galinhas-d'angola passavam como dançarinas de break.

"Fale com meu advogado", disse Sparkes. "Então eu terei prazer em cooperar."

"Marino", foi minha vez de falar, "eu gostaria de falar a sós com o senhor Sparkes por um minuto."

Marino levou um susto e ficou magoado. Sem dizer palavra, virou a cara para o celeiro e saiu andando, seguido por algumas galinhas. Sparkes parou na minha frente. Era um sujeito muito atraente, alto e esguio, com cabelo grisalho e grosso. Seus olhos pareciam de âmbar, o rosto era aristocrático, com nariz reto como o de Jefferson e pele escura lisa como a de um homem com metade de sua idade. Kenneth Sparkes era capaz de recorrer à violência, mas jamais o fizera, pelo que eu sabia.

"Tudo bem. O que você deseja?", perguntou, desconfiado.

"Gostaria apenas que você compreendesse que nossas diferenças passadas..."

Ele balançou a cabeça e não me deixou terminar.

"O que passou, passou", disse secamente.

"Não, Kenneth, não é bem assim. Acho importante dizer que não guardo nenhum ressentimento de você", retruquei. "O que está havendo agora não tem nada a ver com o passado."

Quando ele estava mais envolvido na edição de seus jornais, chegou a me acusar de racista, quando divulguei estatísticas a respeito de homicídios cometidos por negros contra negros. Eu havia mostrado à população quantas mortes tinham relação com drogas, ou envolviam prostituição, ou simplesmente ódio entre os próprios negros.

Seus repórteres haviam usado diversas declarações minhas fora de contexto, distorcendo o que eu dizia. No final do dia, Sparkes me convocara para ir a seu luxuoso escritório no centro. Jamais vou me esquecer do momento em que entrei na sala bem iluminada, revestida de mogno, cheia de flores viçosas e mobília colonial. Ele ordenou, como se pudesse, que eu demonstrasse mais sensibilidade em relação aos afro-americanos e me retratasse publicamente de minhas declarações profissionais preconceituosas. Ao olhá-lo agora, com o rosto suado e com esterco na bota, não parecia que eu estava falando com o mesmo sujeito arrogante. Suas mãos tremiam, os modos imperiais o abandonavam.

"Serei informado de suas descobertas?", ele perguntou com os olhos cheios de lágrimas, mantendo porém a cabeça erguida.

"Revelarei o que puder", prometi evasivamente.

"Quero saber apenas se foi ela, e se morreu sem sofrer", disse ele.

"Em geral, vítimas de incêndio não sofrem. O monóxido de carbono provoca a inconsciência antes que as chamas as toquem. A morte costuma ser rápida e indolor."

"Ah, graças a Deus."

Ele olhou para o céu.

"Obrigado, meu Deus", murmurou.

5

Cheguei em casa naquela noite a tempo de preparar o jantar, mas não sentia a menor vontade de fazer isso. Benton deixara três recados, eu não havia respondido a nenhum deles. Sentia algo estranho. Um mau presságio, uma sensação ruim. Por outro lado, uma leveza no coração me levou a trabalhar no jardim até anoitecer, arrancando as ervas daninhas e colhendo rosas para enfeitar a cozinha. Escolhi flores amarelas e rosadas, botões bem formados, prontos para desabrochar como bandeiras desfraldadas. Saí para uma caminhada ao crepúsculo, desejei ter um cão. Por um tempo alimentei a fantasia, imaginando que raça de cachorro escolheria, se fosse possível e prático.

Acabei me decidindo por um galgo aposentado das corridas, cujo destino certo era o sacrifício. Claro, minha vida seria ingrata demais para um mascote. Eu pensava nisso quando um dos vizinhos saiu de sua grandiosa morada de pedra para passear com um cachorrinho branco.

"Boa noite, doutora Scarpetta", disse austero. "Vai ficar muito tempo na cidade?"

"Nunca dá para saber", respondi, ainda imaginando meu galgo.

"Ouvi falar no incêndio."

Ele era médico aposentado e balançou a cabeça.

"Coitado do Kenneth."

"Quer dizer que o senhor o conhece?", falei.

"Ah, mas é claro."

"Realmente, uma coisa horrível. Qual é a raça do seu cachorro?"

"É um bufê. Tem um pouco de tudo", disse o vizinho.

E seguiu andando. Tirou o cachimbo do bolso e o acendeu, pois a mulher indubitavelmente não permitia que fumasse dentro de casa. Passei pelas residências vizinhas, todas diferentes mas parecidas. Tijolo aparente ou reboco, relativamente novas. Considerei apropriado que o trecho do rio atrás do condomínio formasse um remanso, passando lentamente por entre as mesmas pedras, havia duzentos anos. Richmond não se destacava pelo desejo de mudança.

Ao chegar ao ponto onde encontrara Wesley quando ele estava furioso comigo, parei nas imediações da mesma árvore, e logo ficou escuro demais para eu conseguir ver uma águia ou as rochas do rio. Fiquei algum tempo observando as luzes acesas nas casas, apreciando a noite, sem ânimo para voltar, e imaginei se Kenneth Sparkes seria vítima ou assassino. De repente, ouvi passos pesados na rua, atrás de mim. Assustada, dei meia-volta empunhando o spray de pimenta pendurado no chaveiro.

A voz de Marino acompanhou sua figura enorme.

"Doutora, não devia andar por aí a esta hora", disse.

Eu estava cansada demais para me importar com sua opinião sobre meu comportamento noturno.

"Como você sabia que eu estava aqui?", perguntei.

"Um dos vizinhos contou."

Não fazia diferença.

"Meu carro está logo ali. Posso levá-la para casa."

"Marino, será que eu não posso ter um momento sequer de sossego?", falei, sem rancor, pois sabia que ele só se preocupava com meu bem-estar.

"Esta noite, não. Tenho péssimas notícias e acho melhor você ouvi-las sentada."

Pensei imediatamente em Lucy e senti os joelhos bambearem. Oscilei e me apoiei no ombro dele enquanto minha cabeça parecia explodir em um milhão de pedaços. Eu sempre temera o dia em que alguém fosse chegar para dar a notícia da morte dela. Não conseguia pensar nem dizer nada. Estava muito longe dali, sugada para as profundezas de um abismo escuro e terrível. Marino segurou meu braço para impedir que eu caísse.

"Minha nossa", exclamou. "Vamos para o carro, acho melhor você sentar logo."

"Não", consegui articular com muita dificuldade. "Como está Lucy?"

Ele parou, e por um momento pareceu confuso.

"Bem, ela ainda não sabe de nada. A não ser que tenha visto o noticiário", respondeu.

"Sabe do quê?", perguntei, sentindo que o sangue voltava a circular.

"Que Carrie Grethen fugiu de Kirby", ele disse. "Em algum momento, no final da tarde de hoje. Eles só descobriram quando chegou a hora de servir o jantar para as internas."

Caminhamos rapidamente para o carro, e o medo o encheu de raiva.

"E você fica andando por aí no escuro, armada com um chaveiro", disse em tom de crítica. "Que merda. Que puta sacanagem. Nunca mais faça isso, entendeu? Não temos a menor idéia de onde se meteu aquela filha-da-puta, mas de uma coisa eu tenho certeza. Enquanto ela continuar solta, você não estará segura."

"Ninguém está seguro no mundo de hoje", resmunguei ao entrar no carro, pensando em Benton, sozinho na praia.

Carrie Grethen o odiava quase tanto quanto a mim, ou pelo menos eu acreditava nisso. Benton fizera seu perfil psicológico, foi o zagueiro do time responsável por sua captura e pela morte de Temple Gault. Benton se valera de todos os recursos do FBI para manter Carrie na prisão, até o momento com sucesso.

"Há alguma possibilidade de ela saber onde Benton está?", perguntei enquanto Marino me levava para casa. "Ele viajou sozinho. Foi para uma ilha, provavelmente anda pela praia desarmado, ignorando que alguém pode estar atrás dele..."

"Como uma certa pessoa que eu conheço", interrompeu Marino.

"Concordo. Você tem razão."

"Tenho certeza de que Benton já sabe, mas telefonarei para ele por via das dúvidas", disse Marino. "Não tenho nenhum motivo para acreditar que Carrie saiba de sua casa de praia em Hilton Head. Você ainda não a tinha quando Lucy contou a ela seus segredos."

"Isso não é justo", falei quando ele embicou no acesso e parou abruptamente. "Lucy não queria prejudicar ninguém. Nunca pretendeu ser desleal nem fazer mal a mim."

Segurei a maçaneta da porta.

"A esta altura, pouco importam as intenções dela."

Ele soprou a fumaça pela janela.

"Como Carrie conseguiu fugir?", perguntei. "Kirby fica numa ilha de difícil acesso."

"Ninguém sabe. Ela deveria ter aparecido para jantar há umas três horas, assim como todas as outras gracinhas. Foi quando os guardas se deram conta do sumiço daquela vaca. Nem sinal dela, e a um quilômetro e meio dali há uma antiga passarela que cruza o East River e dá no Harlem."

Ele jogou a ponta do cigarro no meu jardim.

"Só se pode imaginar que ela tenha saído da ilha por ali. A polícia está vasculhando tudo, levaram até helicópteros para garantir que ela não esteja escondida em algum ponto da própria ilha. Mas eu duvido muito. Sei que planejou isso durante muito tempo e escapou no momento mais oportuno. Vamos ouvir falar nela logo, pode apostar."

Eu sentia um profundo desconforto ao entrar em casa e checar todas as portas antes de acionar o alarme. Depois, fiz algo raro, que considerava enervante. Peguei a pistola Glock nove milímetros na gaveta do escritório e examinei todos os cômodos, em todos os pisos. Entrei em cada um deles com a pistola firmemente apontada, segurando-a com as duas mãos, enquanto o coração batia forte. Carrie

Grethen tornara-se para mim um monstro dotado de poderes sobrenaturais. Comecei a imaginar que ela seria capaz de driblar qualquer sistema de segurança e surgir das trevas assim que eu me sentisse segura e baixasse a guarda.

Nos dois pavimentos de minha casa de pedra não havia sinal de presença humana, exceto a minha. Levei um cálice de borgonha tinto para o quarto e vesti o robe. Telefonei para Wesley e senti um arrepio de medo quando ninguém atendeu. Tentei novamente, por volta da meia-noite, e mesmo assim não consegui falar com ele.

"Meu Deus", falei em voz alta, sozinha no quarto.

A luz suave do abajur formava sombras de cômodas e mesas antigas lixadas até recuperarem o cinzento do carvalho antigo, pois eu apreciava as ranhuras e marcas de uso formadas ao longo do tempo. As cortinas em rosa pastel balançavam, agitadas pelo ar que saía dos orifícios de ventilação. Meu descontrole emocional crescia com qualquer movimento, mesmo eu sabendo racionalmente sua causa. A cada momento que passava, o medo ampliava o controle sobre minha mente, por mais que eu tentasse sufocar as imagens de um passado que compartilhava com Carrie Grethen. Ansiava pelo telefonema de Benton. Tentava me convencer de que estava tudo bem e eu só precisava dormir. Li alguns poemas de Seamus Heaney e cochilei no meio de *The Spoonbait*. O telefone tocou às 2h20 da madrugada, e meu livro caiu no chão.

"Scarpetta", resmunguei ao aparelho, enquanto meu coração disparava como sempre ocorria quando me acordavam de supetão.

"Sou eu, Kay", disse Benton. "Desculpe eu ligar tão tarde, mas achei que você poderia ter tentado falar comigo. A secretária eletrônica parou de funcionar por algum motivo, e eu saí para comer alguma coisa e depois caminhei na praia por mais de duas horas. Precisava pensar um pouco. Calculo que você já saiba da novidade."

"Sim." Eu já estava completamente desperta.

"Está tudo bem?", ele perguntou, pois me conhecia muito bem.

"Vasculhei cada canto da casa antes de dormir, esta noite. Peguei a pistola e abri todos os armários e cortinas de chuveiro."

"Eu imaginei que você faria isso."

"É como saber que há uma bomba a caminho, pelo correio."

"Não, Kay, não é assim. Não sabemos que vai chegar pelo correio, nem quando, nem a forma que assumirá. Eu gostaria que soubéssemos. Mas isso faz parte do jogo dela. Nos obrigar a adivinhar."

"Benton, você sabe o que ela sente por você. Não quero que fique aí sozinho."

"Quer que eu volte para casa?"

Pensei na possibilidade sem encontrar uma resposta.

"Posso pegar meu carro neste minuto", ele acrescentou. "Se é isso o que você deseja."

Falei a respeito do cadáver nas ruínas da mansão de Kenneth Sparkes e relatei detalhadamente os desdobramentos. Contei o encontro com o magnata na fazenda Hootowl. Falei muito, expliquei o que pude. Ele ouviu tudo pacientemente.

"O que interessa", concluí, "é que essa história ficou terrivelmente complicada, beira o bizarro. Tenho muito a fazer. Não faz sentido você estragar suas férias também. Marino está certo. Não há razão para suspeitar que Carrie saiba a respeito de nossa casa em Hilton Head. Provavelmente você está mais seguro aí do que aqui."

"Eu preferiria que ela aparecesse por aqui", disse ele, num tom subitamente duro. "Eu a receberia com a Sig Sauer e finalmente acabaria com isso."

Eu sabia que ele realmente queria matá-la, e esse era, de certa forma, o maior dano causado por ela. Não combinava com a personalidade de Benton o desejo de violência, permitir que a sombra do mal combatido por ele se projetasse sobre sua consciência e seus sentimentos. Ouvi aquilo sentindo também minha própria culpa.

"Você está vendo como isso tudo é destrutivo?", falei, incomodada. "Ficamos falando em abatê-la a tiros, amarrá-la na cadeira elétrica, dar-lhe uma injeção letal. Ela conseguiu tomar posse de nós, Benton. Admito querer vê-la morta, mais do que já quis qualquer outra coisa na vida."

"Acho melhor eu voltar para casa", ele insistiu.

Desligamos logo em seguida, e naquela noite lutei contra um único inimigo, a insônia. Ela me roubou as poucas horas que restavam até o raiar do dia, empurrando meu cérebro em direção a fragmentados devaneios de ansiedade e horror. Sonhei que estava atrasada para um compromisso importante e ficava presa na neve sem conseguir usar o telefone. A modorra em que me encontrava impedia a obtenção de respostas nas autópsias e comecei a pensar que minha vida terminara. De repente, envolvi-me num desastre automobilístico medonho e era incapaz de me mover para ajudar, rodeada de vítimas ensangüentadas. Virei de um lado para o outro, ajeitei os travesseiros e as cobertas até que o céu adquiriu um tom esfumaçado de azul e as estrelas sumiram. Levantei-me e preparei o café.

Fui para o trabalho ouvindo pelo rádio do carro a repetição das notícias sobre o incêndio em Warrenton e o corpo encontrado na casa. Sobravam especulações dramáticas sobre a identidade da vítima, que poderia ser o famoso magnata da imprensa. Não pude deixar de imaginar que isso talvez divertisse um pouco Sparkes. Fiquei curiosa para saber a razão de ele não ter emitido um comunicado à imprensa, informando ao mundo estar vivo e bem. Novamente, as dúvidas a respeito do sujeito sombrearam minha mente.

O Mustang vermelho do dr. Jack Fielding estava estacionado nos fundos do novo prédio do nosso departamento em Jackson Street, atrás da fileira de casas restauradas de Jackson Ward e da sede da Faculdade de Medicina da Virgínia, MCV, no campus da Virginia Commonwealth University. Minha nova sede, que também abrigava os laboratórios forenses, era a âncora de quase 150 mil metros quadrados de uma área que estava sendo ocupada rapidamente por institutos de pesquisa conhecida como Biotech Park.

Havíamos mudado da antiga sede para o novo prédio apenas dois meses antes. Eu ainda tentava me adaptar à modernidade do vidro e tijolo aparente, às janelas cujas vergas refletiam os arredores. O novo local de trabalho brilhava, com piso e paredes de epóxi bege facilmente laváveis com mangueira. Ainda restava muita coisa a desencaixotar, organizar e guardar, e por mais que me entusiasmasse ter finalmente um necrotério novo, eu me sentia mais sobrecarregada do que nunca. O sol baixo me batia nos olhos quando estacionei na vaga da chefia, na parte coberta do estacionamento de Jackson Street, e destranquei a porta dos fundos para entrar.

O corredor impecável cheirava a desinfetante industrial, e ainda havia caixotes pelos cantos com material elétrico, como fios e interruptores, além de latas de tinta encostadas nas paredes. Fielding destrancara a câmara frigorífica de aço inoxidável, maior do que muitas salas de estar, e abrira as portas da sala de autópsia. Guardei as chaves no bolso e segui para o vestiário, onde tirei o casaco e o pendurei. Pus um jaleco de laboratório, abotoando-o até o pescoço e troquei os sapatos por um par de tênis Reebok preto em petição de miséria que eu usava nas autópsias. Estavam manchados e marcados, constituindo sem dúvida uma arma biológica. Mas davam precioso conforto a pernas e pés já não tão jovens e nunca saíam da morgue.

A nova sala de autópsia era muito maior que a anterior, além de ter sido projetada para aproveitar melhor o espaço. As mesas de aço não eram mais cravadas no piso, agora podiam ser empurradas para um canto quando não estavam em uso. As cinco mesas novas tinham rodízios e podiam entrar e sair da geladeira. As pias de dissecação, bem montadas, atendiam igualmente a médicos destros ou canhotos. E as novas mesas continham plataformas deslizantes, portanto não precisávamos mais arrebentar as costas levantando e baixando cadáveres. Completavam o equipamento aspiradores potentes, à prova de entupimento, local para lavar os olhos e um duto especial de dupla exaustão ligado ao sistema de ventilação do prédio.

No final das contas, o Estado fornecera quase tudo de que eu precisava para conduzir o Departamento de Medicina Legal da Virgínia com sucesso no novo milênio. No fundo, porém, não ocorrera uma mudança para melhor. A cada ano recebíamos mais casos relativos a mortes por arma de fogo ou faca, mais gente abria processos frívolos contra o departamento, a justiça era rotineiramente escarnecida nos tribunais graças a advogados mentirosos e jurados que não pareciam interessados em provas ou fatos.

Senti a rajada de ar frio ao abrir a pesada porta da sala frigorífica e passar por sacos contendo defuntos, mantas plásticas ensangüentadas e pés rígidos protuberantes. Mãos cobertas por sacos de papel pardo indicavam mortes violentas, e sacos pequenos me faziam pensar em morte súbita de bebês e crianças pequenas afogadas na piscina da casa. Meu caso de incêndio estava bem embrulhado, para preservar até os cacos de vidro, exatamente como eu o deixara. Deslizei a maca na direção do brilho das lâmpadas fluorescentes. Troquei novamente de sapatos e caminhei até a outra extremidade do andar térreo, onde se encontravam os escritórios e a sala de reuniões, isolados dos mortos.

Eram quase oito e meia, e os residentes e funcionários tomavam café e percorriam o corredor. Trocamos os bons-dias de praxe enquanto eu seguia na direção da porta aberta da sala de Fielding. Bati assim mesmo e entrei quando ele falava ao telefone e fazia anotações rápidas num registro de ocorrências.

"Pode repetir?", disse ele com sua voz potente e ríspida ao fone preso entre o queixo e o ombro, o que lhe permitia pentear distraidamente com os dedos o cabelo escuro e rebelde. "Endereço, por favor. Nome do policial?"

Ele não olhou para mim enquanto escrevia.

"Tem um telefone para contato?"

Leu rapidamente as anotações para se certificar de que não faltava nada.

"Alguma idéia do tipo de morte? Sei, sei. Tudo bem, já tenho o bastante."

Fielding desligou e parecia atormentado demais para aquela hora da manhã.

"O que temos?", perguntei, iniciando as atividades de mais um dia de serviço pesado.

"Creio que seja um caso de asfixia mecânica. Sexo feminino, negra, o histórico inclui abuso de drogas e álcool. Caída na cama, cabeça contra a parede, pescoço virado num ângulo incompatível com a vida. Está nua, por isso acho melhor eu ir lá dar uma espiada, pode ser outra coisa."

"*Alguém* precisa ir até lá, sem dúvida", concordei.

Ele entendeu a insinuação.

"Posso mandar Levine, se você preferir."

"Boa idéia, pois vou começar a autópsia do corpo encontrado no incêndio e preciso da sua ajuda", falei. "No estágio inicial, pelo menos."

"Conte comigo."

Fielding empurrou a cadeira para trás e ergueu o corpo musculoso. Usava calça cáqui, camisa branca com o punho dobrado, sapatos Rockports e um cinto velho de couro trançado em torno da cintura rija e forte. Passara dos quarenta sem descuidar da condição física, tão notável quanto na época em que o contratei, logo depois que assumi a chefia do departamento. Uma pena que ele não cuidasse tão bem de seus casos. Mas sempre demonstrara respeito e lealdade a mim. Embora fosse lento e desinteressado pelo trabalho, não cometia erros nem fazia suposições precipitadas. No final das contas, para mim era um auxiliar obediente, confiável e agradável. Eu não o trocaria por nenhum outro legista da equipe.

Entramos juntos na sala de reuniões; ocupei meu lugar à cabeceira da longa mesa reluzente. Gráficos e ilustrações de músculos e órgãos, além do esqueleto humano, eram a única decoração do local, com exceção das fotos dos chefes anteriores, todos homens, que exerceram a função na antiga sede. Naquela manhã, da minha equipe, estavam presentes o residente, um bolsista, três legistas assistentes, o toxicologista e os administradores. Tínhamos uma estagiária estudante de medicina da MCV, e um patologista forense de Londres que visitava necrotérios nos Estados Unidos para aprender mais a respeito de assassinatos em série e ferimentos à bala.

"Bom dia", falei. "Vamos examinar rapidamente as ocorrências do dia e depois falar a respeito da vítima do incêndio e das implicações do caso."

Fielding começou pela suposta asfixia mecânica, e depois Jones, administrador do distrito central, onde ficava nossa sede, resumiu os outros casos. Um homem branco dera cinco tiros na cabeça da namorada antes de estourar a própria cabeça desatinada. Havia uma morte súbita infantil e um afogamento, além de um rapaz que arrebentara o Miata vermelho contra uma árvore enquanto trocava a camisa e a gravata.

"Uau", disse a estudante de medicina, cujo nome era Sanford. "Como você soube que ele estava fazendo isso?"

"Camiseta até a metade do peito, camisa e gravata no banco do passageiro", explicou Jones. "Pelo que sabemos, ele tinha saído do serviço e ia encontrar os amigos num bar. Já tivemos casos assim antes — pessoas trocando de roupa, fazendo a barba ou retocando a maquiagem enquanto dirigiam o carro."

"Nessas horas a gente sente falta de uma categoria no atestado de óbito que nos permitisse colocar *estúpida* como causa da morte", disse Fielding.

"Provavelmente todos vocês já sabem que Carrie Grethen escapou de Kirby na noite passada", prossegui. "Embora isso não tenha um efeito direto sobre nosso departamento, é claro que devemos nos preocupar bastante."

Tentei manter o tom mais neutro possível.

"A imprensa deve nos procurar", falei.

"Já ligaram", disse Jones, erguendo os olhos por cima dos óculos de leitura. "A secretária eletrônica registrou cinco ligações desde ontem à noite."

"A respeito de Carrie Grethen?" Eu precisava confirmar.

"Sim, senhora. Além de quatro chamados sobre o caso Warrenton."

"Vamos cuidar disso. Este departamento não divulgará informações por enquanto. Nem sobre a fuga de Kirby nem a respeito da morte em Warrenton. Fielding e eu passaremos a maior parte do dia na sala de autópsia. Interrupções estão proibidas, a não ser as absolutamente necessárias. O caso é muito delicado."

Olhei para os presentes, um por um. Vi caras sérias, mas seu interesse era palpável.

"Até o momento não sabemos se ocorreu acidente, suicídio ou homicídio. Os restos mortais ainda não foram identificados. Tim", dirigi-me ao toxicologista, "vamos fazer testes para detectar a presença de substâncias entorpecentes. STAT álcool e monóxido de carbono. Existe a possibilidade de uso de drogas por parte da vítima, portanto verifique opiáceos, anfetaminas e metanfetamina, barbitúricos e canabinóides, o mais rápido possível."

Ele balançou a cabeça para confirmar que compreendera tudo enquanto tomava nota. Parei por um momento, examinando os recortes de jornais que Jones separara para mim, depois segui pelo corredor até voltar ao necrotério. No vestiário das mulheres, tirei a blusa e a saia. Abri o armário para pegar o cinto transmissor e o microfone especialmente projetados para mim por Lanier. O cinto ia preso ao corpo, debaixo do traje cirúrgico azul de mangas compridas, de modo que o interruptor do microfone não entrava em contato direto com as mãos ensangüentadas. Finalmente, prendi o microfone sem fio na gola, atei o cadarço dos meus tênis de autópsia, cobri-os com galochas especiais e coloquei o capuz protetor e a máscara cirúrgica.

Fielding entrou na sala de autópsia logo depois de mim.

"Vamos começar pelos raios X", falei.

Empurramos a mesa de aço pelo corredor até a sala de raios X, onde erguemos o corpo e os fragmentos do incêndio que o acompanhavam pelos cantos da manta plástica que o protegia. Pusemos tudo sobre a mesa que havia debaixo do braço articulado do Sistema Móvel de Imagem Digital, composto por aparelho de raios X e fluoroscópio acoplados a uma central computadorizada. Dediquei-me aos procedimentos de ajuste, prendendo cabos de conexão antes de ligar a central de comando. No painel de controle surgiram telas iluminadas e um indicador de tempo. Pus a fita de vídeo na abertura e acionei o pedal para ativar o monitor de vídeo.

"Aventais", falei a Fielding.

Entreguei-lhe um azul-claro acinzentado, revestido de chumbo. Amarrei nas costas o meu, que parecia pesado e cheio de areia.

Movendo o braço articulado, conseguíamos registrar as imagens dos restos mortais em tempo real, de vários ângulos diferentes. A única diferença do exame feito nos pacientes dos hospitais era a ausência da respiração, do batimento cardíaco e do ato de engolir no examinado. Imagens estáticas de órgãos inertes e ossos surgiram em preto-e-branco no monitor de vídeo. Não vi projéteis nem anomalias. Conforme movíamos o braço articulado, descobrimos diversas formas opacas aos raios X, que poderiam ser fragmentos metálicos misturados aos detritos. Observavamos as diversas partes do corpo na tela, tateando e apalpando com as mãos enluvadas, ate que fechei os dedos sobre dois objetos rígidos. Um tinha o tamanho e a forma da moeda de um dólar, o outro era menor e quadrado. Levei os dois até a pia para limpá-los.

"Foi o que restou de uma fivela de cinto metálica prateada pequena", eu disse ao pôr o objeto numa caixa de papelão plastificado que identifiquei com caneta hidrográfica.

O outro objeto foi mais fácil de identificar, não precisei examiná-lo por muito tempo para confirmar que era um relógio de pulso. A pulseira fora queimada e o vidro, estilhaçado. Mas o mostrador me fascinou; lavei-o melhor e vi que era cor de laranja, vistoso e gravado com um padrão estranho, abstrato.

"Para mim, parece relógio masculino", comentou Fielding.

"As mulheres também usam relógios grandes", repliquei. "Eu, por exemplo. Para enxergar melhor."

"Poderia ser um relógio esportivo?"

"Talvez."

Passamos o braço articulado por várias partes, continuando a pesquisar o corpo com o auxílio da radiação emitida pelo tubo de raios X, que passava através da carne, da sujeira e do material carbonizado. Notei o que parecia ser um anel, localizado num ponto próximo da nádega direita, mas quando tentei pegá-lo não encontrei nada. Uma vez que o corpo estava de barriga para cima, boa parte das costas haviam sido poupadas, inclusive a roupa. Enfiei a mão por baixo das nádegas e tateei com os dedos até chegar ao bolso de trás da calça jeans, recuperando meia cenoura e o que me pareceu ser uma aliança de noivado de aço. Examinando-a melhor, concluí que se tratava de platina.

"Também me parece uma aliança masculina", disse Fielding. "A não ser que ela tivesse dedos muito grossos."

Ele pegou o anel para analisá-lo de perto. O fedor de carne queimada em processo de deterioração tomava conta do ambiente conforme eu descobria estranhos indícios do que a moça estaria fazendo pouco antes de morrer. Havia pêlos escuros e grossos, de animal, grudados na calça suja e molhada, e, embora eu não tivesse certeza absoluta, poderia afirmar que se originavam de um eqüino.

"Nada gravado na aliança", disse ele, guardando o anel num envelope destinado aos materiais recolhidos.

"Nada", confirmei, cada vez mais curiosa.

"Por que será que ela levava o anel no bolso traseiro da calça, em vez de usá-lo no dedo?"

"Boa pergunta."

"Talvez estivesse fazendo algo que a levasse a tirar o anel", ele continuou, pensando em voz alta. "Sabe, muita gente tira as jóias quando vai lavar as mãos."

"Ela poderia ter acabado de alimentar os cavalos."

Recolhi vários pêlos com a pinça.

"Talvez do cavalo preto que escapou", sugeri.

"Pode ser", disse ele em tom incrédulo. "E depois? Ela estava cuidando do cavalo, deu a ele cenoura e não o conduziu de volta à cocheira? Pouco depois pega fogo em tudo, inclusive no estábulo, matando os cavalos que ficaram presos lá dentro. E o potro escapa."

Ele me olhou, do outro lado da mesa.

"Suicídio?", ele continuou a especular. "E ela não conseguiu matar o potro preto? Qual é mesmo o nome dele? Windsong?"

Mas não havia respostas definitivas para nenhuma das questões até aquele momento. Continuamos tirando raios X dos objetos pessoais e do corpo, para ter um registro definitivo do caso. No geral, porém, fazíamos a pesquisa em tempo real, na tela, recuperando ilhoses metálicos do jeans e um dispositivo intra-uterino, o que indicava atividade sexual periódica com homens.

Entre os achados estavam um zíper e um objeto enegrecido do diâmetro de uma bola de beisebol. Era um bracelete de aço com correntinha e um anel prateado em forma de serpente que continha três chaves de cobre. Com exceção da configuração do seio paranasal, tão diferente em cada ser humano quanto as impressões digitais, e de uma coroa de porcelana no incisivo central do maxilar superior direito, não descobrimos nada óbvio que pudesse ajudar na identificação.

Perto do meio-dia empurramos a mesa de volta pelo corredor até a sala de autópsia e a fixamos na pia de dissecação que havia no canto mais afastado, fora da área mais movimentada. As outras pias estavam ocupadas e barulhentas devido à queda da água nas cubas de aço inox e ao arrastar acelerado das escadas com rodízios. Médicos pesavam e seccionavam órgãos, ditando as observações aos microfones em miniatura enquanto alguns policiais acompanhavam tudo. A conversa era tipicamente rude, com frases interrompidas no meio; nossa comunicação espelhava a desarticulação e o inopinado nas vidas dos casos que tratávamos.

"Dá licença, preciso ficar aí onde você está."

"Diacho, acabou a bateria. Preciso de outra."

"De que tipo?"

"Do tipo que vai nesta câmera, pombas."

"Vinte dólares, bolso dianteiro direito."

"Assalto não foi, portanto."

"Alguém conte as pílulas. Tem uma porrada."

"Doutora Scarpetta, temos mais um caso. Possível homicídio", disse um residente em voz alta, desligando um telefone que fora projetado para mãos limpas.

"Acho melhor deixar para amanhã", respondi, percebendo que já tínhamos serviço até demais.

"Recebemos a arma do assassinato seguido de suicídio", disse um dos legistas assistentes.

"Descarregada?", perguntei.

"Acho que sim."

Aproximei-me para conferir, pois nunca aceitava suposições quando armas de fogo chegavam junto com cadáveres. O morto era grande e ainda usava jeans Faded Glory desbotados com os bolsos para fora, puxados pela polícia. Prováveis resíduos de pólvora estavam protegidos por sacos de papel pardo, e o sangue escorreu pelo nariz quando apoiaram a cabeça num bloco de madeira.

"Por favor, passe a arma", pedi ao investigador em voz alta, para vencer o ruído da serra Stryker.

"Pode levar. Já tiramos as digitais."

Apanhei a pistola Smith & Wesson e puxei a culatra móvel para conferir se continha um projétil, mas a câmara estava vazia. Cobri o ferimento provocado pela bala na cabeça enquanto o supervisor da morgue, Chuck Ruffin, afiava uma faca com movimentos largos, usando a pedra de amolar.

"Está vendo a mancha negra aqui e a marca deixada pelo cano?", falei enquanto o investigador e o residente se debruçavam sobre o corpo. "Dá para distinguir até a mira, aqui. Disparo feito com a pistola em contato, com a mão direita. Saída aqui, pode-se dizer pelo sangue escorrido que ele caiu deitado sobre o lado direito."

"Foi assim que o encontramos", disse o investigador antes que a serra fosse ligada novamente e a poeira dos ossos enchesse o ambiente.

"Não se esqueça de anotar calibre, marca e modelo", eu disse ao retornar à minha triste tarefa. "E se usou munição comum ou de ponta oca."

"Bala comum. Remington nove milímetros."

Fielding estacionara outra mesa com rodízios ali perto e a cobrira com uma manta emborrachada para colocar os fragmentos que já havíamos examinado. Passei a medir o comprimento dos fêmures queimados, na esperança de obter uma estimativa da altura. O restante das pernas desaparecera, desde o joelho até o tornozelo, mas as botas ajudaram a preservar os pés. Além disso, ocorreram amputações dos antebraços e das mãos, por ação do fogo. Coletamos fragmentos de tecido e fizemos diagramas. Achamos mais pêlos de origem animal, fazendo tudo o que era possível antes de iniciar a difícil tarefa de remover o vidro.

"Vamos deixar a água quente correr", sugeri a Fielding. "Assim, talvez seja possível retirar o vidro sem arrancar a pele junto."

"Parece carne assada grudada na fôrma."

"Por que vocês têm mania de fazer analogia com comida?", disse uma voz firme e segura que reconheci imediatamente.

Teun McGovern, inteiramente vestida com o traje de proteção da morgue, avançava na direção da nossa mesa. Seus olhos intensos brilhavam por trás da máscara de proteção, e por um instante nos encaramos. Não me surpreendia nem um pouco que o ATF enviasse um investigador de incêndios para acompanhar o exame *post-mortem*. Mas não esperava que fosse a própria Teun.

"Como vão indo em Warrenton?", perguntei.

"Trabalhando", respondeu ela. "Não encontramos o corpo de Sparkes, o que foi um alívio, pois ele continua vivo."

"Parabéns", disse Fielding.

McGovern se posicionou na minha frente, do outro lado da mesa, longe o bastante para sugerir que vira poucas autópsias na vida.

"O que exatamente vocês estão fazendo?", perguntou ela quando peguei a mangueira.

"Vamos jogar água quente entre a pele e o vidro, na esperança de separar os dois sem causar mais danos."

"E se isso não funcionar?"

"Então vai dar uma meleca danada", disse Fielding.

"Usaremos bisturis", esclareci.

Mas não foi necessário. Após vários minutos de banho quente constante consegui, com muita cautela e delicadeza, separar o vidro grosso partido da pele do rosto da moça. A cútis se esticou e se distorceu conforme eu removia o vidro, tornando a cena ainda mais terrível de ver. Fielding e eu trabalhamos em silêncio por um longo período, transferindo cuidadosamente os cacos e pedaços de vidro queimado para um recipiente plástico. Após cerca de uma hora, quando terminamos essa etapa, o mau cheiro beirava o insuportável. Os restos mortais da pobre moça pareciam ainda mais lamentáveis e diminutos. Concentrei a atenção nos danos à cabeça, muito intrigantes.

"Meu Deus", disse McGovern, aproximando-se. "Nunca vi nada tão macabro."

Restaram apenas ossos calcinados na parte inferior do rosto; com dificuldade se reconhecia um crânio humano, com a boca aberta e os dentes esfarelados. As orelhas em grande parte se perderam, mas dos olhos para cima a carne cozida fora tão bem preservada que eu conseguia distinguir os pelinhos louros próximos ao couro cabeludo. A testa intacta fora ligeiramente arranhada na remoção do vidro, perdendo sua lisura. Se tinha rugas, não dava mais para ver.

"Não consigo entender o que é isso, afinal", comentou Fielding, examinando partículas de um material misturado ao cabelo. "Está por toda parte, sobre o couro cabeludo."

Alguns pedaços se assemelhavam a papel queimado, enquanto outros estavam perfeitamente preservados, com uma coloração rosa-néon. Raspei um pouco com o bisturi e guardei a amostra em outra caixa de papelão revestido com plástico.

"Bem, vamos ver o que o pessoal do laboratório tem a dizer", falei a McGovern.

"Certamente", foi sua resposta.

O cabelo tinha cinqüenta centímetros de comprimento. Guardei alguns fios para exame de DNA, caso houvesse uma amostra anterior que servisse para comparação.

"Se conseguirmos ligá-la a uma pessoa desaparecida", falei a McGovern, "e vocês conseguirem achar a escova de dentes, podemos procurar células bucais. Elas forram a mucosa da boca e podem ser usadas para comparação de DNA. Uma escova de cabelo também serve."

Ela tomou nota. Aproximei uma lâmpada cirúrgica da área temporal esquerda, usando a lupa para examinar detalhadamente o que me parecia ser hemorragia no tecido que fora poupado.

"Parece que há um tipo de ferimento aqui", falei. "Certamente não se trata de epiderme rompida nem de efeito do fogo. Provavelmente uma incisão com resíduos brilhantes dentro da ferida."

"Ela poderia ter sufocado com o monóxido de carbono e batido a cabeça ao cair?" A voz de McGovern formulou a pergunta que estava na cabeça de todos.

"Ela precisaria ter batido em algo bem pontudo", falei enquanto tirava algumas fotos.

"Deixe-me ver", disse Fielding, e eu lhe entreguei a lupa com refletor. "Não noto bordas rasgadas nem rompimentos irregulares", comentou ele ao examinar o local.

"Não. Nenhuma laceração", concordei. "Ao que tudo indica, trata-se de golpe produzido por instrumento cortante."

Ele passou a lupa para mim novamente, e eu usei o fórceps de plástico para remover delicadamente os resíduos brilhantes do ferimento. Transferi-os para uma pedaço quadrado de sarja de algodão limpo. Numa mesa próxima havia um microscópio de dissecação. Posicionei o tecido na platina e movi a fonte de luz para clarear os fragmentos. Olhei pelo visor e regulei o foco normal para passar ao ajuste fino em seguida.

Vi na circunferência iluminada uma série de fragmentos prateados contendo lascas de metal estriadas e planas, como aparas de torno. Instalei a microcâmera Polaroid no microscópio e tirei fotos instantâneas de alta resolução.

"Dê uma espiada", falei.

Fielding e depois McGovern debruçaram-se sobre o microscópio.

"Algum de vocês já viu algo semelhante?", perguntei.

Removi a proteção das fotos reveladas para confirmar que estavam bem nítidas.

"Parece enfeite de Natal metalizado quando fica velho e cheio de vincos", disse Fielding.

"Transferidos do instrumento que foi usado para cortá-la, qualquer que tenha sido", foi só o que McGovern disse.

"Concordo plenamente", falei.

Removi o pedaço de tecido branco da platina do microscópio e preservei as lascas entre placas de algodão, que guardei num recipiente metálico destinado a provas.

"Mais um exemplar para o laboratório analisar", expliquei a McGovern.

"Quanto tempo para sair o resultado?", quis saber McGovern. "Se tiverem alguma dificuldade, podemos fazer o serviço em nossos laboratórios de Rockville."

"Não haverá dificuldade alguma." Olhei para Fielding e disse: "Acho que posso cuidar de tudo sozinha, de agora em diante".

"Tudo bem", disse ele. "Vou passar para o próximo da fila."

Abri o pescoço para procurar traumas nos órgãos e na musculatura, começando pela língua, que removi enquanto McGovern olhava a cena estoicamente. Era um procedimento repugnante que separava os fortes dos fracos.

"Nada aqui", falei, enxaguando a língua antes de enxugá-la com a toalha. "Não há sinais de mordidas, o que poderia sugerir um ataque epiléptico ou similar. Nenhum ferimento."

Observei as paredes internas brilhantes e lisas da laringe e não encontrei fuligem. Portanto, ela não estava mais respirando quando as chamas a atingiram. Além disso, encontrei sangue, mais uma péssima notícia.

"Sinais de outro traumatismo anterior à morte", falei.

"Talvez algo tenha caído em cima dela depois que morreu. Seria possível?", indagou McGovern.

"Não apresentaria essas características."

Marquei o local do traumatismo no diagrama e ditei as observações pelo microfone.

"Sangue nas vias aéreas indica que ela o inalou ou aspirou", expliquei. "Obviamente, isso quer dizer que ainda respirava quando sofreu a lesão."

"Que tipo de lesão?", perguntou ela.

"Ferimento por instrumento afiado. A garganta foi cortada ou perfurada. Não vejo outros sinais de traumatismo na base do crânio nem no pescoço, nenhuma contusão nem ossos fraturados. O hióide está intacto e há fusão das partes superiores com a base, indicando que ela provavelmente tinha mais de vinte anos e que não foi estrangulada manualmente nem com o uso de um fio."

Comecei a ditar novamente.

"A pele sob o queixo e a musculatura se queimaram totalmente", disse ao pequeno microfone preso à gola. "Sangue coagulado pelo calor na traquéia distal, brônquios e bronquíolos. Hemoaspiração e sangue no esôfago."

Executei a incisão em Y para abrir o corpo desidratado e arruinado, e em sua maior parte o restante da autópsia foi rotineiro. Embora os órgãos estivessem cozidos, encontravam-se dentro dos parâmetros normais, e o aparelho reprodutor confirmou que o sexo era feminino. Havia sangue no estômago, também; no mais, estava vazio e tubular, indicando que ela comia muito pouco. Mas não vi sinais de doenças nem de ferimentos antigos ou recentes.

Eu não tinha como estabelecer a altura com precisão, mas faria a estimativa com base nas tabelas de fórmulas regressivas de Trotter e Gleser para relacionar o comprimento do fêmur com a estatura da vítima. Sentei-me a uma mesa próxima e folheei a *Osteologia humana* de Bass até chegar à tabela referente às mulheres brancas norte-americanas. Com base num fêmur de 50,2 centímetros, aproximadamente, a altura provável seria 1,75 metro.

Determinar o peso com alguma exatidão seria impossível, pois não havia tabela, quadro ou equação científica capaz de revelá-lo. Na verdade, acabamos deduzindo o peso pelo tamanho das roupas, e no caso a vítima usava jeans tamanho 8. Com base nos dados disponíveis, estimei um peso entre sessenta e 65 quilos.

"Em outras palavras", falei a McGovern, "alta e bem magra. Sabemos que tinha cabelo louro e era sexualmente ativa, convivia bem com cavalos e já estava morta no interior da mansão de Sparkes em Warrenton quando o fogo a atingiu. Também sabemos que ela recebeu ferimentos graves na garganta e um corte na têmpora esquerda." Apontei. "Como foram feitos, não sei dizer."

Levantei-me da cadeira e reuni a papelada enquanto McGovern olhava para mim com a vista toldada pelo esforço de raciocínio. Tirou a proteção do rosto e a máscara e desatou o traje nas costas.

"Você tem como verificar se ela costumava usar drogas?", perguntou quando o telefone tocou.

"Os exames toxicológicos mostrarão se ela havia usado drogas recentemente", falei. "Além disso, pode haver cristais no pulmão e granulomas devido à presença de corpos estranhos, como talco, bem como fibras do algodão usado para filtrar impurezas. Infelizmente, as áreas onde poderíamos constatar marcas de agulha foram queimadas."

"E quanto ao cérebro? O uso crônico de drogas não causa danos perceptíveis? Por exemplo, se começasse a ter problemas mentais sérios, fosse psicótica, e assim por diante? Pelo que entendi, Sparkes insinuou que a moça sofria de uma doença mental qualquer", disse McGovern. "Por exemplo, se fosse um caso de depressão, você poderia confirmar isso? Ou uma psicose maníaco-depressiva?"

Naquela altura eu já havia aberto o crânio e o cérebro esponjoso e encolhido pelo calor fora seccionado e ainda estava em cima da placa de corte.

"Em primeiro lugar", respondi, "não haveria sinais visíveis no exame *post-mortem*, pois o cérebro foi cozido. Mesmo que não fosse esse o caso, porém, a existência de relações entre a morfologia e uma síndrome psiquiátrica específica ainda é uma hipótese, na maioria dos casos. O alargamento das saliências sinuosas, por exemplo, ou a redução da massa cinzenta em conseqüência de atrofia poderiam servir de pista, caso soubéssemos o peso original do cérebro quando ela era saudável. Então, talvez se pudesse dizer: 'O cérebro pesa atualmente cem gramas a menos, em comparação com o peso anterior, e portanto ela poderia estar sofrendo de algum tipo de doença mental'. A

113

não ser que haja uma lesão ou um ferimento antigo na cabeça capazes de sugerir um problema, a resposta para sua dúvida é: não dá para saber."

McGovern ficou quieta. Percebeu que minha explicação fora clínica e bem pouco amigável. Embora tivesse consciência de meu comportamento brusco na presença dela, era incapaz de agir cordialmente. Olhei em volta, procurando Ruffin. Ele estava na primeira pia de dissecação, suturando uma incisão em Y com pontos grandes, usando agulha e fio cirúrgico. Fiz um sinal e ele se aproximou. Era jovem demais para se preocupar com a chegada dos trinta anos e aprendera o trabalho numa funerária.

"Chuck, por favor, termine o serviço e ponha-a de volta na geladeira", pedi.

"Sim, senhora."

Ele voltou para a pia, pois precisava primeiro encerrar o caso pendente. Tirei as luvas e as joguei junto com a máscara num dos muitos recipientes vermelhos para lixo hospitalar que apresentava risco de contaminação espalhados pela sala de autópsia.

"Vamos tomar um café na minha sala", sugeri a McGovern, numa tentativa de parecer mais cordial. "Lá, poderemos terminar nossa conversa."

Passamos pelo vestiário, onde nos lavamos com sabonete antibacteriano e eu me vesti. Precisava discutir algumas questões com McGovern, mas além disso, confesso, estava curiosa a respeito dela.

"Voltando à possibilidade de doença mental induzida por drogas", disse McGovern enquanto percorríamos o corredor, "muita gente nessas condições torna-se autodestrutiva, não é?"

"De um modo ou de outro, sim."

"Morrem em acidentes, cometem suicídio. O que nos leva de volta à questão principal", disse ela. "Aconteceu isso lá? Existe a possibilidade de ela ter pirado e cometido suicídio?"

"Só sei que o ferimento foi provocado antes da morte", ressaltei novamente.

"Mas ela mesma poderia ter se cortado, se estivesse fora de si", disse McGovern. "Já vi muita automutilação em psicóticos."

Era verdade. Eu havia trabalhado em casos nos quais as pessoas cortaram suas próprias gargantas, desferiram facadas no peito ou amputaram membros do corpo, atiraram nos órgãos sexuais e pularam no rio para se afogarem. Além de saltarem de lugares altos e atearem fogo na roupa. A lista de coisas que as pessoas faziam contra si mesmas era longa demais, e, sempre que eu pensava já ter visto de tudo, surgia uma novidade ainda mais pavorosa no necrotério.

O telefone tocava quando destranquei a porta da minha sala, e eu corri para atendê-lo.

"Scarpetta", falei.

"Obtive alguns resultados", disse Tim Cooper, o toxicologista. "Etanol, metanol, isopropanol e acetona negativos. Monóxido de carbono inferior a 7%. Vou continuar checando outras substâncias."

"Obrigada. Não sei o que faria sem você", falei.

Olhei para McGovern assim que desliguei, passando-lhe as informações dadas por Cooper.

"Ela faleceu antes de ser atingida pelo fogo", expliquei, "e a causa da morte foi perda de sangue e asfixia por aspiração de sangue, conseqüência do ferimento provocado na garganta. Quanto ao modo, continua pendente enquanto prosseguimos com as investigações, mas creio que devemos tratar o caso como homicídio. De qualquer maneira, precisamos identificá-la, e tratarei disso imediatamente."

"Acho melhor imaginar que a moça botou fogo na casa e cortou a própria garganta antes que as chamas a alcançassem", disse ela em tom de contrariedade.

Não comentei nada enquanto media o pó de café para a cafeteira no balcão do lado.

"Você não acha que está forçando um pouco a barra?", ela insistiu.

Enchi a cafeteira de água e apertei o botão.

"Kay, ninguém vai querer ouvir falar em homicídio", continuou. "Trata-se de Kenneth Sparkes, haveria inúmeras complicações. Espero que você saiba onde está se metendo."

"E onde o ATF está se metendo", falei ao me sentar do outro lado da mesa lotada de serviço.

"Olha, não me importa quem ela seja", rebateu McGovern. "Cuido de cada caso como se o objetivo fosse deter um criminoso. Não sou eu quem tem de lidar com o lado político."

Mas naquele momento minha mente não estava na mídia nem em Sparkes. Eu pensava em quanto o caso me perturbava, mexendo com sentimentos muito profundos, de um modo que eu não conseguia entender.

"Quanto tempo mais sua equipe vai ficar no local?", perguntei.

"Um dia ou dois, no máximo. Sparkes entregou uma lista do que havia dentro da casa para nós e para a companhia de seguros. Só a mobília antiga de madeira maciça, o piso de tábua e os lambris de madeira já eram uma enorme carga combustível."

"E quanto ao banheiro da suíte principal?", perguntei. "Supondo que tenha sido o ponto de origem."

Ela hesitou. "Obviamente, esse é o problema."

"Certo. Se um produto inflamável não foi usado, ou pelo menos não um derivado de petróleo, como ficamos?"

"O pessoal está quebrando a cabeça para descobrir", disse ela, frustrada. "E eu também. Se calcularmos quanta energia seria necessária naquele local para uma descarga elétrica capaz de propagar as chamas, veremos que não existia material combustível suficiente. De acordo com Sparkes, lá não havia nada exceto um tapete e toalhas. Armários e acessórios eram de aço escovado, tudo feito sob medida. O box tinha porta de vidro, a janela, cortinas finas."

Ela fez uma pausa quando a cafeteira borbulhou.

"Então, quanto seria preciso?", ela prosseguiu. "Quinhentos ou seiscentos quilowatts no total, para um cômodo de três metros por cinco? Claro, há outras variáveis, como a quantidade de ar que fluía através do vão da porta..."

"E quanto ao resto da casa? Você acabou de dizer que havia muito material combustível, certo?"

"Nosso esforço se concentra num único cômodo, Kay. O ponto de origem. Sem sabermos a origem, o resto do material combustível não importa."

Eu sabia que suas equações matemáticas eram perfeitas, não duvidei de suas palavras em momento algum. De todo modo, não fazia diferença. Para mim, permanecia o mesmo problema. Eu tinha motivos para crer que se tratava de homicídio e que no início do incêndio o corpo da vítima estava no banheiro da suíte, um cômodo com piso de mármore, espelhos grandes e detalhes em aço, ou seja, praticamente nenhum material combustível. Além do mais, era provável que ela estivesse dentro da banheira.

"E quanto à clarabóia aberta?", perguntei a McGovern. "Isso se encaixa em sua teoria?"

"Talvez. Afinal, as chamas precisariam subir muito alto para quebrar o vidro, e então o calor poderia sair pela abertura como se ela fosse uma chaminé. Cada incêndio tem sua personalidade, mas certos padrões se repetem em conseqüência das leis da física."

"Compreendo."

"Há quatro estágios", ela seguiu explicando, como se eu não soubesse nada a respeito. "Primeiro a língua de fogo, ou coluna de gases quentes, chama e fumaça que sobem do local incendiado. Seria o caso, digamos, se o tapete do banheiro pegasse fogo. Quanto maior a altura alcançada pelos gases, mais frios e densos eles se tornam. Misturam-se aos subprodutos da combustão, e os gases quentes começam a descer; o ciclo se repete, criando uma fumaça turbulenta que se espalha horizontalmente. O que deve ter ocorrido em seguida é que a camada de fumaça e gases

117

quentes continuou a descer até encontrar uma saída de ventilação — neste caso, supomos que tenha sido a porta do banheiro. Em seguida, a fumaça sai pela abertura enquanto o ar fresco entra. Se houver oxigênio suficiente, a temperatura no teto pode chegar a mais de seiscentos graus centígrados. Atinge-se o ponto de ignição e começa um incêndio em sua plenitude."

"Um incêndio de grandes proporções no banheiro da suíte", falei.

"Que depois passou aos demais aposentos, o material inflamável abundante fez com que a casa queimasse até virar cinza", ela concluiu. "Portanto, o que me intriga não é o modo como o fogo se espalhou, e sim como ele começou. Como já disse, um tapete e uma cortina não bastam. Seria preciso haver algo mais por lá."

"Talvez houvesse", falei ao me levantar para servir o café. "Como quer o seu?", perguntei.

"Com creme e açúcar."

Seus olhos me acompanharam.

"Nada de adoçante artificial, por favor."

Preferi café preto. Pusemos as canecas em cima da mesa enquanto McGovern examinava minha nova sala. Com certeza era mais moderna e iluminada do que o escritório no prédio antigo da Catorze com a Franklin, mas na verdade eu não ganhara mais espaço. Pior de tudo, fora premiada com o canto do chefe, cheio de janelas. Mas qualquer pessoa que conhecesse médicos saberia que precisávamos de paredes para estantes de livros e não de vidros à prova de balas com vista para o estacionamento e o trevo de Petersburg. O resultado é que centenas de livros grossos, anais, revistas e outras publicações médicas, científicas e forenses ficaram amontoados nas estantes. Algumas já continham duas fileiras. Não raro Rose, a secretária, me ouvia praguejar quando eu não localizava um livro de referência que precisava consultar com urgência.

"Teun", falei, tomando um gole de café, "gostaria de

aproveitar a oportunidade para lhe agradecer por tomar conta de Lucy."

"Lucy sabe tomar conta de si", ela disse.

"Isso nem sempre correspondeu à verdade."

Sorri, num esforço para ser mais leve, ocultando a mágoa e a inveja que alfinetavam meu coração.

"Você tem razão", falei. "Creio que ela aprendeu a se cuidar muito bem. A Filadélfia tem sido ótima para Lucy."

McGovern prestava atenção em todos os aspectos de meu comportamento, e pude perceber que compreendia bem a situação, mais até do que eu gostaria.

"Kay, o caminho dela nunca será fácil", ela declarou. "Por mais que eu queira ajudar."

Ela fez o café girar na caneca, como se fosse iniciar a degustação de um cálice de vinho fino.

"Sou a supervisora dela, não a mãe", disse McGovern.

Aquilo me incomodou pra valer, o que mostrei ao pegar o telefone abruptamente e instruir Rose a atender a todos os chamados. Levantei-me e fechei a porta.

"Eu sabia que ela não havia pedido transferência para o seu setor por precisar de uma mãe", repliquei friamente ao retornar à mesa, que funcionava como uma barreira entre nós duas. "Acima de tudo, Lucy é uma profissional de primeira."

McGovern ergueu o braço para me interromper.

"Calma", protestou. "Claro que é. Só não posso lhe prometer nada. Ela é adulta, mas tem vários obstáculos de vulto para superar. Sua passagem pelo FBI será usada contra ela por algumas pessoas preconceituosas, capazes de pensar de antemão que Lucy é arrogante, mas nunca provou sua competência."

"Um estereótipo assim não dura muito", falei, sentindo muita dificuldade em discutir objetivamente com ela a vida de minha sobrinha.

"Bem, dura até alguém ver o modo como ela pilota um helicóptero, programa um robô ou desmonta uma bomba", ela retrucou. "Ou faz de cabeça cálculos Q. que a maioria não consegue realizar nem na calculadora."

Cálculo Q. era o jargão para as equações matemáticas e os cálculos científicos usados nas estimativas físicas e químicas de um incêndio, feitas pelo investigador a partir das observações no local ou de relatos de testemunhas. Não sei se a capacidade de destrinchar fórmulas esotéricas de cabeça ajudaria Lucy a arranjar muitos amigos.

"Teun", falei, suavizando o tom, "Lucy é diferente e isso nem sempre ajuda. Na verdade, em vários aspectos é tão ruim ser gênio quanto retardado."

"Concordo. E tenho mais noção disso do que você imagina."

"Fico contente em saber que você me entende", falei, como se passasse o bastão com relutância na corrida de revezamento do difícil amadurecimento de Lucy.

"E acho bom você entender que ela foi e continuará sendo tratada como todo mundo. Isso inclui as reações dos outros agentes a seu passado, no qual não faltam rumores sobre a saída do FBI e sua vida pessoal", disse ela com franqueza.

Olhei-a por um longo tempo, duramente, ponderando quanto realmente saberia a respeito de Lucy. A não ser que McGovern tivesse recebido informações de alguém do Bureau, não havia motivo para eu pensar que ela sabia a respeito do caso de minha sobrinha com Carrie Grethen e das conseqüências que isso poderia ter quando o caso fosse a julgamento, se apanhassem Carrie, claro. Só o fato de eu me lembrar disso lançou uma sombra sobre um dia que já havia sido tenebroso, e meu silêncio constrangido levou McGovern a se manifestar.

"Tenho um filho", disse ela em voz baixa, olhando para a caneca de café. "Sei como é ver os filhos crescerem e sumirem de repente. Viverem a própria vida, sempre ocupados demais para fazer uma visita ou telefonar."

"Lucy cresceu faz muito tempo", retruquei rapidamente, pois não queria despertar sua compaixão. "Além disso, nunca morou comigo, quero dizer, não em caráter definitivo. De certo modo, ela sempre esteve longe."

Mas McGovern apenas sorriu ao se levantar da cadeira.

"Preciso passar a tropa em revista", disse. "Acho melhor ir andando."

6

Minha equipe continuava atarefada na sala de autópsia às quatro horas da tarde, quando entrei à procura de Chuck. Ele e dois residentes trabalhavam no cadáver da moça queimada, removendo a carne com o máximo de cuidado, usando espátulas de plástico, pois qualquer material mais duro poderia riscar os ossos.

Chuck suava debaixo do capuz e da máscara cirúrgica enquanto raspava o tecido do crânio, com seus olhos castanhos quase vítreos atrás do protetor transparente. Era um rapaz alto e rijo cujo cabelo louro curto se eriçava em todas as direções, por mais gel que usasse. Atraente, com seus modos adolescentes, após um ano de serviço ainda me assustava.

"Chuck?", falei, inspecionando uma das tarefas mais macabras da medicina forense.

"Sim, doutora?"

Ele parou de raspar e me lançou um olhar furtivo. O mau cheiro piorava a cada minuto, conforme a carne em temperatura ambiente continuava a se decompor. Não me agradava a perspectiva da tarefa que me aguardava em seguida.

"Gostaria de dar mais uma olhada", falei a Ruffin, que de tão alto ficara meio corcunda, abaixando o pescoço feito uma tartaruga para conversar com as pessoas. "As panelas e os caldeirões velhos não vieram com a mudança."

"Acho que acabaram indo para o lixo", ele respondeu.

"Foi melhor assim", concordei. "Isso significa que nós dois temos uma missão pela frente."

"Agora?"

"Agora mesmo."

Ele não perdeu tempo. Seguiu para o vestiário masculino, onde se livrou das roupas de serviço imundas e tomou uma ducha rápida, que mal lhe deu tempo para enxaguar o cabelo. Ainda transpirava, com o rosto rosado de tanto ser esfregado, quando me encontrou no corredor e eu lhe dei um molho de chaves. O Tahoe vermelho-escuro do departamento estava estacionado na área interna. Ocupei o banco do passageiro e deixei que Ruffin dirigisse.

"Vamos para a loja de material para restaurantes, o Cole's", falei quando o motor possante começou a roncar. "Fica umas duas quadras a oeste da Parham, na Broad. Vamos pegar a 64 e a saída para a West Broad. Assim que chegarmos lá eu ensino o caminho."

Ele acionou o controle remoto e a porta de saída se abriu pesadamente, dando passagem à luz do dia que eu nem vira durante o expediente inteiro. O tráfego intenso indicava que a hora do rush se aproximava, em meia hora estaria terrível. Ruffin guiava feito uma velha, de óculos escuros, debruçado para a frente, mantendo uma velocidade dez quilômetros abaixo do limite.

"Pode ir mais depressa", falei com calma. "Fecha às cinco, precisamos chegar logo lá."

Ele pisou tão fundo que fui jogada contra o encosto, enquanto procurava a ficha do pedágio no cinzeiro.

"A senhora se importa se eu perguntar uma coisa, doutora Scarpetta?", disse ele.

"Claro que não. Pode falar."

"É meio esquisito."

Ele olhou novamente pelo retrovisor.

"Tudo bem."

"Sabe, já vi muita coisa por aí, no hospital e na funerária", começou ele, nervoso. "Mas nada disso me incomoda, sabe?"

Reduzindo a velocidade para passar na cabine, depositou a ficha e a cancela vermelha se abriu para nós, enquanto os carros dos dois lados aceleravam. Ruffin fechou a janela.

"Mas é normal que você fique impressionado com o que está vendo hoje", completei o pensamento para ele, ou acreditei ter feito isso.

Mas ele não queria me contar isso.

"Sabe, na maioria das vezes eu chego antes da senhora ao necrotério", disse, mantendo os olhos fixos na pista enquanto dirigia. "Por isso, atendo o telefone e preparo tudo para a senhora, certo? Ainda não tem ninguém no departamento."

Apenas balancei a cabeça, sem ter a menor pista de aonde ele queria chegar.

"Começou faz uns dois meses, quando ainda estávamos no prédio antigo. O telefone começa a tocar lá pelas seis e meia da manhã, logo que eu chego. Quando atendo, ninguém responde."

"Com que freqüência isso ocorre?", perguntei.

"Umas três vezes por semana. Em certos períodos, diariamente. E continua acontecendo isso."

Ele obteve toda a minha atenção.

"Vem acontecendo desde que mudamos", falei, para ter certeza.

"Claro, o número é o mesmo", ressaltou ele. "Mas é isso mesmo, doutora. Aconteceu de novo hoje de manhã, e eu ando meio assustado. Acho melhor localizar esses chamados, descobrir o que está havendo."

"Conte exatamente o que ocorre quando você atende o telefone', falei enquanto ele mantinha a velocidade máxima exata para aquele trecho da rodovia.

"Eu respondo 'Necrotério'. E ninguém diz nada do outro lado. Silêncio, como se a linha tivesse caído. Aí eu falo 'Alô?' várias vezes e desisto. Desligo, mas pressinto que há alguém me ouvindo. Sei lá, é só uma impressão."

"Por que você não me contou isso antes?"

"Eu queria ter certeza de que não era só exagero de minha parte, de que eu não estava imaginando coisas, mas é meio sinistro chegar aqui cedinho, antes do sol raiar, sem ninguém para me fazer companhia."

"Você disse que as ligações começaram há cerca de dois meses, certo?"

"Mais ou menos", respondeu ele. "Não dei muita bola no começo, entende?"

Fiquei irritada por ele ter esperado tanto tempo para falar comigo a respeito, mas não adiantaria nada insistir nisso.

"Contarei a história ao capitão Marino", falei. "Mesmo assim, Chuck, você precisa me avisar se acontecer novamente, entendeu bem?"

Ele fez que sim, e notei os nós de seus dedos esbranquiçados devido à força com que segurava o volante.

"No próximo sinal, fique atento a um prédio bege grande. Do lado esquerdo, na próxima quadra, passando o Jo-Pa's."

Faltavam quinze minutos para o fechamento do Cole's, e quando chegamos só havia mais dois carros no estacionamento. Ruffin e eu descemos, o ar condicionado estava gelado dentro da loja de corredores largos e espaços amplos, dotada de prateleiras de aço até o teto. Nelas amontoavam-se todos os equipamentos enormes necessários em um restaurante. Escumadeiras, conchas, cubas para banho-maria e processadores de alimentos. Mas era a seção de panelas que me interessava, e após uma rápida busca chegamos lá, perto dos fundos, ao lado das fritadeiras elétricas e dos recipientes de medidas.

Comecei a escolher imensas panelas e caldeirões de alumínio quando um vendedor apareceu subitamente. Era calvo e barrigudo. No antebraço direito tinha uma tatuagens de mulheres nuas jogando baralho.

"Posso ajudar?", disse ele a Ruffin.

"Preciso da maior panela que vocês tiverem", respondi.

"É a de 45 litros."

Ele esticou o braço até uma prateleira alta demais para mim e apanhou a monstruosa panela, que entregou a Ruffin.

"Preciso da tampa", falei.

"Vamos ter de encomendar."

"Queria também algo fundo e retangular", disse, pensando nos ossos mais compridos.

"Tenho uma de vinte litros."

Passando para outra prateleira, ele pegou a panela no meio das outras, fazendo retinir o metal do recipiente, destinado a cozinhar batatas e legumes, ou a assar bolos de frutas.

"Você deve ter a tampa para essa aí, suponho."

"Acho que sim."

Tampas de vários tamanhos soaram enquanto ele escolhia a adequada.

"Tem uma abertura aqui para a concha. Vão querer uma concha também?"

"Não, obrigada", falei. "Só uma colher comprida para mexer. Pode ser de madeira ou de plástico. E luvas refratárias. Dois pares. O que mais?"

Olhei para Ruffin enquanto pensava.

"Você não acha melhor levar um caldeirão de vinte litros também, para os serviços menores?", sugeri.

"Seria uma boa idéia", concordou ele. "A panela maior vai ficar muito pesada, quando estiver cheia de água. Se tivermos uma menor, não precisaremos usá-la sempre. Mas acho que desta vez precisaremos da maior, caso contrário não vai caber."

O vendedor ficou muito confuso com nossa conversa.

"Digam o que pretendem cozinhar e talvez eu possa dar alguns conselhos", falou, dirigindo-se novamente a Ruffin.

"Várias coisas", falei. "Em geral, vamos ferver tudo."

"Entendo", disse ele, embora não tivesse entendido. "Vão precisar de mais alguma coisa?"

"Isso é tudo", respondi com um sorriso.

No balcão ele somou 177 dólares em equipamento de

cozinha para restaurante. Peguei a carteira para procurar o cartão MasterCard.

"Vocês dão algum desconto para instituições governamentais?", perguntei quando ele pegou meu cartão.

"Não", respondeu o vendedor, coçando o queixo duplo e franzindo a testa ao examinar meu cartão. "Acho que já vi seu nome no jornal."

E me encarou, desconfiado.

"Pode ser."

Ele estalou os dedos.

"Você é aquela mulher que se candidatou ao Senado, há alguns anos. Ou foi para vice-governadora?", disse, encantado.

"Eu não", respondi. "Não me meto em política."

"Então somos dois", disse ele em voz alta enquanto Ruffin e eu carregávamos as compras em direção à porta. "Os políticos são todos uns vigaristas, não sobra um que preste!"

Quando chegamos ao necrotério, instruí Ruffin a remover os restos mortais da vítima do compartimento frigorífico e levá-los para a sala de decomposição onde estavam as panelas. Ouvi os recados na secretária eletrônica, na maioria de repórteres. Dei-me conta de que puxava o cabelo nervosamente quando Rose surgiu na soleira da porta que ligava nossas salas.

"Pelo jeito, você teve um dia péssimo", disse.

"Ruim como de costume."

"Quer uma xícara de chá de canela?"

"Muito obrigada", falei, "mas não vou querer."

Rose depositou uma pilha de atestados de óbito sobre minha mesa, aumentando a pilha interminável de documentos que aguardavam minha assinatura ou rubrica. Naquele dia ela usava um elegante conjunto azul-marinho, com blusa roxa vistosa. Mas, como sempre, calçava sapatos baixos de couro preto, de amarrar, próprios para andar bastante.

Rose passara havia muito da idade de se aposentar,

embora seu rosto não demonstrasse isso, aristocrático e sutilmente maquiado. Contudo, o cabelo ralo embranquecera de vez, a artrite prejudicava o movimento dos dedos e provocava dores nas costas e nos quadris, tornando cada vez mais incômodo para ela permanecer sentada em sua mesa e cuidar de mim como fazia desde meu primeiro dia na função.

"Já são quase seis horas", disse ela, olhando com ternura para mim.

Olhei de relance para o relógio enquanto lia e assinava os documentos.

"Tenho um jantar na igreja", avisou ela, diplomaticamente.

"Que bom", eu disse, franzindo a testa enquanto lia. "Puxa vida, quantas vezes vou ter de explicar ao doutor Carmichael que não se pode colocar *parada cardíaca* num atestado de óbito? Todo mundo morre de parada cardíaca, caramba. Quando você morre o coração pára, certo? E ele já me veio com aquela história de *parada respiratória* também. E não adianta corrigir seus atestados."

Suspirei, irritada.

"Ele é legista da comarca de Halifax há quantos anos?", continuei minha arenga. "Vinte e cinco, no mínimo."

"Doutora Scarpetta, não se esqueça de que ele é obstetra. E da velha-guarda", replicou Rose. "Um bom sujeito, embora incapaz de aprender coisas novas. Ele ainda datilografa os relatórios numa máquina de escrever Royal mecânica, com maiúsculas tortas e tudo o mais. Bem, eu mencionei o jantar na igreja porque devo estar lá dentro de dez minutos."

Ela fez uma pausa, olhando-me por cima dos óculos de leitura.

"Mas posso ficar, se você estiver precisando de mim."

"Preciso tomar algumas providências, mas a última coisa em que eu pensaria no mundo seria interferir em seu jantar na igreja. Ou no de qualquer outra pessoa. Já tenho problemas demais com Deus do jeito que está."

"Então boa noite", disse Rose. "Meus ditados estão em sua caixa de entrada. Até amanhã."

Assim que seus passos deixaram de ecoar no corredor, fui cercada por um silêncio que só era quebrado pelo som dos papéis remexidos em cima da mesa. Pensei várias vezes em Benton mas afastei o desejo de ligar para ele, pois ainda não estava pronta para relaxar, ou não queria voltar a ser humana, por enquanto. Afinal de contas, é difícil alguém se sentir como uma pessoa normal com emoções normais quando vai cozinhar os restos mortais de alguém num caldeirão de sopa gigante. Quando passava um pouco das sete, percorri o corredor até a sala de decomposição, situada duas portas adiante do frigorífico, do lado oposto.

Destranquei a porta e entrei no local, que não passava de uma saleta de autópsia com freezer e ventilação especial. Os restos mortais estavam na mesa equipada com rodízios, cobertos por um plástico. A nova panela de 45 litros cheia de água esquentava sobre o fogão elétrico, debaixo de um exaustor. Pus a máscara e a luva, baixei a temperatura do fogão para não danificar os ossos e despejei duas colheres de sabão em pó e uma de alvejante para facilitar a soltura das membranas fibrosas, cartilagens e gordura.

Abri a manta emborrachada para expor os ossos, já livres da maior parte do tecido, com suas extremidades macabras truncadas como fósforos queimados. Coloquei com cuidado as tíbias e os fêmures na panela, depois a pelve e partes do crânio. As vértebras e costelas entraram a seguir. A água esquentou novamente e o cheiro forte se espalhou com o vapor. Eu precisava examinar os ossos limpos, pois eles poderiam ocultar alguma informação, e infelizmente não havia outra maneira de fazer isso.

Passei um tempo sentada ali naquela sala, o exaustor sugando o ar ruidosamente enquanto eu me remexia na cadeira. Estava cansada. Emocionalmente abalada. Solitária. A água ferveu, e o que restava da mulher que na minha opinião fora assassinada ficou cozinhando no caldeirão, no que parecia ser mais um aviltamento indigno e cruel de sua pessoa.

"Meu Deus", suspirei, como se Ele fosse me ouvir. "Abençoe esta moça, seja ela quem for."

Era duro ver alguém ser reduzido a ossos apenas, cozinhando numa panela, e quanto mais eu pensava nisso, mais deprimida ficava. Em algum lugar alguém amara aquela mulher, ela marcara sua presença de algum modo antes que seu corpo e sua identidade fossem cruelmente destruídos. Eu havia passado a vida tentando afugentar o ódio, mas era tarde demais. Lá no fundo, eu odiava os sádicos malignos cujo único objetivo era atormentar a vida e eliminá-la, como se lhes pertencesse e dela pudessem dispor. Confesso que as execuções me perturbavam profundamente, mas só por ressuscitarem crimes impiedosos cujas vítimas haviam sido praticamente esquecidas pela sociedade.

O vapor subia quente, úmido, espalhando pelo ambiente o odor nauseabundo que só diminuiria quando os ossos maiores fossem processados. Vi uma moça magra, alta e loura, usando jeans e bota de amarrar, com uma aliança de platina no bolso traseiro. Não tinha mais as mãos, provavelmente eu jamais saberia o tamanho dos dedos nem se a aliança lhe servia, o que era improvável. Fielding tinha razão quanto ao tamanho do anel, era mais uma pergunta a que Sparkes precisava responder.

Pensei nos ferimentos e comecei a reconstituir o modo como ela poderia ter sido atingida. Intrigava-me o motivo de seu corpo inteiramente vestido estar no banheiro da suíte principal. Aquele local, se estivéssemos corretos quanto à localização do corpo, era inesperado e inusitado. A calça jeans não fora tirada, pois o zíper que achamos estava fechado, e certamente a moça tinha as nádegas cobertas. Com base no tecido sintético que derretera sobre a pele, tampouco havia razão para suspeitar que os seios estivessem expostos. Claro, nada disso eliminava a possibilidade de violência sexual, mas sem dúvida depunha contra a hipótese.

Eu examinava os ossos em meio ao denso vapor quando o telefone tocou. Assustei-me. Primeiro pensei que se tratava de alguma funerária querendo despachar um corpo, mas logo me dei conta de que a luz piscava numa das linhas da sala de autópsia. Não pude evitar que me viesse à mente o relato a respeito dos telefonemas matinais misteriosos, e quase esperava não ouvir ninguém do outro lado.

"Alô", atendi abruptamente.

"Caramba, quem mijou no seu café?", disse Marino do outro lado.

"Ufa", falei com alívio. "Desculpe, pensei que fosse algum engraçadinho passando um trote."

"Como assim, *passando um trote?*"

"Depois explico", falei. "O que houve?"

"Estou aqui no estacionamento, esperando você abrir a porta para eu entrar."

"Já vou."

A bem da verdade, fiquei muito contente por ter companhia. Corri até o acesso dos veículos e apertei o botão na parede. A porta imensa começou a subir e Marino se esgueirou por baixo dela. A lâmpada de vapor de sódio manchou de luz o negrume da noite. Vi que o céu coberto de nuvens prenunciava chuva.

"Por que você ficou aqui até tarde?", perguntou Marino, no tom rabugento costumeiro, tragando o cigarro.

"Não é permitido fumar no recinto", alertei.

"Até parece que alguém aqui vai morrer de novo, como fumante passivo."

"Alguns dos presentes ainda respiram", falei.

Ele jogou o cigarro no chão de concreto e pisou nele contrariado, como se nunca, nem uma vez, tivéssemos vivido aquela mesma cena. Na verdade, aquele se tornara um jogo rotineiro entre nós, que a seu modo ambíguo enigmaticamente reforçava nosso vínculo. Eu tinha absoluta certeza de que magoaria Marino se não o atormentasse constantemente.

"Você pode me acompanhar até a sala de decomposição", falei ao fechar a porta da garagem. "Estou no meio de uma tarefa."

"Se eu soubesse não teria vindo", queixou-se ele. "Conversaria com você pelo telefone."

"Não se preocupe. Não é tão ruim assim. Só estou limpando uns ossos."

"Talvez para você não seja nada", retrucou ele, "mas eu não consigo me acostumar com o cheiro de gente cozinhando."

Entramos na sala de decomposição e eu entreguei a ele uma máscara cirúrgica. Conferi o processamento para ver como ia e baixei mais a temperatura, para evitar que a água borbulhasse, provocando choques entre os ossos e destes com as paredes da panela. Marino protegeu o nariz e a boca com a máscara, amarrando-a de qualquer jeito acima da nuca. Viu uma caixa de luvas descartáveis, apanhou duas e as calçou. Ironicamente, ele assumia um comportamento obsessivo em relação a agentes externos prejudiciais à saúde, quando na verdade o perigo mais grave estava em seu modo de vida. Suava na calça cáqui e na camisa branca, usando uma gravata que em algum momento do dia fora atacada por um vidro de ketchup.

"Tenho novidades interessantes para você, doutora", começou ele, debruçando-se sobre uma pia reluzente. "Checamos a placa do Mercedes que pegou fogo atrás da casa de Kenneth Sparkes. É um Benz 240D azul, de 1981. O hodômetro foi zerado pelo menos duas vezes. O registro é meio estranho, consta que pertence a um tal doutor Newton Joyce, de Wilmington, na Carolina do Norte. O telefone consta da lista, mas não consigo falar com ele, cai sempre na secretária eletrônica."

"Wilmington é a cidade onde Claire Rawley estudou,

fica nas proximidades da casa de praia de Sparkes", falei, para lembrá-lo.

"Positivo. Até agora, as pistas apontam nessa direção."

Ele olhou fixamente para a panela no fogão.

"Ela usa o carro de alguém para ir a Warrenton, entra na casa de Sparkes sabe-se lá como, é assassinada e provoca um incêndio", disse ele, esfregando as têmporas. "Sabe, essa história fede mais do que as coisas que estão cozinhando aí dentro, doutora. Falta uma peça grande neste quebra-cabeça, pois nada faz sentido."

"Há alguma família Rawley na região de Wilmington?", perguntei. "Você verificou a possibilidade de um parente morar lá?"

"Acharam duas famílias, mas nenhuma delas jamais ouviu falar em Claire Rawley", disse ele.

"E quanto à universidade?"

"Ainda não chegamos lá", respondeu, enquanto eu verificava o procedimento na panela. "Mas vamos investigar isso."

"De manhã."

"Claro. Você pretende passar a noite aí cozinhando esse negócio?"

"A bem da verdade", falei, desligando o fogo, "vou deixar esfriar e voltar para casa. Que horas são, afinal? Meu Deus, quase nove da noite. Preciso ir ao fórum amanhã de manhã."

"Então vamos dar o fora daqui."

Tranquei a sala de decomposição e abri novamente a porta metálica da garagem. Do outro lado, vi nuvens escuras parecendo montanhas, a cruzar a frente da lua como barcos com velas enfunadas; o vento soprava forte, sibilando fantasmagoricamente nos desvãos do prédio. Marino me acompanhou até o carro e não demonstrou pressa de ir embora. Tirou um cigarro e acendeu.

"Longe de mim querer pôr grilos na sua cabeça", disse ele, "mas acho melhor você ficar sabendo de um negócio."

Destranquei a porta do carro e me sentei ao volante.

"Me dá até medo de perguntar", falei com sinceridade.

"Recebi uma ligação às quatro e meia da tarde, de Rex Willis. Do jornal. Editorialista", ele explicou.

"Sei muito bem quem é", falei.

Prendi o cinto de segurança.

"Pelo que ele disse, recebeu uma carta anônima hoje, na verdade uma espécie de press-release. Pesada."

"Qual era o assunto?", perguntei enquanto o alarme tocava na minha corrente sangüínea.

"Bem, supostamente a carta foi enviada por Carrie Grethen, alegando ter fugido de Kirby por ter sido vítima de uma armação da polícia federal, e que acabaria sendo executada por um crime que não cometeu. Sua única chance de provar o contrário era fugir. Ela afirma que você tinha um caso com o responsável pelos perfis psicológicos do FBI na época, Benton Wesley, e que todas as provas contra ela foram forjadas ou adulteradas por vocês dois, num complô para melhorar a imagem do Bureau."

"E a carta foi enviada de onde?", perguntei, e a indignação fez meu sangue ferver.

"Manhattan."

"Endereçada especificamente a Rex Willis?"

"Isso mesmo."

"Ele não vai usar o material, obviamente."

Marino hesitou.

"Ora, doutora, tenha dó", disse. "Quando foi que um jornalista deixou de usar alguma coisa?"

"Mas, pelo amor de Deus!", exclamei ao ligar o motor. "Será que o pessoal da mídia enlouqueceu? Recebem uma carta de uma psicopata e publicam?"

"Tenho uma cópia, se você quiser dar uma espiada."

Ele tirou uma folha de papel do bolso de trás e me deu.

"É um fax", esclareceu. "O original já foi para o laboratório. O pessoal de Documentos vai ver o que consegue descobrir."

Desdobrei a folha com mãos trêmulas, sem reconhecer as letras nítidas impressas em preto. Nada a ver com as letras vermelhas bizarras da carta que eu recebera de Carrie, e na nova mensagem o sentido era claro e as sentenças, bem articuladas. Dediquei algum tempo à leitura, passando rapidamente pelas ridículas alegações de que ela havia sido vítima de uma armação, para me deter no último parágrafo.

No caso da Agente Especial Lucy Farinelli, ela teve uma brilhante carreira só por causa da influência de sua tia, chefe do departamento de medicina legal, a dra. Scarpetta, que acobertou os erros e transgressões da sobrinha durante anos. Quando Lucy e eu estávamos em Quantico, partiu dela a iniciativa de se aproximar de mim, e não o contrário, como certamente alegarão no julgamento. Embora seja verdade que fomos amantes por algum tempo, tudo não passou de manipulação da parte dela, que me usou para encobrir seus erros seguidos no CAIN. Depois conseguiu crédito por coisas que nunca fez. Eu juro por Deus que isso é verdade. Juro. E estou pedindo a você o favor de divulgar esta carta para que todos saibam a verdade. Não quero permanecer escondida o resto da vida, segregada da sociedade por crimes terríveis que não cometi. Minha única esperança de liberdade e justiça é revelar a verdade às pessoas e lutar por meus direitos.

Tenha compaixão, Carrie Grethen

Marino fumou rapidamente, enquanto eu terminava a leitura, depois disse: "Quem escreveu isso sabe demais. Não resta dúvida de que foi mesmo aquela vadia".

"Ela me escreveu uma carta que parecia ter saído de uma mente perturbada, depois vem com esta, na qual tudo parece perfeitamente racional?", falei, enojada de tanta revolta. "Isso faz algum sentido, Marino?"

Ele deu de ombros, enquanto as primeiras gotas de chuva começavam a cair.

"Vou lhe dizer o que acho. Ela está mandando um sinal para você. Quer mostrar sua capacidade de provocar confusão. A vida não teria a menor graça se ela não conseguisse deixá-la nervosa e estragar seu dia."

"Benton já sabe?"

"Ainda não."

"E você acha mesmo que o jornal vai publicar a carta?", perguntei, torcendo para que desta vez a resposta fosse diferente.

"Tenho certeza que sim."

Ele jogou fora a ponta do cigarro, que soltou fagulhas brilhantes ao bater no chão.

"A reportagem vai dizer que a famosa psicopata homicida entrou em contato com o jornal enquanto metade da força policial do país promove uma caçada para prendê-la. E, para piorar tudo, ela também pode ter enviado a carta a outras pessoas."

"Coitada da Lucy", murmurei.

"Coitados de nós todos", disse Marino.

7

A chuva oblíqua caía, penetrante como pregos no meu caminho para casa, praticamente impedindo a visão. Eu desligara o rádio para não ouvir mais notícias ruins naquele dia, e tinha certeza de que me sentiria agitada demais para conseguir dormir naquela noite. Em duas ocasiões fui obrigada a diminuir a velocidade para cinqüenta quilômetros por hora, quando meu Mercedes deslizou na água como um barco de papel. Na West Carry Street os buracos e valas estavam cheios como banheiras. As luzes de emergência brilhavam vermelhas e azuis no meio do aguaceiro, num apelo à prudência.

Cheguei finalmente em casa quase às dez horas, sentindo uma pontada de receio no coração ao entrar com o carro pelo acesso e verificar que as luzes com sensores de movimento não acenderam nas proximidades da porta da garagem. A escuridão completa deixava apenas o ruído do motor e da chuva para orientar meus sentidos naquele mundo hostil. Por um momento, ponderei se devia abrir a porta da garagem ou fugir correndo dali.

"Isso é ridículo", falei com meus botões, apertando o controle remoto.

Mas a porta não abriu.

"Droga!"

Engatei a ré no carro e recuei sem ver o acesso, o muro de tijolos ou os arbustos do jardim. Passei por cima de uma árvore ainda nova, sem amassar meu automóvel, mas certamente deixei marcas fundas no gramado ao manobrar e seguir até a porta da casa. Ali, pelo menos, os sensores de luminosidade interna funcionaram e acenderam as luzes na sala e no hall de entrada. Mas os sensores de movimento instalados dos dois lados dos degraus de acesso também estavam inoperantes. Tentei ser razoável, dizendo a mim mesma que o mau tempo provocara uma variação de voltagem durante a tarde e o disjuntor caíra.

A chuva entrou no carro quando abri a porta. Peguei a bolsa e a valise e subi correndo os degraus. Quando consegui destrancar a porta da frente, estava ensopada até os ossos. Fui recebida por um silêncio apavorante. As luzes a piscar na caixa de controle ao lado da porta indicavam que o alarme contra roubo estava desativado. Talvez a variação na voltagem tivesse causado problemas também ali. Pouco importava, naquela altura eu já estava apavorada, incapaz de me mexer. Fiquei parada no vestíbulo enquanto a água pingava no chão de tábua corrida e meu cérebro traçava planos para que eu chegasse até a arma mais próxima.

Não conseguia lembrar se havia guardado novamente a Glock na gaveta da cozinha. Era o lugar mais próximo, melhor do que o escritório ou o quarto, que ficavam do outro lado da casa. Paredes de pedra e janelas eram fustigadas pelo vento e pela chuva pesada. Apurei os ouvidos numa tentativa de distinguir outros sons, como o ranger de uma tábua no andar superior ou passos no carpete. Num ataque de pânico, larguei abruptamente a bolsa e a valise e corri para a cozinha, passando pela sala de jantar. Mal sentia os pés tocarem o chão. Abri a gaveta de baixo do armário e quase gritei de alívio quando empunhei a Glock.

Passei um bom tempo revistando a casa mais uma vez, acendendo as luzes em todos os cômodos. Convencida de que não tinha visitantes indesejados, cheguei à caixa de luz e acionei os disjuntores que haviam caído. A ordem estava restaurada e o alarme, acionado. Servi uma dose de uísque irlandês Black Bush com gelo e esperei até que meus nervos se recolhessem novamente à bainha. Depois liguei para o motel Johnson em Warrenton, mas Lucy não estava. Tentei o apartamento dela na capital e Janet atendeu o telefone.

"Oi, é Kay", falei. "Espero não ter acordado ninguém."

"Oi, doutora Scarpetta", disse Janet, incapaz de me chamar pelo primeiro nome, mesmo após inúmeros pedidos. "Não, tudo bem. Eu estava tomando uma cerveja e esperando Lucy."

"Sei", falei desapontadíssima. "Ela está voltando de Warrenton?"

"Não por muito tempo. A senhora devia ver a casa, está uma bagunça. Caixas por todos os lados."

"Como você tem lidado com isso, Janet? É muito duro?"

"Ainda não sei bem", disse ela. Notei um leve tremor na voz da moça. "Vou ter de me adaptar. Sabe, já fui obrigada a me adaptar muitas vezes."

"Aposto que você vai tirar tudo isso de letra."

Tomei um gole de uísque, sabendo que não punha a menor fé no que acabara de dizer. Naquele momento, porém, ouvir uma voz humana era gratificante.

"Quando eu era casada — faz muitos anos —, Tony e eu vivíamos em planos completamente diferentes. Mas conseguíamos arranjar tempo um para o outro, para ficarmos juntos de verdade. De certo modo, é melhor assim."

"E você acabou se divorciando", ela comentou delicadamente.

"Depois de um bom tempo."

"Lucy só vai chegar daqui a uma hora ou mais, doutora Scarpetta. Quer deixar algum recado?"

Hesitei, sem saber direito como agir.

"Está tudo bem?", perguntou Janet, sensível.

"A bem da verdade, não", respondi. "Acho que você ainda não sabe. E que ela também ainda não foi informada."

Fiz um breve resumo da carta de Carrie ao jornalista, e quando terminei Janet ficou silenciosa como uma catedral.

"Estou contando isso para que vocês possam se preparar", acrescentei. "Melhor do que acordar amanhã e ler no jornal. Talvez saia alguma coisa no telejornal, ainda esta noite."

"Foi melhor me contar", disse Janet, com voz tão sumida que mal a ouvi. "Vou explicar tudo a Lucy quando ela chegar."

"Peça a ela que me telefone, se não estiver muito cansada."

"Pode deixar."

"Boa noite, Janet."

"Não será", ela disse. "Não poderá ser uma boa noite de jeito nenhum. Aquela vaca atormenta nossas vidas há anos. De um modo ou de outro. Porra, já estou cheia! Me desculpe a expressão."

"Tudo bem."

"Eu estava lá, diacho!", ela começou a chorar. "Carrie a cercava por todos os lados, era uma psicopata manipuladora nojenta. Lucy não teve a menor chance. Minha nossa, não passava de uma menina, um gênio que deveria ter ficado na faculdade, seu lugar era lá e não no FBI, como estagiária. Sabe, eu ainda pertenço ao Bureau. Sei que é uma merda. Eles não agiram corretamente com ela, e isso a torna ainda mais vulnerável aos ataques de Carrie."

Meu uísque já estava pela metade, mas não havia no mundo quantidade capaz de fazer com que eu me sentisse melhor naquela hora.

"Ela não precisa ficar preocupada", Janet prosseguiu, falando comigo com uma franqueza inédita a respeito da mulher que amava. "Não sei se ela lhe disse, doutora Scarpetta, mas desconfio que nunca sequer pensou em contar que freqüenta um psiquiatra há mais de dois anos."

"Ótimo. Fico aliviada em saber", falei, disfarçando a mágoa. "Ela não me contou nada, mas não tinha a menor obrigação de fazer isso e entendo sua postura", falei num tom de neutra objetividade enquanto a dor dentro do peito se intensificava.

"Ela tentou suicídio", Janet disse. "Mais de uma vez."

"Ainda bem que está se tratando", foi só o que consegui dizer enquanto as lágrimas escorriam pelo rosto.

Eu estava arrasada. Por que Lucy não me procurou para pedir ajuda?

"Como a maioria das pessoas excepcionais, ela tem seu lado sombrio", falei. "Fico contente em saber que procurou tratamento. Ela toma algum remédio?"

"Wellbutrin. Prozac a deixou muito esquisita. Num minuto parecia um zumbi, no outro queria cair na farra em qualquer boteco."

"Ah." Eu mal conseguia falar.

"Ela não seria capaz de suportar mais pressões ou rejeição", Janet prosseguiu. "Você não faz idéia de como é. Quando alguma coisa a tira do eixo, passa semanas alterada. Mórbida e deprimida num minuto, Mulher Maravilha no outro."

Ela tapou o fone com a mão para assoar o nariz. Eu queria perguntar o nome do psiquiatra de Lucy, mas tinha medo de saber. Talvez minha sobrinha sofresse de transtorno bipolar e isso não tivesse sido diagnosticado.

"Doutora Scarpetta, eu não queria que ela..." Janet lutava contra os soluços, para continuar falando. "Eu não quero que ela morra."

"Ela não vai morrer", falei. "Juro que não."

Desligamos. Passei um tempo sentada na beira da cama, vestida, temendo me deitar por causa do caos em minha cabeça. Fiquei algum tempo chorando de raiva e de dor. Lucy era capaz de me magoar mais do que qualquer outra pessoa e sabia disso. Conseguia me atingir até a medula, esmagar meu coração. E o que Janet me contara havia sido o golpe mais terrível de todos. Não pude deixar de pensar na atitude inquisidora de Teun McGovern quando conversamos em minha sala, ela parecia saber tantas coisas sobre as dificuldades de Lucy! Por que Lucy se abrira com ela e não comigo?

Esperei Lucy telefonar, mas ela não ligou. Como não

procurei Benton, à meia-noite ele finalmente entrou em contato comigo.

"Kay?"

"Já sabe?", falei descontrolada. "O que Carrie aprontou?"

"Sei que mandou uma carta."

"Que merda, Benton. Que merda."

"Estou em Nova York", ele me contou, e foi uma surpresa. "O Bureau me chamou."

"Tudo bem. Melhor assim, era o que deveriam ter feito mesmo. Você a conhece bem."

"Lamentavelmente."

"Fico contente em saber que você está aí", decidi ao falar. "Acho que é mais seguro. Não soa irônico eu dizer isso? Desde quando Nova York virou um lugar seguro?"

"Você está muito abalada."

"Você sabe algo a respeito do paradeiro dela?", perguntei, girando o gelo quase derretido no copo.

"Sabemos que mandou a última correspondência de uma área com código 10036, o que significa Times Square. A data da postagem é 10 de junho, terça-feira. Ontem."

"O dia da fuga."

"Exato."

"E ainda não sabemos como ela conseguiu escapar."

"Ainda não sabemos", ele repetiu. "Parece até que ela foi teletransportada através do rio."

"Não é nada disso", falei, exausta e impaciente. "Alguém deve ter visto algo, alguém provavelmente a ajudou. Ela sempre se mostrou muito hábil em conseguir o que deseja das pessoas."

"A unidade de análise de perfis psicológicos recebeu um número muito grande de chamados", ele disse. "Ao que tudo indica, ela mandou uma mala direta para os principais jornais, inclusive o *Post* e o *New York Times*."

"E daí?"

"A história é escandalosa demais para ser jogada no lixo, Kay. A caçada para pegá-la é tão grande quanto a do Unabomber ou do Cunanan, e agora ela resolveu escre-

142

ver para a imprensa. As reportagens serão publicadas. Entenda, eles divulgariam até sua lista de compras e a gravação de um arroto. Para a imprensa ela vale ouro. Dá capa de revista e logo vai virar filme."

"Não quero ouvir mais nada", falei.

"Sinto falta de você."

"Não sentiria se estivesse do meu lado neste instante, Benton."

Despedimo-nos. Afofei o travesseiro nas costas e cogitei tomar outro uísque, mas acabei desistindo. Tentei imaginar o que Carrie pretendia fazer e o tortuoso caminho desembocava inevitavelmente em Lucy. De um modo ou de outro, seria o *tour de force* de Carrie, pois a inveja a impulsionava. Lucy era mais inteligente, mais decente, mais tudo, e Carrie não desistiria enquanto não se apropriasse daquela beleza ardente, sugando até a última gota da vida de Lucy. Aos poucos, ficava claro para mim que Carrie nem mesmo precisava estar presente para atingir seus objetivos. Todos nós seguíamos para o seu buraco negro, sua atração era espantosamente poderosa.

Em meu sono atormentado sonhei com desastres de avião e mantas ensopadas de sangue. Estava num carro, depois num trem, alguém me caçava. Quando acordei, às seis e meia, o sol já se anunciava num céu azul purpúreo. Poças d'água faiscavam no gramado. Fui ao banheiro de Glock em punho, tranquei a porta e tomei uma ducha rápida. Ao fechar o chuveiro, apurei os ouvidos para ter certeza de que o alarme contra roubo não soara. Saí do banho e chequei o console do quarto para garantir que continuava ligado. O tempo inteiro eu tinha consciência de como meu comportamento era irracional e paranóico. Impossível evitá-lo, apavorada como eu estava.

De repente Carrie estava em todos os lugares. Era a moça magra de óculos escuros e boné de beisebol caminhando na minha rua, o motorista do carro de trás na fila do pedágio, a mulher sem-teto de casaco folgado que me encarou quando atravessei a Broad Street. Era qualquer pessoa de pele clara e cabelo punk ou piercing, qualquer ser andrógino ou extravagante. Eu repetia mentalmente que não via Carrie havia mais de cinco anos. Não fazia a menor idéia de sua aparência atual, muito provavelmente só a reconheceria tarde demais.

O portão de entrada de veículos estava aberto quando estacionei nos fundos do prédio do departamento; a perua preta da funerária Bliley's carregava um corpo para o interior do reluzente veículo, de acordo com o ritmo incessante de defuntos entrando e saindo de um necrotério.

"Belo dia", falei ao funcionário de terno escuro impecável.

"Tudo bem, e a senhora?", foi a resposta de um sujeito que se tornara incapaz de ouvir.

Outro homem bem-vestido desceu para ajudá-lo, as pernas da maca se fecharam com um estalido e a tampa do porta-malas foi abaixada. Esperei até que saíssem e baixei o portão metálico.

Fiz a primeira parada na sala de Fielding. Seriam umas oito e quinze.

"Como vai?", perguntei depois de bater.

"Entre", ele disse.

Examinava os livros da estante, o jaleco de laboratório justo nos ombros formidáveis. A vida era difícil para meu principal assistente, ele raramente encontrava roupas que lhe servissem, pois basicamente não tinha cintura nem quadris. Recordo-me do primeiro piquenique dos funcionários em minha casa, quando ele ficou tomando sol só de bermuda curta, feita de calça velha cortada. Surpreendi-me, sentindo um certo constrangimento por não conseguir tirar os olhos de cima dele. Não que pensasse em levá-lo para a cama, apenas admirava sua beleza rústica, que me cativou por um tempo. Não compreendia como alguém arranjava tempo para cuidar do corpo até ficar daquele jeito.

"Aposto que você já leu o jornal", ele disse.

"A carta", falei em tom sombrio.

"Sim."

Ele puxou um PDR desatualizado e o colocou no chão.

"Foto sua na primeira página e uma dela também, antiga, tirada pela polícia. Uma pena você ter de aturar essa merda toda", disse, enquanto procurava outros livros. "Os telefones da recepção tocam feito loucos."

"O que temos para hoje?", falei, mudando de assunto.

"Acidente de automóvel ontem à noite na via expressa Midlothian, duas vítimas fatais. Motorista e passageiro. A perícia no local já foi feita, DeMaio está cuidando das autópsias. Fora isso, mais nada."

"Ainda bem", comentei. "Tenho audiência."

"Pensei que você estivesse de férias."

"Eu também."

"Falo sério. Assim também já é demais. E se estivesse viajando? Seria forçada a voltar de Hilton Head para cá?"

"É o juiz Bowls."

"Só podia ser", disse Fielding, revoltado. "Quantas vezes ele já fez isso com você? Desconfio que ele espera a chegada de suas férias ou dias de folga para convocá-la de propósito. E depois? Você acaba dando um jeito de comparecer, e na maioria das vezes ele marca nova audiência."

"Qualquer coisa, me avise pelo pager", falei.

"Adivinhe o que vou ficar fazendo."

Ele apontou para a papelada empilhada sobre sua mesa.

"Estou mais atrasado que avião em dia de nevoeiro", brincou.

"Só que não adianta nada pressionar você", falei.

O fórum John Marshall ficava a dez minutos de caminhada da nova sede do meu departamento, e resolvi que o exercício me faria bem. A manhã límpida e o ar fresco incentivavam a caminhada pela Leigh Street. Dobrei para o lado sul na Nona, passando pela central de polícia com a bolsa a tiracolo e uma pasta tipo sanfona debaixo do braço.

145

O caso daquela manhã era pura rotina, um traficante assassinara o concorrente, por isso assustei-me ao ver uma dúzia de repórteres no terceiro andar, na entrada da sala de audiências. A princípio julguei que Rose houvesse cometido um engano na minha agenda, pois não me ocorreu que os jornalistas estivessem ali para me entrevistar.

Mas assim que me viram começou a correria. Avançaram na minha direção com câmeras de tevê no ombro, microfones apontados, disparando os flashes das máquinas fotográficas. Fiquei atônita, depois furiosa.

"Doutora Scarpetta, qual é sua resposta à carta de Carrie Grethen?", perguntou um repórter do Canal 6.

"Sem comentários", falei enquanto procurava o promotor estadual que me convocara para testemunhar no caso.

"E quanto à alegação de complô e provas forjadas?"

"Armada por você e seu amante, o agente do FBI?"

"A senhora confirma que se tratava de Benton Wesley?"

"Qual foi a reação de sua sobrinha?"

Avancei, atropelando um cinegrafista, com os nervos à flor da pele e o coração disparado. Tranquei-me na saleta sem janelas destinada às testemunhas e me acomodei numa cadeira de madeira. Sentia-me acuada, tola, não me conformava por não ter previsto que algo do gênero aconteceria após a iniciativa de Carrie. Abri a pasta sanfonada e repassei os relatórios e diagramas que mostravam os locais de entrada e saída das balas, bem como os disparos considerados fatais. Passei quase meia hora na saleta abafada, até que o promotor estadual me achou. Conversamos por algum tempo e fui para a sala de audiências.

O interrogatório me fez deixar de lado os acontecimentos anteriores. Assumi uma postura de distanciamento para sobreviver a mais um ataque impiedoso.

"Doutora Scarpetta", disse o advogado de defesa Will Lampkin, que havia anos tentava me desacreditar, "quantas vezes a senhora testemunhou neste tribunal?"

"Objeção", disse o promotor distrital.

"Negada", retrucou o juiz meu fã.

"Nunca contei", respondi.

"Mas certamente é capaz de fazer uma estimativa. Mais de doze? Mais de cem? Um milhão?"

"Mais de cem", declarei, sentindo sua avidez pelo meu sangue.

"E sempre disse a verdade aos juízes e jurados?"

Lampkin avançou lentamente, com uma expressão piedosa no rosto rosado e as mãos cruzadas nas costas.

"Sempre disse a verdade", respondi.

"E não considera desonesto dormir com um agente do FBI?"

"Objeção!", disse o promotor, levantando-se.

"Aceita", falou o juiz ao encarar Lampkin, embora o incentivasse escandalosamente. "Aonde quer chegar, senhor Lampkin?"

"Minha tese é conflito de interesses, meritíssimo. É público e notório que a doutora Scarpetta mantém um relacionamento íntimo com pelo menos um agente da lei com quem trabalhou, e que ela influenciou decisões — tanto do FBI como do ATF — referentes à carreira da sobrinha."

"Objeção!"

"Negada. Por favor, prossiga, senhor Lampkin", disse o juiz ao estender o braço para pegar o copo d'água, ávido pelo resto da argumentação.

"Grato, meritíssimo", disse Lampkin, com deferência abjeta. "Estou tentando mostrar que temos aqui um padrão constante de comportamento."

Os quatro brancos e oito negros que ocupavam com ar sério a banca dos jurados olhavam para Lampkin e para mim alternadamente, como se assistissem a um jogo de tênis. Alguns fecharam a cara. Um roía a unha e outro parecia dormir.

"Doutora Scarpetta, não é verdade que a senhora costuma manipular situações conforme a sua conveniência?"

"Objeção! Ele está atormentando a testemunha."

"Negada", disse o juiz. "Doutora Scarpetta, por favor, responda à pergunta."

"Não é verdade. Eu não faço isso em hipótese alguma", falei com firmeza, encarando os jurados.

Lampkin apanhou uma folha de papel na mesa onde seu cliente, um assassino de dezenove anos, estava sentado.

"Segundo os jornais de hoje", Lampkin prosseguiu, "você manipula o sistema policial há anos..."

"Meritíssimo! Objeção! Isso é um acinte!"

"Negada", disse o juiz, friamente.

"Está tudo aqui, preto no branco. A senhora montou um complô com o FBI para mandar uma mulher inocente para a cadeira elétrica!"

Lampkin aproximou-se dos jurados e agitou o xerox da reportagem na frente de seus rostos compenetrados.

"Meritíssimo, pelo amor de Deus!", exclamou o promotor, suando dentro do terno.

"Senhor Lampkin, prossiga com o interrogatório da testemunha", disse o juiz Bowls a Lampkin, um sujeito pesadão de pescoço grosso e flácido.

Minhas declarações sobre distância, trajetórias e órgãos vitais atingidos por projéteis nove milímetros pareciam perdidas. Eu mal conseguia me recordar do que havia dito ao descer correndo as escadarias do fórum e caminhar sem olhar para ninguém. Dois repórteres insistentes me seguiram por uma quadra mas deram meia-volta ao comprovar que seria mais fácil entrevistar um poste. Descrever a injustiça cometida no banco das testemunhas exigiria uma capacidade de lidar com as palavras superior à minha. Bastara a Carrie disparar a primeira rajada para me atingir. Eu sabia que esse inferno não ia ter fim.

Abri o portão nos fundos do prédio do departamento, e por um instante o contraste da penumbra no pátio interno de veículos com o brilho do sol lá fora me dificultou a visão dentro da área fria e escura. Abri a porta de acesso à parte interna e senti alívio ao ver Fielding no corredor, caminhando em minha direção. Usava um traje cirúrgico limpo, portanto deduzi que surgira um novo caso.

148

"Tudo sob controle?", perguntei, enfiando os óculos escuros no bolso do casaco.

"Um suicídio em Powhatan. Adolescente de quinze anos deu um tiro na cabeça. Ao que parece, o pai a proibiu de sair com o namorado desleixado. Você está com péssima aparência, Kay."

"Sofri um ataque de tubarões."

"Só podia. Odeio esses advogados. Quem foi, desta vez?"

Ele parecia disposto a quebrar a cara do culpado.

"Lampkin."

"Ah, mas é claro. Nosso bom e velho *Lampião de Gás*." Fielding levou a mão ao meu ombro. "Vai ficar tudo bem. Acalme-se e verá. Você precisa tirar isso da cabeça e seguir em frente."

"Eu sei", sorri para ele. "Se precisar de mim, estou na sala de decomposição."

A solitária tarefa de cuidar pacientemente dos ossos serviria como refresco indispensável, pois eu não queria que membros da minha equipe captassem o desânimo e o medo que eu sentia. Acendi a luz e fechei a porta. Vesti um traje de proteção por cima da roupa mesmo e duas luvas de látex em cada mão. Liguei o fogão elétrico e tirei a tampa da panela. Os ossos continuaram a cozinhar depois que os deixei lá na noite anterior na água ainda quente. Testei sua condição com a colher de pau. Estendi a manta plastificada sobre a mesa. O crânio fora serrado durante a necrópsia, e eu tirei cuidadosamente a calvária e os ossos da face com os dentes calcinados. Pingavam água tépida, gordurosa. Coloquei-os sobre a manta para secar.

Na hora de remover resíduos dos ossos eu preferia espátulas de madeira do tipo usado em exames de garganta a raspadores de plástico. Instrumentos de metal estavam descartados, pois obviamente poderiam causar danos capazes de ocultar marcas de violência real, prejudicando nosso trabalho. Agi com muita delicadeza, descarnando e retirando tecidos enquanto o restante do esqueleto seguia cozinhando lentamente na panela fumegante. Limpei e lavei durante duas horas, até sentir dor nos dedos e pulsos. Saltei o almoço, a bem da verdade nem sequer pensei em comida. Por volta das duas da tarde encontrei uma marca no crânio, na parte inferior da região temporal, no ponto em que identificara a hemorragia. Parei e olhei para ela, incrédula.

Aproximei as lâmpadas cirúrgicas, inundando a mesa de luz. O corte no osso era reto, linear, com cerca de dois centímetros de comprimento. De tão leve, poderia facilmente ter passado despercebido. Só uma vez eu havia visto uma lesão semelhante àquela, nos crânios de pessoas escalpeladas no século XIX. Nos casos antigos, as marcas e cortes não se localizavam no osso temporal, mas isso não queria dizer nada.

Escalpelar não era um procedimento cirúrgico preciso, e tudo era possível. Apesar de eu não ter encontrado indícios de que faltassem áreas de couro cabeludo ou cabelo na vítima do incêndio em Warrenton, era impossível afirmar qualquer coisa. Sem dúvida, quando a encontramos, a cabeça não estava intacta. Embora um escalpo, como troféu, em geral abrangesse a maior parte do crânio, poderia ser também obtido com a remoção de uma pequena área de couro cabeludo.

Usei a toalha para erguer o fone do gancho, pois as mãos sujas impediam que eu tocasse em qualquer objeto limpo. Liguei para Marino. Esperei dez minutos até que ele me ligasse de volta, e enquanto isso fui limpando o restante do osso. Mas não achei outras marcas. Isso não garantia, claro, a inexistência de outros golpes, talvez as marcas tivessem se perdido, pelo menos dois terços dos 22 ossos do crânio viraram cinza. Mentalmente, eu tentava determinar o procedimento mais adequado. Tirei as luvas e joguei no lixo. Consultava a caderneta de endereços da bolsa quando Marino ligou.

150

"Onde você se meteu, afinal?", perguntei, sentindo que o stress enchia meu corpo de toxinas.

"No Liberty Valance, comendo."

"Obrigado por responder a meu chamado tão depressa", falei irritada.

"Calma, doutora. Acho que me distraí um pouco, só vi o recado agora. Qual é o galho, afinal?"

Ouvi no fundo o ruído das pessoas que bebiam e aproveitavam a comida que, apesar de pesada e gordurosa, valia a pena.

"Você está num orelhão?", perguntei.

"Sim, e estou de folga, se quer saber."

Pelo barulho, ele estava tomando um gole de cerveja.

"Preciso ir a Washington amanhã. Encontrei um indício significativo."

"Puxa vida, odeio quando você diz isso."

"É importante."

"Vai dizer logo o que é ou vou ter de passar a noite em claro, imaginando?"

Ele havia bebido bastante e eu preferia não entrar em detalhes no momento.

"Bem, você poderia me acompanhar, caso eu consiga marcar uma conversa com o doutor Vessey."

"O especialista em ossos do Smithsonian?"

"Vou telefonar para a casa dele agora mesmo."

"Eu estou de folga amanhã também, então dá para a gente ir."

Não falei nada, olhando para a água que fervia na panela. Baixei um pouco o fogo.

"Então, vamos nessa", disse Marino, tomando outro gole.

"Passe em minha casa", falei. "Lá pelas nove."

"Nove em ponto. Combinado."

Em seguida, liguei para a casa do dr. Vessey em Bethesda. Ele atendeu ao primeiro toque.

"Graças a Deus", falei. "Alex? É Kay Scarpetta."

"Oi, como vai?"

Ele parecia meio confuso e fora do ar para os espíritos comuns que não passavam a vida reconstruindo pessoas. O dr. Vessey era um dos melhores antropólogos forenses do mundo, e em diversas ocasiões eu havia contado com sua ajuda.

"Bem, e ficarei melhor ainda se você puder me receber amanhã", falei.

"Vou pegar no batente, como todo santo dia."

"Tenho um crânio com marca de corte. Preciso de sua ajuda. Você sabe algo a respeito do incêndio em Warrenton?"

"Impossível estar acordado sem ficar sabendo."

"Então me entende."

"Só chego lá pelas dez e não tem estacionamento para visitantes", ele avisou. "Recebi um dente de porco outro dia, com restos de folha de alumínio", prosseguiu distraidamente, falando sobre sua última pesquisa. "Aposto que era de um leitão assado que alguém enterrou no quintal. O legista do Mississippi logo pensou em homicídio. Achou que a vítima tomou um tiro na boca."

Ele tossiu e pigarreou. Estava bebendo.

"Continuo recebendo garras de urso de vez em quando", falou. "Alguns legistas juram que são mãos humanas."

"Sei disso, Alex. As coisas não mudam nunca."

8

Quando Marino embicou o carro no acesso para minha casa ainda era cedo, quinze para as nove: queria tomar café e comer. Oficialmente, ele estava de folga, e por isso usava jeans azul, camiseta da polícia de Richmond e botas de caubói que já tinham visto dias melhores. Penteara para trás o pouco cabelo que os anos lhe deixaram e parecia um típico solteirão com barriga de cerveja que ia levar uma mulher ao Billy Bob's.

"Você vai a um rodeio?", perguntei quando ele entrou.

"Você sabe escolher a frase perfeita para cortar meu barato."

Ele me olhou carrancudo, o que não adiantou nada. Não era pra valer.

"Na verdade, acho que você está o máximo, como Lucy costuma dizer. Tem café e granola."

"Quantas vezes vou ter de explicar que não como ração?", ele resmungou ao me acompanhar para os fundos da casa.

"E eu não faço bife a cavalo para o café-da-manhã."

"Se fizesse, não passaria tantas noites sozinha."

"Sabe que eu nunca tinha pensado nisso?"

"Alguém do Smithsonian falou onde a gente ia deixar o carro? Não tem estacionamento em Washington."

"Nenhum, na cidade inteira? O presidente precisa tomar providências urgentes."

Estávamos na cozinha, o sol dourava a janela que dava para o nascente enquanto o lado sul exibia os reflexos do rio correndo entre as árvores. Eu havia dormido melhor na noite anterior, embora não soubesse o porquê. Talvez meu cérebro tivesse sofrido um curto-circuito e parado. Não me lembrava de ter sonhado, ainda bem.

"Guardei as permissões especiais para estacionamento que ganhei na última vez que Clinton esteve na cidade", disse Marino, servindo-se de café. "Emitidas pela assessoria do prefeito."

Ele encheu minha caneca e a empurrou como se estivesse tomando cerveja num balcão de bar.

"Como a gente vai no seu Mercedes, achei que a polícia poderia pensar que tínhamos imunidade diplomática ou algo assim."

"Você já viu o jeito como eles prendem os carros que estacionam em local proibido por lá?"

Fatiei uma rosca coberta de sementes de papoula e abri a porta da geladeira para avaliar as opções.

"Tenho queijo suíço, cheddar de Vermont e presunto cru."

Abri outra gaveta plástica.

"E parmesão legítimo — o que não seria uma boa pedida. Acabou o cream cheese, sinto muito. Mas tenho mel, se quiser."

"Tem cebola Vidalia?", ele perguntou, espiando por cima do meu ombro.

"Um pouco."

"Então põe queijo suíço, presunto e uma rodela de cebola no sanduíche", disse Marino, satisfeito da vida. "Isso é o que eu chamo de café-da-manhã."

"Sem manteiga", avisei. "Preciso estabelecer um limite em algum momento, para não me sentir responsável por sua morte súbita."

"Mostarda comum quebra o galho", ele replicou.

Passei mostarda amarela no pão, depois acrescentei presunto cru, cebola e queijo. Quando fui pôr a mistura no forno para esquentar sofri um ataque de gula. Preparei um sanduíche igual para mim e devolvi a granola à lata. Tomamos café colombiano sentados à mesa da cozinha, enquanto o sol enchia as flores do quintal de tons vibrantes e o céu azulava. Pegamos a I-95 lá pelas nove e meia, sem engarrafamentos até Quantico.

Quando passamos pelo acesso para a Academia do FBI e pela base dos Fuzileiros Navais, fui atormentada pelas lembranças de dias passados, quando meu caso com Benton começou e era tudo novidade, quando sentia orgulho e ansiedade pelo sucesso de Lucy numa instituição que continuava sendo o mesmo Clube do Bolinha politicamente correto da era Hoover. Só que agora os preconceitos e as disputas de poder dentro do Bureau eram mais discretos, enquanto o FBI marchava em frente como um exército noturno, avançando sobre as áreas de jurisdição alheia, levando a fama sempre que possível e chegando cada vez mais perto de se tornar a força policial federal oficial e hegemônica dos Estados Unidos.

Constatar tudo isso fora desolador para mim, mas em geral eu evitava comentários, pois não queria ferir a suscetibilidade dos agentes que davam duro e se dedicavam de coração ao que consideravam uma nobre missão. Senti o olhar de Marino depois que ele bateu a cinza pela janela.

"Sabe, doutora", ele disse. "Talvez seja melhor você pedir demissão."

Ele se referia à minha condição de consultora do Bureau em patologia forense.

"Sei que eles usam outros médicos-legistas atualmente", prosseguiu. "Convocam outras pessoas para os casos, em vez de chamar você. Vamos encarar os fatos, faz mais de um ano que você não vai à Academia e não é por acaso. Eles não querem saber de você por causa do que fizeram a Lucy."

"Não posso pedir demissão", expliquei, "pois não sou funcionária deles, Marino. Trabalho para policiais que precisam de ajuda nos casos e recorrem ao Bureau. Não tenho como pular fora. Além disso, o mundo dá voltas. Diretores e ministros da Justiça entram e saem, torço para que um dia as coisas melhorem. E você também é consultor e ninguém se lembra de chamá-lo, tampouco."

"Correto. Bem, acho que eu sinto o mesmo que você."

Ele jogou fora a ponta de cigarro, que voou empurrada pelo deslocamento de ar do carro em alta velocidade e sumiu.

"Você não acha que é o fim da picada? A gente ia àquele bar, The Boardroom, tomava cerveja, trabalhava com um pessoal legal. Essas coisas andam me incomodando, sabe. As pessoas agora odeiam a polícia e os policiais as odeiam também. Quando comecei, os velhos, a molecada, a família — todo mundo adorava me ver. Eu sentia orgulho ao vestir a farda e engraxava os sapatos todos os dias. Agora, vinte anos depois, passo por um conjunto habitacional e os moradores jogam tijolos. Ando na rua e ninguém responde se eu der bom-dia. Dei um duro danado por 26 anos, eles me promoveram a capitão e me encostaram no setor de treinamento."

"Provavelmente, é a função na qual você pode fazer as melhores coisas", ponderei.

"Sim, mas não foi por isso que me encostaram."

Ele olhava pela janela, distraidamente, vendo as placas verdes da estrada.

"Eles me puseram de lado torcendo para eu me aposentar ou morrer logo. E, se você quer saber, doutora, ando pensando nisso um bocado. Andar de barco, pescar, pegar a perua e pôr o pé na estrada. Viajar para o Oeste, conhecer o Grand Canyon, Yosemite e o lago Tahoe, todos os lugares dos quais até hoje só ouvi falar. Mas se chegasse a hora, eu não saberia o que fazer de mim. Portanto, continuarei firme na sela até morrer."

"Que não seja logo", falei. "Você deveria mesmo se aposentar, Marino, fazer como Benton."

"Com todo o respeito, não tenho vocação para consultor", ele argumentou. "O Departamento de Justiça e a IBM não iam pedir conselhos a um sujeito ordinário como eu, por mais competente que eu seja."

156

Não discordei nem estendi o assunto, pois em linhas gerais ele dissera a verdade, embora houvesse raras exceções. Benton era educado e aristocrático, impunha respeito quando entrava numa sala, e essa no fundo era a única diferença entre ele e Pete Marino. Ambos eram honestos, decentes e sumidades em seus respectivos campos de atuação.

"Bem, precisamos pegar a 395 e seguir no rumo da Constitution", pensei em voz alta, enquanto olhava as placas e ignorava os apressadinhos colados na minha traseira ou me cortando pela direita por achar que obedecer ao limite de velocidade era bobagem. "Mas não podemos passar a entrada e acabar na Maine Avenue. Isso já aconteceu comigo uma vez."

Dei seta para a direita.

"Quando estive aqui para visitar Lucy, numa sexta-feira à noite."

"Um convite para ser assaltada", disse Marino.

"E quase fui, mesmo."

"Sério?" Ele olhou para mim. "E o que fez?"

"Quando começaram a cercar o carro, pisei fundo."

"Atropelou alguém?"

"Quase."

"Você teria ido embora, doutora? Quero dizer, se tivesse atropelado um deles?"

"Pode apostar que sim. Você acha que eu podia descer e enfrentar uma dúzia de amigos do sujeito?"

"Bem, vou lhe dizer uma coisa", comentou Marino, fitando os pés. "Eles não valem grande coisa."

Quinze minutos depois trafegávamos pela Constitution, e passamos pelo Departamento do Interior enquanto o monumento a Washington vigiava o Mall, cheio de tendas para a comemoração da arte afro-americana, ambulantes a vender caranguejos de Eastern Shore e camisetas na traseira de caminhonetes. A grama entre os quiosques estava cheia de lixo da véspera, e as ambulâncias passavam de dois em dois minutos. Andamos em círculos por um bom tempo, o Smithsonian enrolado ao longe, como um dragão vermelho-escuro. Não havia uma única vaga e as ruas eram de mão única ou terminavam de repente no meio de uma quadra. Outras estavam entupidas e ninguém dava passagem, quase bati na traseira de um ônibus parado no ponto.

"Sabe o que vamos fazer?", falei, entrando na Virginia Avenue. "Vamos deixar o carro no estacionamento de Watergate e pegar um táxi."

"Quem quer viver numa cidade assim, afinal?", falou Marino, aflito.

"Infelizmente, um montão de gente."

"Esse lugar é o fim da picada", ele insistiu. "Bem-vindo aos Estados Unidos da América."

O manobrista uniformizado de Watergate era gentil e não demonstrou a menor surpresa quando lhe entreguei a chave do meu carro e pedi para chamar um táxi. Minha preciosa carga viajava no banco de trás, guardada numa caixa de papelão grosso, protegida por bolinhas de isopor. Marino e eu chegamos pouco antes do meio-dia na Twelfth com a Constitution e subimos a escadaria lotada do Museu Nacional de História Natural. A segurança fora reforçada desde o atentado a bomba em Oklahoma, e o guarda nos avisou que o dr. Vessey precisaria descer para nos escoltar até o andar superior.

Enquanto esperávamos, dei uma espiada na exposição *Jóias do Oceano*, apreciando ostras espinhudas do Atlântico e conchas do Pacífico sob um crânio de dinossauro bico-de-pato que parecia nos observar da parede. Havia enguias, peixes e caranguejos em vidros, caramujos das árvores e um lagarto marinho chamado mossassauro encontrado num sítio paleontológico do Kansas. Marino já mostrava sinais de tédio quando a porta de latão reluzente do elevador se abriu e o dr. Alex Vessey surgiu. Mudara um pouco desde nosso último encontro, mas continuava parecendo frágil com seus cabelos brancos e olhos simpáticos, que, à moda de outros gênios, estavam perpetua-

158

mente focalizados em outro lugar. Seu rosto moreno ganhara mais algumas rugas e ele continuava usando óculos de lentes grossas e armação preta.

"Você parece ótimo", falei quando trocamos um aperto de mãos.

"Acabei de voltar das férias em Charleston. Você conhece a cidade?", disse quando nós três entramos no elevador.

"Sim", respondi. "E conheço o chefe de polícia de lá muito bem. Lembra-se do capitão Marino?"

"Mas é claro."

Subimos três andares acima do elefante africano de oito toneladas da rotunda. As vozes das crianças flutuavam feito filetes de fumaça. No fundo, o museu não passava de um imenso armazém de granito. Cerca de 30 mil esqueletos humanos estavam guardados em gavetas verdes de madeira em armários que iam do chão ao teto. Era uma coleção rara, usada para estudar povos antigos, especialmente indígenas norte-americanos que recentemente resolveram pedir de volta as ossadas de seus ancestrais. As leis foram aprovadas, Vessey comeu o pão que o diabo amassou no Capitólio, vendo o trabalho de sua vida inteira correr o risco de sair porta afora e retornar ao Oeste não-tão-selvagem.

"Montamos um grupo de repatriação que reúne informações para fornecer a este ou aquele grupo étnico", ele explicava enquanto o acompanhávamos no trajeto pelo longo corredor mal iluminado e lotado. "Cada tribo precisa ser informada do que temos aqui e no final das contas cabe a eles determinar o que deve ser feito. Em poucos anos, nosso material sobre os indígenas norte-americanos pode ir para debaixo da terra outra vez, para ser novamente recolhido pelos arqueólogos dos próximos séculos, imagino."

Ele falava enquanto andávamos.

"Alguns grupos andam tão revoltados atualmente que não se dão conta do mal que podem fazer a si mesmos.

Se não aprendermos com os mortos, com quem aprenderemos?"

"Alex, você está querendo ensinar o padre-nosso ao vigário", falei.

"Bem, se fosse meu bisavô aí numa dessas gavetas", opinou Marino, "não sei se me sentiria muito bem."

"Mas a questão é que não sabemos *quem* está nas gavetas, e o pessoal das tribos também não sabe", argumentou Vessey. "O que sabemos é que essas amostras nos ajudaram a aprender muitas coisas a respeito das doenças das populações indígenas americanas, o que é um benefício palpável para os que se sentem ameaçados atualmente. Bem, não adianta ficar discutindo."

Vessey trabalhava num conjunto de laboratórios minúsculos onde se sucediam bancadas pretas e pias, milhares de livros, caixas com slides e publicações técnicas. Aqui e ali havia as cabeças encolhidas de costume, além de crânios partidos e ossos de animais que alguém imaginou serem humanos. Sobre uma placa de cortiça espalhavam-se fotos ampliadas e revoltantes do dia seguinte em Waco, onde Vessey passara semanas recolhendo e identificando os restos mortais decompostos e queimados dos membros do Ramo Davidiano.

"Vamos ver o que você trouxe para mim", disse Vessey.

Coloquei minha carga sobre a bancada e cortei a fita adesiva com o canivete. O isopor farfalhou quando retirei o crânio e depois a frágil porção que incluía os ossos da face. Pus tudo sobre um pano azul limpo, acendi a luz e apanhei a lupa.

"Bem aqui", falei, mostrando o fino corte no osso. "Corresponde ao local de uma hemorragia na região temporal. No entanto, em volta dele a carne foi queimada e não pude determinar as características do ferimento. Não tinha a menor pista, até encontrar isso no osso."

"Uma incisão bem reta", ele disse ao virar lentamente o crânio para examiná-lo de diversos ângulos. "E temos certeza de que a marca não foi feita acidentalmente durante a autópsia, por exemplo quando o couro cabeludo foi puxado para a remoção da parte superior do crânio?"

"Temos certeza absoluta", falei. "E pode ver, se juntarmos as duas partes" — coloquei o crânio no lugar —, "que o corte se situa uns quatro centímetros abaixo do ponto em que o crânio foi aberto durante a autópsia. E está posicionado num ângulo que não condiz com a operação de remoção do couro cabeludo, vê?", apontei.

Meu dedo indicador ficou imenso quando olhei para ele através da lupa.

"A incisão é vertical e não horizontal", reforcei minha argumentação.

"Tem razão", ele concordou, com o rosto aceso pelo interesse. "Como acidente de autópsia não faria o menor sentido, a não ser que seu assistente na morgue estivesse bêbado."

"Poderia ser um ferimento durante a tentativa de defesa?", sugeriu Marino. "Assim, alguém a atacou com uma faca, ela tentou se defender e foi cortada."

"Isso é possível, certamente", disse Vessey enquanto examinava cada milímetro do osso. "Mas acho curioso que a incisão seja tão fina e exata. E parece ter a mesma profundidade de uma ponta a outra, o que seria incompatível com um golpe de faca desferido em arco. Geralmente, o corte no osso é mais fundo onde a faca bate primeiro, depois vai ficando raso conforme a lâmina passa."

Ele gesticulou com uma faca imaginária que cortou o ar.

"Devemos nos lembrar também de que tudo depende da posição do atacante em relação à vítima, quando ocorreu o corte", comentei. "A vítima estava em pé ou deitada? O agressor ficou na frente dela, de lado ou veio por trás?"

"Bem lembrado", disse Vessey.

Ele seguiu até um armário antigo de carvalho escurecido com portas envidraçadas e tirou um velho crânio marrom da prateleira. Trazendo-o até nós, mostrou um corte grosseiro na área parietal e occipital, do lado esquerdo, bem acima da orelha.

"Você mencionou escalpos", ele me disse. "Eis o crânio de uma criança de oito ou nove anos, escalpelada e depois queimada. Não sei o sexo, mas sei que a coitadinha sofria de infecção no pé. Ele ou ela não podia correr. Cortes e marcas assim são típicos em casos de escalpo."

Segurei o crânio por um momento e imaginei a cena descrita por Vessey. Vi uma criança encolhida, aleijada, sangue escorrendo pelo chão enquanto seu povo era massacrado e o povoado ardia em chamas.

"Que merda", resmungou Marino, revoltado. "Como alguém tem coragem de fazer uma coisa dessas com uma criança?"

"Como alguém tem coragem de fazer uma coisa dessas com qualquer pessoa?", falei. Depois acrescentei, para Vessey: "O corte, neste caso", apontei para o crânio que eu havia trazido, "seria incompatível com a remoção do escalpo, certo?"

Vessey inspirou com força e soltou o ar lentamente.

"Sabe, Kay, essas coisas nunca se repetem com exatidão. Depende do que ocorreu no momento. Os índios tinham muitas maneiras de escalpelar o inimigo. Via de regra, o couro cabeludo era cortado em círculo, até a galéa e o periósteo, para que fosse facilmente arrancado do crânio. Alguns escalpos eram simples, outros incluíam orelhas, olhos, face e pescoço. Em alguns casos, múltiplos escalpos foram tirados da mesma vítima, em outros só o couro no cocuruto foi removido. Finalmente, e esta é a cena de referência vista nos filmes de faroeste, a vítima é violentamente agarrada pelo cabelo e a pele é cortada com faca ou sabre."

"Troféus", disse Marino.

"Isso e o símbolo supremo de bravura e habilidade masculina", disse Vessey. "Claro, havia motivos culturais, religiosos e até medicinais. Em seu caso", acrescentou olhando para mim, "sabemos que ela não foi escalpelada com sucesso, pois restaram cabelos, e posso dizer que a marca no osso parece ter sido feita com muito cuidado, usando um instrumento de lâmina afiada. Uma boa faca. Talvez uma lâmina de barbear ou um estilete. Até algo mais sólido, como um escalpelo ou bisturi. Foi feito quando a vítima ainda vivia e não foi o que provocou sua morte."

"Não, o ferimento no pescoço a matou", concordei.

"Não encontrei outros cortes, a não ser uma possibilidade, aqui."

Ele aproximou a lupa do arco zigomático esquerdo, ou osso da maçã do rosto. "Muito de leve", ele sussurrou. "Leve demais para a gente ter certeza, está vendo?"

Debrucei-me para olhar.

"Talvez", opinei. "Parece um fio de teia de aranha."

"Exatamente. Muito superficial e fino. Pode não ser nada, mas curiosamente está posicionado no mesmo ângulo do outro corte. Vertical em vez de horizontal ou oblíquo."

"Essa história está ficando confusa", disse Marino, descaradamente. "Vamos cortar esse papo, com o perdão do trocadilho. O que temos, afinal? Um maníaco cortou a garganta da moça e depois mutilou sua cabeça? Aí botou fogo na casa?"

"Creio que essa seja uma das possibilidades", disse Vessey.

"Bem, mutilação de rosto já entra na esfera pessoal", continuou Marino. "A não ser que estejamos lidando com um pirado, o assassino não mutilaria o rosto da vítima se não tivesse algum tipo de ligação com ela."

"Via de regra, isso vale", concordei. "Segundo minha experiência, não funciona quando o atacante sofre de confusão mental, é psicótico."

"Na minha opinião, quem tocou fogo na fazenda de Sparkes podia ser tudo, menos confuso", disse Marino.

"Então estamos cogitando um homicídio de caráter mais doméstico, por assim dizer", comentou Vessey, enquanto examinava o crânio com a lupa, minuciosamente.

"Estamos cogitando tudo", falei. "No mínimo, porém, fracasso quando tento imaginar Sparkes matando seus próprios cavalos."

"Talvez ele tenha feito isso para encobrir o homicídio", disse Marino. "As pessoas pensariam exatamente o mesmo que você."

"Alex", falei, "quem fez isso a ela tomou todas as providências para que ninguém descobrisse a marca do corte. Se a porta do box não tivesse caído em cima dela, provavelmente não sobraria o bastante do corpo para nos dar qualquer pista do ocorrido. Se não tivéssemos recuperado tecido, por exemplo, não conseguiríamos o nível de monóxido de carbono que provou que ela estava morta antes do incêndio. Então, o que aconteceria? Emitiríamos um atestado de óbito por acidente se não fôssemos capazes de provar que foi incêndio criminoso, e até agora não conseguimos nada."

"Não tenho dúvida de que se trata de um clássico caso de incêndio proposital para ocultar um homicídio", disse Vessey.

"Então por que diabos o sujeito ficou por ali e a cortou?", disse Marino. "Por que não a matou, tocou fogo na casa e fugiu rapidinho? E, normalmente, quando esses maníacos mutilam alguém, divertem-se com o escândalo que provocam nas pessoas. Sabe como é, colocam o corpo no parque, encostado num barranco na beira da estrada, no meio da sala, na pista de cooper, onde todos possam apreciar."

"Talvez a pessoa não quisesse que víssemos", falei. "Era muito importante que não soubéssemos que ela havia deixado sua assinatura, desta vez. E acho melhor realizar uma busca completa nos computadores, para ver se algo remotamente similar a isso já aconteceu em outro lugar."

"Se você agir assim, vai envolver um monte de gente", disse Marino. "Programadores de computador, analistas, operadores do FBI e dos departamentos de polícia das grandes cidades, como Houston, Los Angeles e Nova York.

Posso garantir que alguém vai abrir o bico e a história acabará saindo nos jornais."

"Não necessariamente", retruquei. "Vai depender de quem fará a busca."

Pegamos um táxi na Constitution e pedimos ao motorista que fosse na direção da Casa Branca e parasse na altura do número 600 da Fifteenth Street. Eu pretendia convidar Marino para jantar no Old Ebbitt Grill. Chegamos às cinco e meia, não pegamos fila e ainda pudemos escolher um canto estofado com veludo verde. Sempre senti um prazer especial em admirar os vitrais, espelhos e lampiões de gás de latão acesos do restaurante. Tartarugas, javalis e antílopes decoravam a parede acima do bar, onde o pessoal não parava de correr, fosse qual fosse a hora do dia.

Marido e mulher, com aparência distinta, sentaram-se atrás de nós e conversavam sobre ingressos para o Kennedy Center e a admissão do filho em Harvard no semestre seguinte. Dois jovens discutiam se o almoço podia ser cobrado da empresa ou não. Deixei a caixa de papelão do meu lado, no banco. Vessey a fechara com várias voltas de fita adesiva.

"Teria sido melhor pedir mesa para três", disse Marino, olhando para a caixa. "Tem certeza de que isso não fede? E se alguém sentir o cheiro?"

"Não cheira", falei, abrindo o cardápio. "E acho melhor mudar de assunto na hora de comer. O hambúrguer daqui é tão bom que até eu acabo não resistindo e peço um."

"Estou pensando em peixe", ele disse, com exagerada afetação. "Poderia recomendar uma das opções?"

"Vá para o inferno, Marino."

"Tudo bem, você me convenceu, doutora. Vamos de hambúrguer. Gostaria de já ter encerrado o expediente para tomar uma cerveja também. É uma tortura vir a um lugar desses sem poder pedir uma Jack Black ou um caneco de chope bem gelado. Aposto que sabem preparar *mint juleps*. Não tomo um drinque desses desde o tempo em que saía com aquela moça de Kentucky. A Sabrina. Lembra-se dela?"

"Talvez me lembre, se você a descrever", falei distraída, olhando em volta, tentando relaxar.

"Eu costumava levá-la ao FOP. Encontramos você lá uma vez, com Benton. Fui até sua mesa e a apresentei. Cabelos louros meio avermelhados, olhos azuis, pele suave. Tinha sido patinadora profissional."

Eu não fazia a menor idéia de quem era a tal moça.

"Uma pena", ele falou, examinando o cardápio, "mas não durou muito tempo. Creio que ela não me daria nem bom-dia se não fosse pela picape. Quando sentava lá no alto da cabine parecia até que ia acenar para todo mundo, como se fosse miss desfilando numa parada cívica."

Comecei a rir, e a expressão sombria em seu rosto só piorou as coisas. Eu ria tanto que meus olhos lacrimejavam. O garçom desistiu e concluiu que seria melhor voltar depois. Marino ficou bravo.

"Qual é o problema com você?", ele disse.

"Acho que estou muito cansada, só isso", falei, tomando fôlego. "E se quiser pedir uma cerveja, peça. Hoje é seu dia de folga e eu vou dirigir."

A idéia mudou completamente seu estado de espírito, e não demorou muito para que ele enxugasse a primeira caneca de Samuel Adams enquanto chegavam o hambúrguer com queijo suíço e minha salada Caesar com frango. Comemos e trocamos algumas palavras, enquanto as pessoas nas mesas ao nosso redor falavam alto sem parar.

"Então perguntei: gostaria de sair no seu aniversário?", um executivo contou a outro. "Você adora conhecer lugares diferentes."

"Minha mulher é igualzinha", retrucou o colega enquanto mastigava. "Age como se eu nunca a levasse para passear. Puxa vida, jantamos fora quase todas as semanas."

"Vi no programa da Oprah outro dia que uma em cada dez pessoas deve mais do que pode sonhar em pagar", uma senhora idosa confidenciou ao companheiro, cujo chapéu de palha estava pendurado no gancho acima da mesa. "Não acha isso o cúmulo?"

"Hoje em dia é tudo assim mesmo. Não me surpreende nem um pouco."

"Sei que eles têm estacionamento com manobrista", disse um dos executivos. "Mas costumo vir a pé mesmo."

"E de noite?"

"Aí não. Ficou louco? Em D. C.? Só se você quiser cometer suicídio."

Pedi licença e subi para o toalete, que era amplo e revestido de mármore cinza-claro. Não havia mais ninguém por lá, então usei o toalete de deficientes para ter bastante espaço e poder lavar as mãos e o rosto sossegada. Tentei telefonar para Lucy do celular, mas pelo jeito estava fora da área de cobertura. Usei o telefone público e fiquei contente por pegá-la em casa.

"Está fazendo as malas?", perguntei.

"Já dá para ouvir o eco?", ela disse.

"Um pouco."

"Bem, eu ouço um eco nítido. Você devia ver esse apartamento."

"Por falar nisso, você pode receber visitas?"

"Como assim? Onde você está?", ela disse em tom de suspeita.

"No Old Ebbitt Grill. No telefone público do térreo, ao lado do toalete, para ser mais exata. Marino e eu fomos ao Smithsonian esta manhã, falar com Vessey. Pensei em passar aí. Além de vê-la, gostaria de discutir um problema profissional com você."

"Claro", ela disse. "Eu não pretendia sair, mesmo."

"Quer que eu leve alguma coisa?"

"Quero. Comida."

Não adiantava pegar o carro, pois Lucy morava no setor noroeste da cidade, nas imediações de Dupont Circle, onde estacionar seria tão difícil quanto nos outros lugares. Marino assobiou para um táxi na porta do restaurante, o sujeito freou violentamente, entramos. A tarde era calma, as bandeiras pendiam inertes nos telhados e jardins, um alarme de automóvel soava sem parar não sei onde. Passamos pela Universidade George Washington, pelo Ritz e pelo Blackie's Steakhouse antes de chegarmos ao bairro de Janet e Lucy.

A área era boêmia, muito freqüentada por gays, cheia de bares escuros como The Fireplace e Mr. P's, sempre lotados de homens musculosos usando piercings. Eu conhecia bem a área, estivera ali várias vezes visitando minha sobrinha. Notei que a livraria lésbica fechara e que perto do Burger King abriram uma loja nova de produtos naturais.

"Pode nos deixar aqui", pedi ao motorista.

Ele freou bruscamente e encostou no meio-fio.

"Caramba", disse Marino quando o táxi azul saiu em disparada. "Você acha que há algum norte-americano nesta cidade?"

"Se não fosse por cidades como esta, feitas por estrangeiros e seus descendentes, você e eu não estaríamos aqui."

"Ser italiano é diferente."

"Você acha mesmo? Diferente como?", perguntei na altura do número 2000 da P Street, quando entrávamos no D. C. Café.

"Diferente deles. Para começo de conversa, nossa gente desceu de navio em Ellis Island e aprendeu a falar inglês. Não guiávamos táxis sem saber para onde íamos. Ei, esse lugar até que é jóia."

O café ficava aberto 24 horas por dia, o cheiro de cebola refogada e filé na chapa tomava conta do ambiente. Nas paredes havia cartazes de churrasco, chá verde e cerveja libanesa, além de um artigo de jornal contando que os Rolling Stones haviam jantado lá certa vez. Uma mulher varria o chão lentamente, como se não tivesse outra coisa a fazer na vida. Não nos deu a mínima atenção.

"Fique tranqüilo", falei a Marino. "Não vai demorar muito."

Ele se acomodou numa mesa para fumar e eu me aproximei do balcão, onde analisei o cardápio iluminado por uma lâmpada amarela, próximo à chapa.

"Pois não", disse o chapeiro, enquanto virava um filé fumegante e fritava cebolas picadas.

"Uma salada grega", pedi. "Um sanduíche de peito de frango grelhado no pão sírio." Consultei o cardápio novamente. "E um sanduíche Kefte Kabob. Acho que é assim que se pronuncia."

"Para viagem?"

"Sim."

"Aviso quando ficar pronto", falou. A mulher continuou varrendo.

Sentei-me com Marino. A televisão estava ligada, vimos um pedaço de *Jornada nas Estrelas* em meio a muito chuvisco.

"As coisas não serão as mesmas quando ela for para a Filadélfia", ele disse.

"Não mesmo."

Olhei para a figura pouco nítida do capitão Kirby, que apontava sua pistola phaser para um klingon ou outro alienígena.

"Sei lá", ele disse, apoiando o queixo na mão ao soltar a fumaça. "Tem alguma coisa errada nessa história, doutora. Ela tinha tudo planejado, deu um duro danado para conseguir o que desejava. Não me interessa o que ela diz a respeito de transferência, não acredito que queira mudar. Ela só acha que não tem escolha."

"Não sei se ela quer continuar no caminho que escolheu."

"Bem, creio que a gente sempre tem escolha. Está vendo um cinzeiro em algum lugar?"

Descobri um no balcão e fui buscá-lo.

"Agora sou cúmplice, suponho", falei.

"Você me atormenta por falta do que fazer."

"Na verdade, eu gostaria que você ficasse por aqui mais algum tempo, se não se importasse", falei. "Por isso passo metade do meu tempo tentando mantê-lo vivo."

"Chega a ser irônico, se levarmos em conta como você passa a outra metade do seu tempo, doutora."

"Pronto!", gritou o chapeiro.

"Vamos levar também baclavas. Com pistache."

"Não", retruquei.

9

Lucy e Janet residiam num prédio de dez andares chamado The Westpark, um pouco adiante do número 2000 da P Street, a poucos minutos de caminhada de onde estávamos. Era de tijolos marrons e tinha uma lavanderia a seco no térreo, além de um posto de gasolina Embassy Mobile ao lado. Havia bicicletas nos terraços minúsculos e jovens moradores sentados do lado de fora, aproveitando a noite quente. Fumavam e bebiam, alguém estudava flauta, praticando escalas. Um sujeito sem camisa estendeu o braço para fechar a janela. Toquei a campainha do apartamento 503.

"Quem é?", ouvi a voz de Lucy pelo interfone.

"Somos nós."

"*Nós* quem?"

"*Nós* que trouxemos seu jantar. Está esfriando", falei.

Ela destravou a porta e entramos no saguão para pegar o elevador.

"Ela provavelmente conseguiria uma cobertura em Richmond, pelo preço do aluguel daqui", comentou Marino.

"Uns 1500 dólares por mês, por um apartamento de dois quartos."

"Puta merda. Como Janet vai agüentar o aluguel sozinha? O Bureau não paga mais do que 40 mil anuais."

"A família dela tem muito dinheiro", falei. "De todo modo, ignoro o que ela vai fazer."

Ele balançou a cabeça enquanto as portas do elevador se abriam.

"Quando comecei a vida em Jersey, 1500 dólares davam para pagar um ano de aluguel. O crime não era assim, as pessoas tratavam melhor a gente, até no meu bairro barra-pesada. E aqui estamos nós, você e este seu criado, investigando o que ocorreu a uma pobre moça retalhada e queimada num incêndio. Quando acabar o caso dela, haverá outro. Até parece a história daquele sujeito que rolava uma pedrona morro acima e sempre que chegava perto do topo ela caía outra vez. Às vezes, nem sei o motivo de ainda estar nessa, doutora."

"Seria pior se não fizéssemos nada", falei, parada na frente da porta alaranjada que eu conhecia tão bem. Toquei a campainha.

Escutei o estalo do trinco e Janet nos convidou a entrar. Usava short esportivo do FBI e camiseta do Grateful Dead que parecia do tempo da faculdade.

"Entrem", disse com um sorriso. Ouvimos a voz de Annie Lennox cantando no fundo. "Hum, mas que cheiro gostoso!"

O apartamento tinha dois quartos e dois banheiros espremidos numa área pequena e dava para a P Street. Todos os móveis tinham por cima pilhas de livros e estavam cobertos com panos. Havia dúzias de caixas de papelão espalhadas pelo chão. Lucy, na cozinha, vasculhava armários e gavetas em busca de talheres e pratos. Usamos toalhas de papel no lugar dos guardanapos. Abrindo espaço na mesa de centro, ela pegou as sacolas com a comida que eu levara.

"Você acaba de salvar nossas vidas", disse. "Eu já ia entrar em hipoglicemia. Fico contente que você tenha vindo também, Pete."

"Puxa vida, faz um calor danado aqui", ele disse.

"Nem tanto", retrucou Lucy, embora também transpirasse muito.

Ela e Janet fizeram os pratos. As duas sentaram no

chão e comeram. Acomodei-me no braço do sofá e Marino puxou uma cadeira plástica do terraço. Lucy usava tênis Nike e camiseta cavada. Estava suja dos pés à cabeça. As duas pareciam exaustas, e nem dava para imaginar como se sentiam. Sem sombra de dúvida, era um momento difícil. Cada gaveta esvaziada, cada caixa fechada fazia sangrar um pouco mais o coração, significava uma espécie de morte, o final de quem a pessoa havia sido naquele momento da vida.

"Quanto tempo você moraram aqui? Três anos?", perguntei.

"Quase isso", respondeu Janet, ingerindo uma garfada de salada grega.

"E você pretende ficar com o apartamento?", perguntei a Janet.

"Por enquanto. Não tenho motivos para me mudar. E quando Lucy quiser me visitar, terá onde ficar."

"Odeio abordar um assunto desagradável", disse Marino. "Mas existe alguma razão para Carrie saber onde vocês moram?"

As duas comeram em silêncio por algum tempo. Estiquei o braço para diminuir o volume do aparelho de som.

"*Razão?*", repetiu Lucy, finalmente. "Por que haveria uma razão para ela saber qualquer coisa a respeito de minha vida atual?"

"Tomara que não haja razão nenhuma", disse Marino. "Mas precisamos pensar no caso, vocês gostem ou não. Este é um bairro no qual ela pode se esconder, sumir no meio do povo. Por isso, andei me perguntando: se eu fosse Carrie e conseguisse escapar, tentaria descobrir onde Lucy mora?"

Ninguém disse uma única palavra.

"Creio que todos sabemos a resposta", ele prosseguiu. "Descobrir onde a doutora mora não chega a ser um problema. Andou saindo nos jornais, e se Carrie a encontrar, acha Benton. Mas, e quanto a você?"

Ele apontou para Lucy.

173

"Você é o desafio, pois Carrie passou vários anos na cadeia enquanto você se mudava para cá. Agora vai para a Filadélfia e Janet ficará aqui sozinha. Para ser sincero, detesto essa perspectiva."

"O nome de vocês não consta da lista telefônica, espero", falei.

"Claro que não", disse Janet, remexendo a salada distraidamente.

"E se alguém telefonar para o prédio perguntando por uma das duas?"

"O pessoal não está autorizado a divulgar informações sobre os moradores", disse Janet.

"*Não está autorizado*", repetiu Marino, sarcástico. "Claro, aposto que o prédio conta com segurança de alto nível. Aposto que tem gente da *alta-roda* morando no pedaço."

"Não adianta ficar o tempo inteiro quebrando a cabeça por causa disso", disse Lucy. Notei que estava ficando brava. "Não dá para conversar sobre outra coisa?"

"Vamos falar sobre o incêndio em Warrenton", sugeri. "Isso."

"Vou continuar a empacotar as coisas no quarto", disse Janet diplomaticamente, uma vez que o FBI não estava envolvido no caso.

Assim que ela saiu, falei: "Surgiram dados intrigantes e inusitados durante a autópsia. A vítima foi assassinada. Estava morta antes de o fogo começar e isso indica claramente que houve incêndio criminoso. Temos alguma novidade em relação ao modo como começou?"

"Só usando projeções matemáticas", disse Lucy. "A única esperança no caso é a reconstituição virtual do incêndio, uma vez que não há indícios físicos de ato criminoso, só circunstanciais. Passei um bom tempo usando o Simulador de Incêndio do meu computador, e os modelos apontam na mesma direção."

"Mas que diabo é um Simulador de Incêndio?", quis saber Marino.

174

"Uma das rotinas do FBEtool, o software que usamos para reconstituir incêndios", explicou Lucy, paciente. "Por exemplo, vamos presumir que a ignição tenha ocorrido a seiscentos graus centígrados — ou a mil graus. Introduzimos os dados disponíveis, como aberturas para ventilação, área da superfície, energia disponível no material combustível, ponto de origem virtual do fogo, revestimento do local, tipo de parede e assim por diante. No final do processo obtemos previsões sobre o suspeito ou o incêndio em pauta. E quer saber de uma coisa? Não importa o algoritmo, procedimento ou programa de computador utilizado neste caso, a resposta é sempre a mesma. Não há explicação lógica para um fogo rápido e intenso como aquele ter começado no banheiro da suíte principal."

"E temos certeza absoluta de que começou lá", falei.

"Claro que sim", confirmou Lucy. "Como você já deve saber, o banheiro foi construído recentemente, transformando o quarto principal em suíte. Quando estudamos as paredes de mármore e os pedaços do teto alto com clarabóia recolhidos no local, identificamos um padrão em V, com o ápice ou vértice num ponto situado no centro do piso, muito provavelmente onde estava o tapete. Isso mostra que o fogo se desenvolveu de modo muito rápido e intenso naquele ponto."

"Então vamos falar no famoso tapete", disse Marino. "O que a gente consegue se puser fogo nele?"

"Uma chama fraca", respondeu Lucy. "Meio metro de altura e olhe lá."

"Bem, então não foi o tapete", falei.

"Um dado adicional revelador", ela retomou a explicação, "é a destruição do teto bem em cima do ponto. Para isso, precisamos de labaredas com pelo menos 2,5 metros acima da origem do fogo, com temperatura mínima de oitocentos graus, para derreter o vidro da clarabóia — 88% dos incêndios criminosos são provocados no piso. Em outras palavras, o fluxo de calor irradiante..."

"O que é fluxo de calor irradiante?", perguntou Marino.

175

"Calor irradiante é uma forma de onda eletromagnética emitida pela chama de maneira quase igual em todas as direções, em 360 graus. Entenderam, até aqui?"

"Sim", respondi.

"Uma chama também emite calor na forma de gases quentes, mais leves que o ar." Lucy enveredou pelos aspectos físicos. "Eles sobem. Em outras palavras, ocorre uma transferência de calor por *convecção*. E, nos estágios iniciais do incêndio, a maior parte da transferência de calor é convectiva. Sobe a partir do ponto de origem. No caso, o piso. No entanto, depois que o incêndio continua por certo tempo, forma-se uma camada de gases aquecidos e fumaça, e o processo dominante de transferência de calor passa a ser *irradiante*. Foi nesse estágio, creio, que a porta do box cedeu e caiu em cima do corpo."

"E quanto ao cadáver?", perguntei. "Onde ele ficou durante o processo?"

Lucy pegou o bloco de notas em cima de uma caixa e a caneta esferográfica. Esboçou um banheiro com chuveiro e banheira e desenhou no meio a chama estreita que subia em direção ao teto.

"Se no fogo havia energia suficiente para levar as chamas até o teto, então estamos falando de um calor irradiante muito intenso. O corpo seria seriamente afetado, a não ser que houvesse uma barreira entre ele e o fogo. Algo capaz de absorver energia e calor irradiante — a banheira e a porta de vidro do box — e proteger partes do corpo. Creio também que o cadáver estava a uma pequena distância do ponto de origem. Entre meio metro e 1,5 metro, digamos."

"Não vejo como poderia ter acontecido de modo diferente", assenti. "Sem dúvida, algo protegeu boa parte do corpo."

"Certo."

"Como se pode provocar uma labareda assim sem usar um combustível potente?", perguntou Marino.

"Só podemos torcer para que o laboratório descubra

alguma coisa", minha sobrinha disse. "Uma vez que o material combustível existente no local não pode ter provocado um incêndio assim, algo foi acrescentado ou modificado. Houve um ato criminoso deliberado."

"E vocês estão realizando uma auditoria financeira", Marino disse a ela.

"Naturalmente, os arquivos de Sparkes se perderam no incêndio, em sua maioria. Mas a assessoria financeira dele tem colaborado bastante, devo reconhecer. Até agora, não há sinal de que dinheiro fosse um problema para ele."

Senti alívio ao ouvir a frase. Todas as informações disponíveis sobre o caso mostravam que Kenneth Sparkes não passava de uma vítima. Contudo, a maioria dos encarregados de investigar o caso pensava de modo diferente, com certeza.

"Lucy", falei quando ela terminou a explicação técnica. "Chegamos a um consenso. O *modus operandi* nesse crime foi original."

"Sem sombra de dúvida."

"Vamos supor", sugeri, "apenas como hipótese de trabalho, que algo similar tenha ocorrido antes em outro lugar. Que Warrenton faça parte de um padrão de incêndios usados para encobrir homicídios cometidos pelo mesmo indivíduo."

"Trata-se de uma possibilidade", disse Lucy. "Como qualquer outra."

"Podemos fazer uma busca?", perguntei. "Existe um banco de dados capaz de identificar situações semelhantes, em outros incêndios?"

Ela se levantou para jogar as embalagens na lata de lixo da cozinha.

"Se você quiser, daremos um jeito", ela disse. "Usando o AXIS, ou Sistema de Registro de Incêndios Criminosos."

177

Eu já conhecia o sistema e a rede de alta performance do ATF, conhecida como ESA, ou Projeto de Sistema de Armazenamento, resultado da exigência do Congresso de que o ATF mantivesse um registro nacional de explosões e incêndios criminosos. Duzentos e vinte sites estavam ligados ao ESA, e qualquer agente, onde quer que estivesse, poderia acessar o banco de dados central e entrar no AXIS. Bastava ter um laptop com modem e linha celular segura. Minha sobrinha os tinha.

Ela nos levou até o quarto minúsculo, agora melancolicamente vazio, exceto pelas teias de aranha nos cantos e pela poeira acumulada no assoalho de madeira riscado. A cama estava vazia, com o colchão ainda coberto pelo lençol clarinho, cor de pêssego, de pé encostado na parede. Enrolado num canto, vi o tapete colorido de seda que eu lhe dera no último aniversário. Gavetas esvaziadas empilhavam-se no chão. Ela trabalhava com o laptop Panasonic em cima de uma caixa de papelão. O computador portátil, de aço cinza-escuro, ficava dentro da valise prateada de uso militar com proteção especial, ou seja, era à prova de vapor, água, poeira e tudo o que se podia imaginar. Acho que não quebraria nem se fosse atropelado por um caminhão.

Lucy sentou-se na frente da máquina, cruzando as pernas, como se pretendesse adorar o deus máximo da tecnologia. Teclou *enter* para eliminar o protetor de tela e o ESA mostrou fileiras de pixels em azul eletrônico. Na tela seguinte surgiram o mapa dos Estados Unidos e o campo para nome e senha. Ela os preencheu, cumpriu os requisitos de segurança necessários e entrou no sistema, cruzando passagens secretas da Web silenciosamente, subindo um nível de cada vez. Quando acessou o banco de dados de casos, fez um gesto para que eu ficasse a seu lado.

"Posso pegar uma cadeira, se preferir", disse.

"Não, estou bem assim."

O assoalho era duro, machucava a região lombar inferior. Mas eu não gostava de criar caso. Havia campos para busca de palavras ou frases no banco de dados do sistema.

"Não se preocupe com a formatação", disse Lucy. "O sistema de busca de texto pode lidar com frases inteiras ou fragmentos. Podemos tentar tudo, do tamanho da mangueira usada pelos bombeiros aos materiais usados na construção da casa — todos os dados que constam nos formulários preenchidos pelos bombeiros nas ocorrências. Ou podemos usar as palavras-chave de sua preferência."

"Vamos tentar *morte, homicídio, incêndio suspeito*", falei.

"*Mulher*", acrescentou Marino. "E *fortuna.*"

"*Corte, incisão, hemorragia, rápido, intenso*", continuei pensando.

"E que tal *não identificado?*", Lucy sugeriu enquanto teclava.

"Ótimo", concordei. "E *banheiro*, talvez."

"Bom, então ponha *cavalo* também", opinou Marino.

"Vamos tentar com o que temos", sugeriu Lucy. "Podemos acrescentar outras palavras, quando surgirem."

Ela iniciou a busca e depois estendeu as pernas, girando o pescoço. Ouvi o barulho de Janet na cozinha lavando a louça. Em menos de um minuto o computador apresentou 11 873 registros e 453 palavras-chave encontradas.

"Desde 1988", explicou Lucy. "E também inclui casos no exterior nos quais a ajuda do ATF foi solicitada."

"Podemos imprimir os 453 casos?", perguntei.

"A impressora já foi encaixotada, tia Kay", disse Lucy, erguendo os olhos para mim, pesarosa.

"E dá para copiar os dados para o meu computador?", perguntei.

Ela hesitou.

"Acho que tudo bem", disse. "Desde que você... não, pode deixar."

"Não se preocupe, estou acostumada a lidar com in-

179

formações confidenciais. Providenciarei para que ninguém mais tenha acesso aos dados."

Percebi que a frase soou estúpida, quando a pronunciei. Lucy olhava para a tela do computador, distraída.

"Está tudo em SQL do UNIX", disse, falando sozinha. "Isso me deixa louca."

"Bem, se eles tivessem a cabeça no lugar", disse Marino, "deixariam os computadores por sua conta."

"Não pretendo criar caso a respeito", retrucou Lucy. "Estou só comentando. Tenho minhas responsabilidades. Vou mandar os arquivos para você, tia Kay."

Ela saiu do quarto e nós a seguimos até a cozinha, onde Janet enrolava os copos em jornal e os guardava cuidadosamente numa caixa.

"Antes de ir embora", sugeri a minha sobrinha, "que tal darmos um passeio em volta do quarteirão? Só para pôr a conversa em dia."

Ela me olhou um tanto desconfiada.

"Como assim?", perguntou.

"Talvez a gente não possa se ver por um bom tempo", falei.

"Podemos sentar um pouco no terraço."

"Está bem."

Acomodamo-nos nas cadeiras plásticas, do lado de fora, olhando para a rua lá embaixo. Fechei a porta que dava para a sala e a cena noturna ganhou vida. A multidão circulava, os táxis não paravam, as chamas dançavam na lareira do outro lado da janela, no The Flame, enquanto homens acompanhados por outros homens bebiam na penumbra.

"Só queria saber se está tudo bem com você", falei. "Acho que você não tem conversado muito comigo."

"E vice-versa."

Ela olhou para a frente com um sorriso irônico em seu perfil deslumbrante e enérgico.

"Estou bem, Lucy. Como sempre estive, acho. Trabalhando demais. O que mudou?"

"Você sempre se preocupa comigo."

"Desde que você nasceu."

"Por quê?"

"Porque alguém precisava fazer isso."

"Já lhe contei que mamãe fez plástica no rosto?"

Só de pensar em minha única irmã senti um aperto no peito.

"Ela mandou encapar quase todos os dentes no ano passado, e agora essa", prosseguiu Lucy. "E o atual namorado dela, o Bo, está morando lá faz um ano e meio, quase. *O que você acha disso?* Quantas vezes alguém consegue trepar até precisar fazer outra meia-sola?"

"Lucy."

"Ah, não banque a boazinha, tia Kay. Você sente a mesma coisa em relação a ela, que eu sei. Como fui arranjar uma merda de mãe como aquela?"

"Isso não vai ajudar em nada", falei em voz baixa. "Não adianta odiá-la, Lucy."

"Ela não disse uma só palavra sobre minha mudança para a Filadélfia, porra. Nunca pergunta nada a respeito de Janet ou de você. Vou pegar uma cerveja. Quer?"

"Obrigada."

Esperei até que ela retornasse enquanto escurecia cada vez mais. Eu via as silhuetas dos transeuntes, alguns falavam alto e andavam abraçados, enquanto outros seguiam sozinhos, determinados. Queria perguntar a Lucy a respeito das coisas que Janet havia contado, mas temia abordar a questão. Lucy precisava me contar por iniciativa própria, concluí. Mas a médica dentro de mim queria assumir o controle da situação. Lucy abriu uma garrafa de Miller Lite quando voltou ao terraço.

"Vamos falar sobre Carrie apenas o suficiente para tranqüilizar você", declarou Lucy secamente, tomando um gole de cerveja. "Tenho uma Browning High-Power, a Sig do ATF e uma escopeta — calibre .12, sete tiros. E mais o que quiser. Mas quer saber de uma coisa? Acho que dou conta dela só com as mãos, se ela tiver coragem de aparecer por aqui. Estou de saco cheio, entende?"

Ela pegou a garrafa de novo. "Um dia, a gente tem de tomar uma decisão e seguir em frente."

"Que tipo de decisão?", indaguei.

Ela deu de ombros.

"A gente resolve que não pode dar mais poder a alguém do que já deu. Não pode passar a vida temendo ou odiando alguém", ela explicou, esclarecendo seu estado de espírito. "De certo modo, a gente relaxa. Vai cuidar da própria vida, sabendo que o monstro pode cruzar seu caminho. Nesse caso, é melhor que ela esteja preparada para matar ou morrer."

"Creio que essa seja uma atitude muito boa", falei. "Talvez a única possível. Não tenho certeza absoluta de que você se sente assim, mas torço para que seja verdade."

Ela olhou para a lua irregular, pensei que tentava afugentar as lágrimas, mas não tinha certeza.

"A verdade, tia Kay, é que eu posso cuidar de todo o sistema de computação deles com as mãos atadas, sabia?"

"Provavelmente você é capaz de cuidar dos computadores do Pentágono com as mãos atadas", falei com carinho, sentindo o coração doer mais ainda.

"Só não quero forçar a barra."

Eu não sabia o que dizer a ela.

"Já incomodei muita gente por ser capaz de pilotar um helicóptero e... sabe como é, não?"

"Estou a par das coisas que você sabe fazer, e a lista provavelmente ainda vai aumentar muito, Lucy. Sua vida é muito solitária."

"Você já se sentiu assim alguma vez?", ela murmurou.

"Só a vida inteira", murmurei de volta. "Agora você sabe por que sempre a amei tanto. Acho que tem a ver com essa identificação."

Ela olhou para mim. Estendeu o braço e tocou meu pulso.

"Acho melhor você ir embora", disse. "Não deve dirigir quando está muito cansada."

10

Reduzi a velocidade ao me aproximar da guarita do condomínio onde morava. Era quase meia-noite, o guarda de segurança saiu e fez um sinal para que eu parasse o carro. Era uma atitude inesperada, temi que ele fosse avisar que meu alarme contra roubo disparara havia horas, ou que mais um abelhudo suspeito tentara entrar para ver se eu estava em casa. Marino passara a última hora e meia cochilando, mas acordou quando abri a janela.

"Boa noite", falei ao guarda. "Tudo bem, Tom?"

"Tudo em ordem, doutora Scarpetta", ele disse, aproximando-se do carro. "Mas aconteceram coisas estranhas de uma hora para cá. Achei que havia algo errado, pois tentei falar com a senhora e não havia ninguém em casa."

"Que tipo de coisas estranhas?", perguntei, relacionando mentalmente as ameaças e os perigos mais prováveis.

"Dois entregadores de pizza chegaram quase ao mesmo tempo. Depois vieram três táxis para levar a senhora até o aeroporto, um em seguida do outro. E queriam colocar uma caçamba para entulho no seu gramado. Como não consegui localizá-la, mandei todo mundo embora. Todos alegaram ter sido chamados pela senhora."

"Bem, com certeza não fui eu", falei energicamente, cada vez mais espantada. "Quando começou?"

"Bem, o caminhão com a caçamba chegou por volta das cinco da tarde. Depois os outros foram vindo, aos poucos."

Tom era um senhor idoso, certamente incapaz de enfrentar perigos reais, caso o condomínio fosse atacado. Mas era educado e se considerava um segurança de verdade. Devia andar armado e ter experiência de combate. Preocupava-se demais com minha segurança.

"Você pegou o nome dos sujeitos que vieram aqui?", gritou Marino do banco do passageiro.

"Domino's e Pizza Hut."

O rosto vigoroso de Tom estava meio oculto pela aba do boné de beisebol.

"E os táxis eram da Colonial, Metro e Yellow. A caçamba, da Frick. Tomei a liberdade de dar alguns telefonemas. Todos eles tinham ordens de serviço em seu nome, doutora Scarpetta, inclusive com a hora da ligação. Anotei tudo."

Tom mal conseguia ocultar seu contentamento quando tirou uma folha de bloco do bolso e me entregou. Seu papel crescera naquela noite, e ocupar o centro do palco chegava a embriagá-lo. Acendi a luz interna e examinei a lista, auxiliada por Marino. Os chamados para os táxis e as pizzas ocorreram entre as 22h10 e 23h. O pedido da caçamba fora feito no início da tarde, com instruções para colocá-la no meu jardim à noite.

"Pelo menos no caso da Domino's, a ligação foi feita por uma mulher. Falei com o rapaz que a atendeu. Segundo ele, a senhora telefonou e pediu uma pizza Supreme, com massa grossa, para entrega na guarita, onde a pegaria. Anotei o nome do garoto", relatou Tom, orgulhoso. "Como eu imaginava, nada disso foi feito pela senhora, né?" Ele queria saber com certeza.

"Não", respondi. "E se houver qualquer outra novidade esta noite, gostaria de ser imediatamente alertada."

"E ligue para mim, também", disse Marino, anotando o telefone de sua casa no cartão da polícia. "A qualquer hora, entendeu?"

Passei o cartão de Marino pela janela e Tom o estudou cuidadosamente, embora Marino já tivesse passado pelo portão inúmeras vezes.

"Como quiser, capitão", disse Tom com uma mesura. "Pode deixar, se aparecer alguém estarei atento e posso segurar qualquer um até o senhor chegar, se quiser."

"Não precisa", disse Marino. "Um rapaz entregando pizza não vai saber de porra nenhuma. E se o negócio esquentar, você está proibido de se meter com quem quer que seja."

Entendi imediatamente que ele se referia a Carrie.

"Eu dou conta do recado. Mas será como o senhor quiser, capitão."

"Você foi muito eficiente, Tom", elogiei. "Muito obrigada."

"Estou aqui para isso."

Ele apontou o controle remoto e a cancela se levantou para nossa passagem.

"Pode falar", eu disse a Marino.

"Algum babaca quer assustar você", ele disse, carrancudo sob o brilho intermitente das lâmpadas da rua. "Tenta enervá-la, meter medo, deixá-la puta-da-vida. E fez um bom serviço, devo admitir."

"Você não acredita que Carrie...", comecei a dizer.

"Sei lá", Marino me interrompeu. "Mas não me surpreenderia nada. Seu endereço saiu no jornal várias vezes."

"Acho bom descobrir se os telefonemas foram locais ou interurbanos", sugeri.

"Puxa vida", ele disse quando entrei no acesso e estacionei atrás de seu carro. "Tomara que não. Também, pode ser outro malandro querendo assustar você."

"Basta pegar uma senha e ficar na fila."

Desliguei o motor.

"Posso dormir no sofá, se quiser", disse Marino ao abrir a porta.

"Não precisa", falei. "Vai ficar tudo bem. Desde que ninguém apareça com outra caçamba para entulho. Seria a gota d'água com a vizinhança."

"Aliás, não sei por que você resolveu morar aqui."

"Você sabe muito bem."

Ele puxou um cigarro e deixou claro que não pretendia ir a lugar algum.

"Certo. A guarita. Porra, aquilo é o mesmo que nada."

"Se você não estiver em condições de dirigir, pode dormir no sofá", falei.

"Quem, eu?"

Ele pegou o isqueiro, acendeu o cigarro e soprou a fumaça pela porta aberta do carro.

"Não é comigo que você precisa se preocupar, doutora."

Desci do carro e fiquei parada no acesso, esperando por ele. Seu corpo imenso dava sinais de cansaço, e de repente, ali na escuridão da noite, fui tomada por uma onda de melancólica ternura por ele. Marino vivia sozinho, sofria muito. Suas lembranças não valiam grande coisa, eram compostas de violência no serviço e relacionamentos pessoais insatisfatórios nas horas vagas. Acho que eu era a única constante em sua vida, e, embora fosse sempre educada, nem sempre era carinhosa. Simplesmente, não era possível.

"Vamos entrar", falei. "Você pode tomar uma e dormir aqui. Tem razão, afinal de contas. Eu não quero estar sozinha quando chegarem mais cinco entregadores de pizzas e táxis."

"Era o que eu estava pensando", ele disse, simulando um tom profissional e distante.

Abri a porta da frente, desliguei o alarme e logo Marino estava instalado no sofá confortável da sala de estar, com um copo de bourbon Booker's com gelo na mão. Eu havia forrado o sofá com um lençol macio e perfumado e usado a colcha de algodão mais suave. Passamos um tempo conversando no escuro.

"Você não acha às vezes que vamos perder, no final?", ele resmungou, sonolento.

"Perder?", perguntei.

"Sabe, aquela história de que *o mocinho sempre vence no final*. Você considera a hipótese realista? Não funcio-

186

nou no caso da moça que torrou na casa do Sparkes. Os bons nem sempre vencem, doutora. De jeito nenhum."

Ele estava recostado, como um velho doente. Tomou um gole de bourbon e inspirou com dificuldade.

"Carrie também acha que vai ganhar. Pense nisso, caso nunca tenha refletido a respeito", acrescentou. "Ela passou cinco anos em Kirby planejando tudo, porra."

Sempre que Marino estava alto ou cansado, falava *porra* no final de quase todas as frases. No fundo, era apenas seu modo de expressar os sentimentos. Mas eu havia explicado em diversas oportunidades que nem todos lidavam bem com suas grosserias, e que muita gente tomava a expressão ao pé da letra. Eu, pessoalmente, nunca pensava em *porra* como esperma, mas como uma espécie de ponto de exclamação.

"Não suporto a idéia de que gente como ela possa vencer", retruquei calmamente, bebericando meu borgonha. "Jamais aceitarei isso."

"Aos justos, o reino dos céus."

"Não, Marino, justiça na terra. Nisso eu tenho fé."

"Tá bom." Ele bebeu mais bourbon. "Fé uma ova, porra. Sabe quantos caras eu conheci que morreram de ataque do coração ou tomaram um tiro no serviço? Quantos você acha que tinham fé? Provavelmente todos eles, sem exceção. Ninguém pensa que vai morrer, doutora. Você e eu não pensamos isso, mesmo que a gente saiba. Estou mal de saúde, certo? Pensa que eu não sei que a cada dia que passa eu me enveneno mais? Posso evitar? Não. Sou um velho teimoso que não abre mão de salgadinhos, uísque e cerveja. Estou cagando e andando para o que dizem os médicos. Portanto, logo mais vou cair do cavalo e partir desta para melhor, entende?"

Com a voz empastada, ele começava a ficar piegas.

"Aí um monte de policiais irá ao meu enterro e você dirá ao próximo detetive que trabalhar comigo até que não era tão ruim."

"Marino, hora de dormir", falei. "E você sabe que não

é isso que eu sinto. Não agüento nem pensar que algo ruim possa acontecer a você, panacão."

"Está falando sério?" Ele se animou um pouco.

"Sabe muito bem que sim", falei. Sentia-me exausta, também.

Ele terminou o bourbon e balançou o gelo no copo de leve, mas fingi não entender, pois ele já havia bebido demais.

"Sabe, doutora?", ele disse, mastigando as palavras, "gosto muito de você, embora seja um pé no saco."

"Obrigada. Amanhã de manhã a gente conversa."

"Já é amanhã de manhã."

E balançou o gelo do copo novamente.

"Hora de dormir", repeti.

Passava das duas da madrugada quando apaguei a luz de cabeceira. Graças a Deus era a vez de Fielding passar o sábado no necrotério. Os pássaros já cantavam no quintal quando criei coragem para pôr os pés no chão, faltando um pouco para as nove horas. O sol refletia luz pelo mundo como uma criança agitada batia bola. A claridade era tanta que as paredes da cozinha pareciam brancas, e os equipamentos de aço inoxidável, espelhos. Coei café e tentei clarear a mente, pensando nos arquivos copiados para meu computador. Pensei em abrir persianas e janelas para sorver o ar primaveril, mas o rosto de Carrie surgiu na minha frente outra vez.

Fui para a sala ver Marino. Ele dormia do jeito como vivia, lutando contra a existência física como se ela fosse um inimigo. Chutara as cobertas para o meio da sala, amarfanhara o travesseiro e enrolara os lençóis entre as pernas.

"Bom dia", falei.

"Ainda é cedo", ele resmungou.

Virando-se, cobriu a cabeça com o travesseiro. Usava cueca samba-canção azul e camiseta quinze centímetros acima da barriga inchada. Sempre me espantou que os homens não sentissem vergonha da gordura, como acontecia com as mulheres. A meu modo, eu procurava manter sempre a forma. Quando as roupas começavam a apertar na cintura, tanto minha disposição geral como a libido despencavam desagradavelmente.

"Pode dormir mais um pouquinho", falei.

Peguei o cobertor no chão e estendi por cima dele. Marino voltou a ressonar como um javali ferido e eu fui para a mesa da cozinha telefonar para Benton, que estava num hotel em Nova York.

"Espero não ter acordado você", falei.

"A bem da verdade, eu já estava de saída. Tudo bem com você?"

Carinhoso, mas distante.

"Estaria melhor se você estivesse aqui e ela atrás das grades."

"O problema é que eu conheço seus padrões de comportamento, e ela sabe disso. Equivale a não saber nada, entende?", ele disse no tom contido que indicava contrariedade. "Na noite passada, vários agentes se disfarçaram de sem-teto e perambularam pelos túneis de Bowery. Um modo muito agradável de passar a noite, devo dizer. Visitamos o local onde Gault foi morto."

Benton sempre fazia questão de dizer *onde Gault foi morto* em vez de *onde você matou Gault.*

"Estou convencido de que ela voltou lá, e de que fará isso novamente", prosseguiu. "Não por sentir falta dele, mas sim porque se excita com tudo o que a faz recordar os crimes violentos que cometeram juntos. Pensar no sangue dele a excita. Para ela, tudo é uma questão de estímulo sexual, de sensação de poder na qual se viciou. Nós dois sabemos o que isso significa, Kay. Ela vai precisar se satisfazer logo, caso ainda não tenha apanhado alguém sem que a gente saiba. Lamento o pessimismo, mas minha intuição diz que os atos dela serão muito piores do que os anteriores."

"Acho difícil imaginar coisas piores do que aquilo", falei, embora no fundo não pensasse assim.

Sempre que acreditava ser impossível aos seres humanos fazer algo pior, eu errava. Ou talvez fosse apenas mais chocante o mal primitivo numa sociedade de seres humanos altamente evoluídos que viajavam a Marte e se comunicavam pela internet.

"E nem sinal dela, até agora", falei. "Nenhuma pista."

"Temos centenas de pistas que não dão em nada. A polícia de Nova York criou um grupo especial de busca, como você deve saber. E temos uma central de atendimento telefônico funcionando 24 horas por dia."

"Quanto tempo você pretende ficar aí?"

"Não sei."

"Bem, tenho certeza de que Carrie sabe muito bem onde você se encontra, caso ainda esteja em Nova York. No New York Athletic Club, onde você sempre se hospeda. A dois prédios do local onde ela e Gault tinham um quarto, naquela época." Irritei-me novamente. "Suponho que o plano do Bureau seja usar você como isca e esperar para ver se ela tenta pegá-lo."

"Uma boa idéia", ele disse. "Tomara que dê certo."

"E se der?", falei, sentindo o pavor gelar meu sangue e ampliar minha raiva. "Eu prefiro que você volte para casa e deixe o FBI cuidar do caso. Não posso aceitar isso, você se aposentou e eles não queriam nem ouvir falar no seu nome, até a hora em que resolvem usá-lo como isca..."

"Kay..."

"Como você pode permitir que o usem desse jeito..."

"Não é nada disso. Trata-se de uma escolha minha, quero terminar o serviço. Ela foi um caso meu desde o início e no que me diz respeito continua sendo. Não posso ficar deitado na praia tomando sol sabendo que ela está solta e vai matar de novo. Como posso desviar o rosto e olhar para o outro lado enquanto você, Lucy, Marino... quando todos nós corremos perigo?"

"Benton, você não pode se transformar num capitão Ahab, entende? Não permita que isso vire uma obsessão."

Ele riu.

"Estou falando sério, diacho."

"Prometo que ficarei longe das baleias-brancas."

"Você já está deixando uma delas maluca."

"Eu amo você, Kay."

Segui pelo corredor até meu escritório enquanto me perguntava por que me dava ao trabalho de repetir as mesmas palavras batidas para ele. Conhecia seu comportamento quase tão bem quanto conhecia o meu. A noção de ele não fazer exatamente o que estava fazendo no momento era tão inadmissível quanto eu permitir que outro patologista forense assumisse o caso Warrenton porque eu tinha o direito de pegar mais leve, a esta altura da vida.

Acendi a luz do escritório espaçoso, revestido de madeira. Abri a persiana para deixar entrar a luz matinal. Minha área de trabalho era vizinha do quarto, e nem a empregada sabia que todas as janelas da parte íntima da casa tinham vidros à prova de balas, iguais aos vidros do departamento, no centro da cidade. Não me preocupava apenas com as Carries deste mundo. Infelizmente, havia inúmeros criminosos cumprindo pena que me culpavam por sua condenação, e em sua maioria eles não ficavam presos para sempre. Eu recebia minha cota de cartas ameaçadoras, sujeitos jurando me pegar quando saíssem da cadeia. Eles gostavam do modo como eu falava, me vestia e me comportava. Pretendiam dar um jeito nisso.

A verdade deprimente, porém, é que ninguém precisa ser detetive, especialista em perfis psicológicos de criminosos ou médico-legista para se tornar alvo potencial dos predadores. As vítimas, em sua maioria, são pessoas vulneráveis. Estão no carro, levando as compras para casa ou num estacionamento. Enfim, como diz o ditado, no lugar errado na hora errada. Entrei na America Online e achei os arquivos da pesquisa feita no banco de dados do ATF em minha caixa de correio. Dei a instrução para imprimir e voltei para pegar mais café na cozinha.

Marino entrou quando eu pensava em comer algo. Estava vestido, com a fralda da camisa fora da calça e a barba por fazer.

"Preciso ir embora", falou, bocejando.

"Você toma o café-da-manhã comigo?"

"Obrigado, não dá. Como qualquer coisa no caminho. Acho que vou parar no Liberty Valance", disse, como se nunca houvéssemos discutido seus hábitos alimentares.

"Obrigado por ter passado a noite aqui", falei.

"De nada."

Ele acenou ao sair e eu acionei o alarme. Retornei ao escritório para enfrentar a deprimente pilha de papel. Depois de quinhentas páginas, precisei abastecer a bandeja da impressora, que continuou trabalhando por mais trinta minutos. Os dados incluíam nomes, datas, locais e relatórios dos investigadores. Além disso, havia plantas baixas, diagramas e resultados dos testes de laboratório. Em certos casos, até fotos escaneadas. No mínimo, eu passaria o resto do dia examinando o material. Já começava a pensar que meu otimismo de Pollyanna provavelmente ia ser puro desperdício de tempo.

Mal eu estudara uma dúzia de casos, assustei-me com a campainha. Não esperava visitas e seria praticamente impossível alguém chegar de surpresa, passando pela guarita do condomínio fechado sem que me avisassem. Calculei que fosse alguma criança da vizinhança tentando vender uma rifa, assinatura de revista ou doces. Ao olhar o monitor do sistema de circuito fechado, porém, fiquei atônita ao ver que a câmera estava registrando a figura de Kenneth Sparkes parado na porta da minha casa.

"Kenneth?", falei pelo interfone, sem conseguir ocultar a surpresa na voz.

"Doutora Scarpetta, lamento vir sem avisar, mas preciso muito falar com a senhora", ele disse, olhando para a câmera.

"Já vou."

Desci apressadamente e abri a porta. Sparkes parecia

exausto, de calça cáqui e camisa pólo verde manchada de suor. No cinto, notei o celular e o pager. Na mão, ele trazia uma pasta de crocodilo tamanho ofício, com zíper.

"Por favor, entre", falei.

"Conheço a maioria dos seus vizinhos", explicou. "Caso se interesse em saber como passei pela guarita."

"Acabei de passar um café."

Senti a fragrância do perfume que ele usava quando entramos na cozinha.

"Espero que me perdoe por ter aparecido assim de repente", disse. Aparentava sinceridade. "Mas não sabia a quem recorrer, doutora Scarpetta, e temia que a senhora se recusasse a me receber, se tentasse marcar uma hora."

"Provavelmente faria isso mesmo."

Peguei duas canecas no guarda-louça.

"Como prefere seu café?", perguntei.

"Puro como sai do bule", ele disse.

"Quer comer algo, uma torrada?"

"Não, obrigado."

Sentamo-nos à mesa em frente à janela. Abri a porta que dava para fora, pois de repente a casa ficou abafada, quente. Idéias ruins passaram por minha cabeça, eu sabia que Sparkes era suspeito de homicídio e que eu estava profundamente envolvida no caso. Não deveria ficar sozinha com ele em minha casa num sábado de manhã. Ele colocou a pasta sobre a mesa e abriu o zíper.

"Suponho que a senhora saiba tudo o que acontece numa investigação", ele disse.

"Nunca sei tudo a respeito de nenhum assunto."

Tomei um gole de café.

"Não sou ingênua, Kenneth", falei. "Por exemplo, se você não tivesse influência, jamais conseguiria entrar no condomínio sem que me avisassem. E não estaríamos aqui sentados, conversando."

Ele puxou um envelope pardo de dentro da pasta e empurrou para o meu lado da mesa.

"Fotografias", disse secamente. "De Claire."

Hesitei.

"Passei algumas noites na casa de praia", ele explicou.

"Em Wrightsville?"

"Sim. Lá, lembrei-me das fotos, que estavam num arquivo de pastas suspensas. Não as via desde que paramos de namorar, tinha até me esquecido de sua existência. São fotos para divulgação. Não me recordo dos detalhes, mas ela me deu o material quando começamos a sair juntos. Acho que já contei que ela trabalhou um pouco como modelo."

Peguei as fotos no envelope, cerca de vinte poses no formato 20 × 25. A de cima era sensacional. Sparkes dissera a verdade na fazenda de Hootowl. Claire Rawley era magnífica, fisicamente. O cabelo chegava ao meio das costas, perfeitamente liso, parecia banhado a ouro quando ela foi fotografada na praia de short e top justinho, que mal cobria os seios. Usava no pulso direito um relógio grande, talvez para mergulho, com pulseira de plástico preto e mostrador cor de laranja. Claire Rawley lembrava uma deusa nórdica, com sua fisionomia atraente e bem definida a completar o corpo atlético e sensual. Na areia, atrás dela, havia uma prancha de surfe amarela, e ao fundo o oceano faiscava.

As outras fotos foram feitas em cenários diferentes, também exuberantes. Em algumas, ela estava sentada na varanda de uma mansão sulista decadente, em estilo gótico, ou num banco de jardim que dava para um jardim ou cemitério exageradamente viçoso. Em outras, bancava a sereia no meio de pescadores crestados pelo sol, a bordo de uma traineira de Wilmington. Algumas poses eram artificiais e forçadas, mas não importava. No fim das contas, Claire Rawley era uma obra-prima em carne humana, uma escultura magnífica cujos olhos revelavam uma tristeza incomensurável.

"Não sei se ajudam alguma coisa", disse Sparkes após um longo período de silêncio. "Afinal de contas, desconheço o que a senhora encontrou, quero dizer... bem."

Ele tamborilava na mesa com o indicador, nervoso.

"Em casos como este", expliquei pausadamente, "a identificação visual torna-se quase impossível. Mas a gente nunca sabe se algo assim pode ser útil ou não. No mínimo, não há nada nas fotos que prove que o corpo *não era* de Claire Rawley."

Examinei as fotos novamente, procurando jóias.

"Ela usa um relógio curioso", comentei.

Ele sorriu e olhou. Depois deu um suspiro.

"Presente meu. Era um desses relógios da moda, muito popular entre os surfistas. Tinha um nome esquisito. *Animal?* Conhece?"

"Minha sobrinha teve um parecido, creio", lembrei-me. "Relativamente barato. Oitenta, noventa dólares?"

"Não me lembro de quanto paguei. Mas comprei-o na loja de surfe onde ela costumava ficar. Sweetwater Surf Shop, em South Lumina, perto do Vito's, Reddog's e Buddy's Crab. Ela morava perto dali, com várias moças. Num prédio antigo, meio suspeito, em Stone Street."

Anotei tudo.

"Mas ficava perto do mar. Era dali que ela gostava."

"E quanto a jóias? Sabe se ela usava algo diferente?"

Ele parou para pensar.

"Uma pulseira?"

"Não me lembro."

"Chaveiro?"

Balançou a cabeça.

"Talvez um anel?", perguntei.

"Ela usava anéis espalhafatosos, de vez em quando. De prata, baratos."

"Mas não uma aliança de platina."

Ele hesitou, apanhado de surpresa.

"Você disse de platina?", ele indagou.

"Sim. Bem grande, por sinal."

Olhei para suas mãos.

"Na verdade, deve servir em você."

Ele se recostou na cadeira e olhou para o teto.

"Meu Deus", disse. "Ela deve ter ficado com a aliança. Eu tenho uma, de platina. Costumava usá-la quando Claire ficava comigo. Ela brincava, dizendo que eu estava casado comigo mesmo."

"Você acha que ela a pegou em seu quarto?"

"Da caixa de couro. Deve ter sido isso."

"E você deu por falta de mais alguma coisa, na casa?", perguntei.

"Uma das armas da coleção sumiu. O ATF recuperou o restante. Estão imprestáveis, claro."

Estava cada vez mais chateado.

"Que tipo de arma?"

"Uma Calico."

"Espero que não esteja na mão de alguém, nas ruas", falei preocupada.

A Calico é uma submetralhadora terrível, parecida com a Uzi, com um cilindro grande preso em cima. Calibre nove milímetros, capaz de realizar cem disparos por carga.

"Você precisa contar tudo isso para a polícia e para o ATF", avisei.

"Já contei a maior parte."

"Tudo, Kenneth, e não apenas uma parte."

"Compreendo", ele disse. "Farei isso. Mas quero saber se era ela, doutora Scarpetta. Por favor, compreenda. Não me importo com outras questões, no momento. Admito que telefonei para o apartamento dela. Nenhuma das moças a viu na semana passada. A última vez que ela dormiu lá foi na sexta-feira anterior ao incêndio. Na véspera do desastre, para ser preciso. A moça com quem falei disse que Claire parecia distante, deprimida, quando se cruzaram na cozinha. Mas não falou nada a respeito de sair da cidade."

"Pelo que vejo, você andou bancando o investigador", falei.

"A senhora não faria o mesmo, no meu lugar?"

"Faria."

Nossos olhos se cruzaram e percebi seu sofrimento. Gotículas de suor surgiram na testa, e ele falava como se a boca estivesse muito seca.

"Vamos voltar às fotos", sugeri. "Por que foram tiradas, exatamente? Era um serviço de modelo? Para quem? Você sabe?"

"Alguma coisa local, só me lembro vagamente", ele disse, olhando para a janela atrás de mim. "Ela mencionou algo a respeito da Associação Comercial, para divulgar a praia."

"E por que motivo ela lhe deu as fotos?"

Continuei examinando lentamente as imagens.

"Só porque gostava de você? Para impressioná-lo, talvez?"

Ele riu, pesaroso.

"Gostaria que essas fossem as únicas razões", respondeu. "Mas ela sabia que eu tinha alguma influência, conhecia o pessoal da indústria cinematográfica. Gostaria que ficasse com as fotos, por favor."

"Então ela esperava que você a ajudasse na carreira?", falei ao encará-lo.

"Claro."

"E você ajudou?"

"Doutora Scarpetta, ninguém precisa ser um gênio para perceber que eu devo tomar muito cuidado ao escolher quem vou promover", ele disse com sinceridade. "Pegaria muito mal se eu saísse por aí distribuindo fotos de minha jovem namorada branca para ajudá-la a fazer carreira. Procuro levar esse tipo de relacionamento do modo mais discreto possível."

A indignação acendeu seus olhos enquanto a mão alisava a caneca de café.

"Não ando por aí escancarando minha vida pessoal. Nunca agi assim. Devo acrescentar que a senhora não pode acreditar em tudo o que lê."

"Não acredito", falei. "Sei melhor do que ninguém como são essas coisas, Kenneth. Para ser honesta, não me interesso por sua vida pessoal. Mas gostaria de saber por que resolveu entregar as fotos a mim, e não aos policiais encarregados da investigação, na comarca de Fauquier, ou aos investigadores do ATF."

Olhando para mim com firmeza, ele respondeu: "Para efeito de identificação, como já afirmei. Além disso, confio na senhora. Esse é o elemento mais importante da equação. Nossas diferenças não importam, sei que a senhora não tira conclusões precipitadas nem acusa pessoas injustamente".

"Entendo."

Meu constrangimento aumentava a cada minuto, e francamente eu torcia para que ele fosse logo embora, poupando-me a tarefa de dispensá-lo.

"Sabe, seria muito mais conveniente colocar toda a culpa em mim. E há muitas pessoas que querem me pegar há anos, gente que adoraria ver minha ruína, prisão ou morte."

"Nenhum dos investigadores com quem estou trabalhando sente isso", falei.

"Não me preocupo com a senhora, Marino ou o ATF", ele retrucou imediatamente. "Falo das facções que têm poder político. Supremacistas brancos, racistas das milícias que fazem acertos por baixo do pano com pessoas cujos nomes você bem conhece. Creia em mim."

Ele desviou o olhar e os músculos da face se retesaram.

"As cartas foram preparadas para que eu perca", prosseguiu. "Se alguém não chegar ao fundo dessa história, meus dias estão contados. Sei disso. E quem é capaz de assassinar cavalos inocentes e indefesos é capaz de tudo."

Sua boca tremia e os olhos se encheram de lágrimas.

"Eles foram queimados vivos!", exclamou. "Que tipo de monstro é capaz de fazer uma coisa dessas?"

"Um monstro terrível", falei. "E pelo jeito não faltam monstros do gênero no mundo, hoje em dia. Você sabe algo a respeito do potro? O que vi quando estive no local do incêndio? Presumo que um de seus cavalos conseguiu escapar."

"Windsong", ele confirmou o que eu já imaginava, ao limpar os olhos com o guardanapo. "Um lindo animal. Tem um ano de idade, nasceu na minha fazenda, filho de dois campeões valiosos, que morreram no incêndio." As palavras saíam com dificuldade. "Como Windsong conseguiu fugir, não sei. É um mistério."

"A não ser que Claire — caso seja mesmo Claire — tenha montado nele, e não tenha tido oportunidade de levá-lo de volta para a cocheira", sugeri. "Ela não conheceu Windsong numa das visitas à fazenda?"

Sparkes tomou fôlego e esfregou os olhos. "Não, duvido que Windsong já tivesse nascido na época. Na verdade, eu me lembro de que Wind, a mãe dele, estava grávida quando Claire me visitava."

"Então Claire pode ter deduzido que Windsong era filho de Wind?"

"Ela pode ter chegado a essa conclusão."

"E onde Windsong está agora?", indaguei.

"Graças a Deus foi apanhado e enviado para a fazenda Hootowl, onde se encontra em segurança, sendo bem cuidado."

Para ele, falar sobre seus cavalos era devastador. Não achei que estivesse fingindo. Apesar de toda a sua desenvoltura como personalidade pública, Sparkes não podia ser um ator tão bom. Seu autocontrole quase entrara em colapso. Ele lutava bravamente, mas estava a ponto de sucumbir. Empurrou a cadeira e se levantou da mesa.

"Devo contar mais uma coisa", disse enquanto eu o acompanhava até a saída. "Se Claire estivesse viva, creio que teria tentado entrar em contato comigo. No mínimo, mandaria uma carta. Supondo, claro, que ela soubesse a respeito do incêndio, e não vejo como poderia ignorá-lo. Era muito sensível e gentil, apesar de seus problemas."

"Quando você esteve com ela pela última vez?" Abri a porta da rua.

Sparkes me encarou e novamente senti que a força de sua personalidade era tão atraente quanto assustadora. Não pude deixar de pensar que ele ainda me intimidava.

"Faz um ano, mais ou menos."

O Jeep Cherokee prateado dele estava no acesso. Esperei até que entrasse no veículo para fechar a porta. Não pude deixar de imaginar o que meus vizinhos pensariam se o reconhecessem quando saía de minha casa. Em outra ocasião eu daria risada, mas no momento não via a menor graça naquela visita. Por que viera pessoalmente, em vez de mandar alguém entregar as fotos, era a primeira pergunta, e a mais importante.

Mas sua curiosidade a respeito do caso não fora indevida. Não usara poder nem influência para tentar me manipular. Não tentara influenciar minha opinião nem mesmo meus sentimentos a seu respeito. Não que eu tivesse percebido, pelo menos.

11

Esquentei um pouco de café e retornei ao escritório. Passei um tempo sentada na poltrona ergonomicamente correta, examinando repetidas vezes as fotografias de Claire Rawley. Se o assassinato havia sido premeditado, por que ocorreu justamente quando ela se encontrava num lugar onde não deveria estar?

Mesmo que os inimigos de Sparkes fossem os culpados, não era coincidência demais eles atacarem no momento em que a moça resolveu aparecer na fazenda, sem ter sido convidada? Mesmo sendo racista, alguém teria coragem de queimar cavalos vivos, só para atingir o dono deles?

Eu ignorava as respostas. Retomei o estudo dos casos do ATF, lendo página por página enquanto as horas transcorriam, até minha vista começar a doer. Passei por incêndios em igrejas, casas e lojas, além de uma série de boliches nos quais o incêndio começava sempre na mesma pista. Prédios de apartamentos, destilarias e fábricas de produtos químicos queimaram até virar cinza, e em todas as ocasiões as causas eram suspeitas, embora nem sempre tivessem sido conseguidas provas de ato criminoso.

Já os homicídios eram mais inusitados e geralmente cometidos por um assaltante nervoso e inexperiente, ou pelo marido incapaz de prever que os vizinhos iam chamar a polícia quando a família inteira desaparecia e fragmentos de ossos surgiam no buraco nos fundos da casa onde costumavam queimar o lixo. Além disso, pessoas mortas não respiram monóxido de carbono, e os projéteis alojados em seus corpos aparecem nos raios X. Por volta das dez da noite, porém, eu havia topado com duas mortes que me chamaram a atenção. Uma delas ocorrera em março passado, e a outra, seis meses antes. O caso mais recente era de Baltimore, a vítima, um homem de 25 anos chamado Austin Hart, estudante de medicina na Johns Hopkins, falecido no incêndio de uma casa nas imediações do campus. Estava sozinho, era época das férias de primavera.

Segundo o relato da polícia, o fogo começou numa noite de domingo e já havia tomado a casa inteira quando os bombeiros chegaram. Hart foi muito atingido pelas chamas e só foi possível identificá-lo pela semelhança entre as raízes dos dentes e as extremidades dos ossos alveolares trabeculares nas radiografias tiradas antes e depois do óbito. O fogo originou-se no banheiro do andar superior, sem que a ocorrência de curto-circuito ou o uso de combustíveis tivessem sido detectados.

O ATF entrara no caso por convocação do corpo de bombeiros de Baltimore. Achei interessante chamarem Teun McGovern na Filadélfia para dar consultoria. Após várias semanas de penosa análise dos detritos, entrevistas com testemunhas e testes nos laboratórios do ATF em Rockville, foram reunidos indícios de incêndio criminoso e portanto homicídio. Contudo, não foi possível provar nenhum dos dois. A reconstituição virtual não pôde explicar como um incêndio tão rápido e intenso começou num banheiro minúsculo ladrilhado onde havia apenas pia e privada de porcelana, persiana no vitrô e banheira com cortina plástica.

O incêndio anterior aconteceu no mês de outubro, em Venice Beach, na Califórnia, também numa noite de domingo, numa casa de frente para o mar a dez quadras do legendário ponto de malhação conhecido como Muscle Beach. Marlene Faber, 23 anos, era uma atriz cuja carreira se resumia a pontas em novelas e seriados cômicos. Ganhava a vida fazendo comerciais para a televisão. Os detalhes do incêndio que consumiu seu chalé de tábuas maciças de cedro eram tão enigmáticos e inexplicáveis quanto os de Austin Hart.

Quando li que o foco inicial do fogo havia sido o banheiro da suíte do espaçoso chalé, senti subir o nível de adrenalina. A vítima ficou reduzida a fragmentos esbranquiçados, calcinados. Fizeram uma comparação entre os raios X dos restos mortais e a chapa de pulmão rotineira tirada dois anos antes. Ela foi identificada graças a uma costela, basicamente. Não foi detectada a presença de inflamáveis nem apresentada uma explicação para o surgimento, no banheiro, de labaredas capazes de subir 2,5 metros e atingir o andar superior. Banheira, vaso sanitário, pia e bancada com cosméticos não seriam o suficiente, obviamente. De acordo com o satélite do Serviço Nacional de Meteorologia, nenhum raio caiu num círculo de 150 quilômetros a partir da casa dela nas 48 horas anteriores.

Eu estava refletindo sobre tudo isso, com um cálice de pinot noir na mão, quando Marino telefonou, à uma da manhã.

"Está acordada?", perguntou.

"Isso importa?"

Sorri, pois ele sempre fazia a pergunta quando ligava em horários impróprios.

"Sparkes possuía quatro Mac dez com silenciadores, que ele supostamente adquiriu por 1600 dólares cada. Tinha também uma mina claymore que lhe custou 1100, e uma sub MP40. Para completar, noventa granadas vazias."

"Prossiga", falei.

"Ele disse que era armamento da Segunda Guerra Mundial que gostava de colecionar, como os barris de bourbon, originários de uma destilaria no Kentucky que faliu há cinco anos. Pelo bourbon ele se safaria com uma multa e olhe lá; levando em conta o resto, ninguém daria muita bola para bebida sem licença. No caso das armas, eram todas registradas e ele havia pago os impostos. Portanto, nada teria a temer se um investigador de Warrenton não tivesse enfiado na cabeça que a jogada secreta de Sparkes era a venda de armas a grupos anticastristas da Flórida.

"Com base em quê?"

"Puxa, agora você me pegou. Mas o pessoal de Warrenton está correndo atrás disso feito cachorro atrás de carteiro. Segundo a teoria deles, a vítima sabia demais e Sparkes não viu outra saída senão se livrar da moça, mesmo que para isso precisasse torrar tudo o que tinha, inclusive os cavalos."

"Se ele traficasse armas", retruquei impaciente, "então teria em estoque mais do que um par de submetralhadoras e um punhado de granadas vazias."

"Decidiram pegá-lo, doutora. Por ele ser quem é, pode levar um tempo."

"E quanto à Calico desaparecida?"

"Como você sabe a respeito disso, diacho?"

"Consta que sumiu uma Calico, certo?"

"Ele declarou isso, mas como você..."

"Ele veio me visitar hoje."

Seguiu-se uma longa pausa.

"Do que você está falando?", perguntou Marino. "Como assim, visitar você? Onde?"

"Em casa. Sem ser convidado. Trouxe fotografias de Claire Rawley."

Marino ficou tanto tempo em silêncio que cheguei a pensar que desligara.

"Sem querer ofender", ele disse finalmente, "você tem certeza de que não está sendo usada, em função de quem..."

"Não estou", interrompi.

"Bem, dá para saber alguma coisa, pelas fotos que viu?" Ele recuou.

"Só que a suposta ex-namorada era extraordinariamente bela. O cabelo é semelhante ao da vítima, assim como as estimativas de altura e peso. Ela usava um relógio parecido com o encontrado no corpo e não foi mais vista pelas colegas de apartamento desde a véspera do incêndio. Dá para começar, mas não resolve a questão da identidade."

"E a única informação que a polícia de Wilmington conseguiu da universidade foi que Claire Rawley existe, ao que sei. Está matriculada, chegou a freqüentar alguns cursos, mas não apareceu no semestre passado."

"Mais ou menos na época em que Sparkes terminou o caso com ela."

"Se ele estiver dizendo a verdade", ressaltou Marino.

"E quanto aos pais dela?"

"A universidade se recusa a divulgar qualquer outra informação a respeito dela. Típico. Precisaremos de uma ordem judicial. Sabe como são essas coisas. Achei que você podia falar com o reitor ou alguém de lá, ver se eles facilitam um pouco. Essa gente prefere se abrir com um médico a falar com a polícia."

"E o dono do Mercedes? Já apareceu, por acaso?"

"A polícia de Wilmington montou um esquema de vigilância na casa dele", respondeu Marino. "Olharam pela janela, cheiraram pelo vão das cartas na porta para saber se tinha alguém apodrecendo lá dentro. Mas, até agora, nada. Parece que ele desapareceu em pleno ar e não temos elementos suficientes para arrombar a porta."

"Qual a idade?"

"Quarenta e dois. Cabelos e olhos castanhos, 1,75 metro, oitenta quilos."

"Bem, alguém deve saber onde ele está ou pelo menos quando foi visto pela última vez. Um médico não abandona o consultório sem que ninguém perceba."

"Até agora, tudo indica que foi isso mesmo. Os clientes foram à casa dele para consultas. Ninguém telefonou cancelando nem nada. Ele sumiu. Os vizinhos não vêem o doutor nem o automóvel há pelo menos uma semana. Não o viram sair de carro, nem sozinho nem acompanhado. Consta apenas que uma vizinha idosa falou com ele no dia 5 de junho, pela manhã — na quinta-feira anterior ao incêndio. Os dois saíram para pegar o jornal ao mesmo tempo e ela o cumprimentou. Disse que o sujeito parecia apressado, menos cordial que de costume. Até o momento, é só o que temos."

"Será que Claire Rawley era paciente dele?"

"Sei lá. Só espero que ainda esteja vivo", disse Marino.

"Eu também", falei, preocupada.

Um médico-legista não é policial, mas sim o responsável pelo recolhimento de elementos materiais de prova. Realiza a parte intelectual do trabalho de detetive, no entanto suas testemunhas estão mortas. Contudo, há momentos em que não me atenho rigidamente a funções e definições.

Para mim, a justiça é mais importante do que os códigos, principalmente quando acredito que ninguém está levando em conta os fatos. Quando tomava café no domingo de manhã, resolvi visitar o ferrador que cuidara dos cavalos de Sparkes dois dias antes do incêndio, Hughey Dorr. Não fui guiada apenas pela intuição.

Os sinos dos templos das igrejas Grace Baptist e First Presbyterian tocavam enquanto eu lavava a xícara de café na pia. Em seguida, procurei nas anotações o número telefônico que um dos investigadores do ATF me dera. O ferrador, conhecido como ferreiro quando sua profissão era mais abrangente, não estava em casa quando liguei. Mas falei com a mulher dele e expliquei quem eu era.

"Ele foi para Crozier", ela informou. "Vai passar o dia inteiro lá, em Red Feather Point. Fica perto de Lee Road, na margem norte do rio. Não tem como errar o caminho."

Eu sabia que poderia errar o caminho facilmente. Ela falava de uma região da Virgínia onde praticamente só criavam cavalos, e, para ser franca, as fazendas para mim eram iguais. Pedi indicações mais precisas.

"Bem, fica do outro lado do rio, na frente da penitenciária estadual. Onde os presos trabalhavam nas fazendas de gado leiteiro", ela acrescentou. "Você deve saber onde fica."

Infelizmente, eu sabia. Já estivera lá quando algum preso se enforcara na cela ou matara um companheiro. Consegui o número do telefone e liguei para perguntar se podia ir até o lugar. Como costumava acontecer com os privilegiados que se dedicavam a criar cavalos, os donos não se mostraram nem um pouco interessados em minha atividade, mas disseram que eu encontraria o ferrador no estábulo verde. Voltei ao quarto para pôr jeans, camiseta pólo e botas de amarrar antes de ligar para Marino.

"Pode ir comigo se quiser, mas eu posso resolver isso sozinha", falei.

A televisão estava sintonizada num jogo de beisebol, no último volume. O telefone bateu em uma superfície dura, quando ele o largou. Percebi que ofegava um pouco.

"Droga", disse.

"Pois é", concordei. "Também estou cansada."

"Passo aí em meia hora."

"Posso pegá-lo para poupar tempo", ofereci.

"Ótimo, será melhor."

Ele residia ao sul do rio James, num bairro com terrenos arborizados próximo à faixa ocupada por lojas e shoppings conhecida como via expressa Midlothian, onde as pessoas podiam comprar armas leves, motocicletas, lanches e mandar lavar e encerar o carro. A casa de Marino, com revestimento de alumínio pintado de branco, situava-se na Ruthers Road, quase na esquina onde estavam a Bon Air Cleaners e a Ukrop's. No jardim tremulava uma bandeira americana, e o quintal era cercado por um alambrado. Um abrigo protegia a picape.

O sol se refletia nas fileiras de luzes natalinas que acompanhavam todas as linhas e ângulos da residência de Marino. As lâmpadas coloridas enfeitavam arbustos e subiam pelas árvores, aos milhares.

"Continuo achando que você não devia acender essas luzes", falei mais uma vez, quando ele abriu a porta.

"Já sei. Prefere que eu tire tudo e ponha de volta quando chegar o dia de Ação de Graças", ele respondeu, como sempre. "Você faz idéia de quanto tempo isso ia demorar, levando em conta que sempre acrescento mais um pouco, todos os anos?"

Sua obsessão chegara ao ponto de obrigá-lo a instalar uma caixa de fusíveis independente para a decoração de Natal, que no conjunto incluía uma carruagem de Papai Noel puxada por oito renas, um boneco de neve, bengalas listradas, brinquedos e Elvis no meio do jardim a entoar canções natalinas pelos alto-falantes. O espetáculo montado por Marino era tão exuberante que seu brilho podia ser visto a quilômetros de distância. A casa fora incluída no guia turístico oficial de Richmond, o *Tacky Tour*. Sempre me intrigara que um sujeito tão anti-social não se importasse com as filas intermináveis de carros e limusines, nem com as piadas dos bêbados.

"Ainda estou tentando entender o que foi que deu em você", falei quando ele entrou no carro. "Há dois anos você nem pensaria em fazer uma coisa dessas. De repente, a troco de nada, transformou sua casa num parque de diversões. Fico preocupada com o risco de curto-circuito, também. Sei que já dei minha opinião a respeito antes, mas não posso evitar..."

"Talvez eu também não possa evitar."

Ele prendeu o cinto de segurança e pegou um cigarro.

"Como você reagiria se eu enfeitasse minha casa desse modo e deixasse as luzes acesas o ano inteiro?"

"Do mesmo jeito que eu reagiria se você comprasse uma picape, mandasse fazer uma piscina suspensa e começasse a comer biscoitos Bojangles todos os dias. Pensaria que estava fora de si."

"E teria razão", falei.

"Certo."

Ele brincava com o cigarro apagado.

"Acho que cheguei num momento da vida em que é tudo ou nada", ele disse. "Que se dane o que as pessoas pensam. A gente só vive uma vez, porra. E não sei quanto tempo ainda vou ficar por aqui."

"Marino, você está ficando mórbido demais."

"O nome disso é realidade."

"E a realidade é que você vai acabar em cima da minha mesa, se morrer. Isso deveria bastar como incentivo para se cuidar e ficar por aqui um bom tempo, ainda."

Ele se calou e ficou olhando pela janela enquanto eu seguia pela Route 6, atravessando a comarca de Goochland, onde a mata era densa e eu percorria quilômetros sem ver um único carro. A manhã, embora clara, anunciava um dia quente e úmido. Passei por casas modestas com teto de zinco, varandas aconchegantes e bebedouros para pássaros no jardim. As maçãs verdes vergavam os ramos retorcidos até o chão. Os girassóis pareciam rezar, com suas cabeças pesadas viradas para baixo.

"Na verdade, doutora", Marino resolveu falar novamente, "é como uma premonição ou algo assim. Vejo que meu tempo está acabando. Penso na minha vida e percebo que já fiz praticamente tudo. Se não fizer mais nada, já terei feito o bastante, entende? Então, na minha cabeça só vejo um muro à frente e nada para mim do outro lado. Fim da linha. Estou de saída. É só uma questão de quando e como. Por isso, resolvi fazer o que me der na telha. Tudo bem, não concorda?"

Eu não sabia bem o que dizer, e a imagem de sua casa enfeitada para o Natal me encheu os olhos de lágrimas. Ainda bem que estava usando óculos escuros.

"Não torne isso realidade, Marino", falei com voz pausada. "As pessoas pensam demais numa coisa, ficam muito estressadas e acabam fazendo com que aconteça."

"Como Sparkes", ele disse.

"Não consigo entender o que isso tem a ver com Sparkes."

"Talvez ele tenha pensado demais numa coisa e fez com que ela acontecesse. O sujeito é negro, muita gente o odeia, ele temia tanto que os filhos-da-mãe tirassem o que tinha que acabou pondo fogo em tudo. Matou os cavalos e a namorada branca. Acabou sem nada. O dinheiro do seguro não vai repor o que ele perdeu. De jeito nenhum. A verdade é que Sparkes se ferrou, sob todos os ângulos. Ou perdeu tudo o que amava no mundo ou vai acabar na cadeia."

"Se estivéssemos falando apenas de incêndio doloso, minhas suspeitas recairiam sobre ele", falei. "Mas trata-se também do homicídio de uma jovem. Além disso, os cavalos dele morreram todos. Levando-se isso em conta, temos um quadro muito nebuloso."

"Na minha opinião, temos outro caso O. J. nas mãos. Um sujeito rico, poderoso e negro. A ex-namorada branca tem a garganta cortada. Será que as semelhanças não a incomodam nem um pouquinho? Por favor, preciso acender um cigarro. Vou soprar a fumaça pela janela."

"Se Kenneth Sparkes assassinou a ex-namorada, por que não fez isso num lugar sem vínculo com sua pessoa?", argumentei. "Qual a necessidade de destruir tudo o que ele possui e levantar suspeitas contra si próprio?"

"Não sei, doutora. Talvez a situação tenha escapado do controle e melado, talvez o plano inicial não fosse matá-la e tocar fogo na casa."

"Nenhum aspecto do incêndio me dá a impressão de improviso", rebati. "Acho que o autor sabia exatamente o que estava fazendo."

"Ou isso ou ele deu muita sorte."

Na estrada estreita alternavam-se sol e sombra. Passarinhos nos fios telefônicos lembravam notas musicais. Quando passamos pelo restaurante North Pole e vimos a placa com o urso polar, lembrei-me dos almoços após as audiências em Goochland, com detetives e especialistas da polícia científica que a esta altura já estavam aposentados. Aqueles casos antigos de homicídio não passavam de vagas lembranças agora, pois eu tinha muitas mortes recentes na cabeça. Pensar neles e na falta que sentia dos colegas da época me entristeceu por um momento. Red

Feather Point ficava no final da longa estrada de cascalho que levava a uma fazenda majestosa, de frente para o rio James. A poeira subia após a passagem do carro enquanto eu acompanhava os meandros da cerca branca que protegia os pastos verdejantes e as pilhas de feno.

A sede de três pavimentos, branca com estrutura de madeira, tinha o caimento imperfeito das construções datadas de outros séculos. Os silos envoltos por trepadeiras também apontavam um passado remoto. Vários cavalos corriam num prado distante, e a pista de equitação de terra vermelha estava vazia quando estacionamos. Marino e eu entramos no imenso estábulo verde e seguimos o barulho do ferro golpeado pela marreta. Cavalos de raça esticaram os pescoços esplêndidos nas cocheiras e não pude resistir, toquei as cabeças aveludadas dos caçadores de raposas, puros-sangues e árabes. Parei para falar docemente com um potrinho e sua mãe, que me fitavam com imensos olhos marrons. Marino se mantinha a uma certa distância, espantando as moscas.

"Olhar para eles tudo bem", comentou. "Mas levar uma mordida como eu levei, nunca mais."

Os locais para alimentação e a selaria estavam vazios. Vi rastelos e mangueiras compridas, mas só encontrei uma mulher em trajes de montaria e boné, carregando uma sela inglesa.

"Bom dia", falei quando o som distante das batidas cessou. "Procuro o ferrador. Sou a doutora Scarpetta", acrescentei. "Liguei avisando que viria."

"Ele está lá."

Ela apontou, sem diminuir o passo.

"Aproveite que está aqui e dê uma olhada em Black Lace, pelo jeito ele não está muito bem", ordenou. Percebi que me confundira com uma veterinária.

Marino e eu fomos para um canto e encontramos Dorr sentado numa banqueta com a pata dianteira direita de uma égua branca imensa presa com firmeza entre os joelhos. Era calvo, com braços e ombros fortes. Usava um avental de ferreiro que parecia uma calça chaparreira de couro bem folgada. Suava profusamente, coberto de pó, e puxava os cravos de uma ferradura de alumínio.

"Calma", disse quando a égua ergueu as orelhas.

"Boa tarde, senhor Dorr. Sou a doutora Scarpetta, e este é o capitão Pete Marino. Sua esposa informou que poderíamos encontrá-lo aqui."

Ele ergueu os olhos para nos examinar.

"O pessoal me chama de Hughey, é o meu nome. Você é veterinária?"

"Não, sou do departamento de medicina legal. O capitão Marino e eu estamos investigando o caso Warrenton."

Uma sombra passou por seus olhos quando ele jogou a ferradura velha de lado. Tirando uma faca curva do bolso do avental, começou a raspar a ranilha até expor o casco branco marmorizado. O pedregulho incrustado soltou uma faísca.

"Quem fez aquilo devia ser fuzilado", ele disse, tirando uma raspadeira para desbastar o casco em toda a sua extensão.

"Estamos fazendo o possível para descobrir o que aconteceu", informou Marino.

"Minha tarefa é identificar a moça morta no incêndio", expliquei, "e ter uma idéia exata do que houve com ela."

"Para começar", disse Marino, "queremos saber por que a moça estava na casa."

"Eu soube disso. Muito estranho", Dorr respondeu.

Conforme ele usava a raspadeira, a égua arreganhou os dentes, irritada.

"Não sei de nenhum motivo para haver alguém na casa", ele disse.

"Pelo que sei, você esteve na fazenda alguns dias antes do incêndio", disse Marino, abrindo o bloco de anotações.

"O incêndio foi no sábado à noite", disse Dorr.

Ele passou a limpar o casco com uma escova metálica.

"Passei a quinta-feira praticamente inteira por lá. Tudo normal, como sempre. Ferrei oito cavalos e cuidei de um que sofria de uma doença infecciosa na qual as bactérias penetram nas paredes do casco. Passei formaldeído — você deve saber tudo a respeito", ele disse, dirigindo-se a mim.

Após abaixar a pata direita, ele pegou a esquerda. A égua se agitou um pouco e balançou o rabo. Dorr deu uma pancada leve em seu focinho.

"Para mostrar quem manda", explicou. "Ela teve um dia ruim. Não passam de crianças pequenas, ficam testando nossos limites de todos os modos possíveis. A gente pensa que nos amam, mas só querem saber da comida."

A égua arregalou os olhos e arreganhou os dentes quando o ferrador puxou os cravos, trabalhando numa velocidade incrível, sem diminuir o ritmo enquanto falava.

"Nas vezes em que você esteve lá uma moça visitou Sparkes?", perguntei. "Alta, muito bonita, loura, de cabelo comprido e liso?"

"Não. Em geral, quando eu ia lá, passávamos o tempo todo com os cavalos. Ele me ajudava no que era possível, era completamente louco pelos animais."

Ele puxou a faca curva novamente.

"Eu soube de muitas histórias a respeito de ele ser um grande conquistador", prosseguiu Dorr. "Mas nunca vi nada. Para mim, sempre pareceu ser um sujeito solitário, o que me surpreendeu no início, levando-se em conta de quem se trata."

"Há quanto tempo você trabalha para ele?", perguntou Marino, mudando de posição para mostrar que pretendia assumir o interrogatório.

"Vai fazer seis anos", disse Dorr, passando para a raspadeira. "Eu ia lá umas duas vezes por mês."

"E quando o viu na quinta-feira, ele comentou que ia viajar para o exterior?"

"Claro. Foi por isso que eu fui lá na quinta. Ele ia viajar para Londres no dia seguinte. Como o cavalariço tinha ido embora, Sparkes ficou sem ninguém para dar as instruções quando eu chegasse."

"Consta que a vítima chegou num Mercedes azul, modelo antigo. Alguma vez você viu um carro semelhante na fazenda?"

Dorr levantou-se da banqueta baixa de madeira e a mudou de posição, levando consigo a caixa de ferraduras. Ergueu uma pata traseira.

"Não me recordo de ter visto um carro assim por lá."

E jogou de lado outra ferradura.

"É isso aí. Nunca vi um carro como esse que você descreveu por lá. *Eia, quieta.*"

Pondo a mão na anca da égua, ele a conteve.

"Ela tem problemas nas patas", contou.

"Qual é o nome dela?", perguntei.

"Molly Brown."

"Pelo seu jeito de falar, tenho a impressão de que não é daqui", falei.

"Nasci e fui criado no sul da Flórida."

"Eu também. Em Miami", eu disse.

"Bom, aí já é tão ao sul que fica na América do Sul."

12

Um beagle entrou correndo e começou a cheirar o piso coberto de feno, atrás de lascas de cascos. Molly Brown levou a outra pata traseira ao apoio com a graça de quem estende a mão no salão de beleza para fazer a unha.

"Hughey", falei, "as circunstâncias do incêndio levantam muitas questões, muitas. Há um cadáver, mas não deveria haver ninguém dentro da casa de Sparkes. A moça morta é responsabilidade minha e quero fazer absolutamente tudo o que estiver ao meu alcance para descobrir por que ela estava lá e por que não conseguiu fugir quando o fogo começou. Você talvez seja a última pessoa a visitar a fazenda antes do incêndio. Por isso, peço que faça um esforço, busque na memória alguma coisa — qualquer coisa — que possa ter chamado sua atenção naquela dia, ou que você tenha estranhado."

"Isso mesmo", reforçou Marino. "Por exemplo, notou se Sparkes teve alguma conversa particular, íntima, pelo telefone? Sabe, por acaso, se ele esperava uma visita? Ouviu alguma vez falar no nome de Claire Rawley?"

Dorr levantou-se e bateu na anca da égua mais uma vez. Instintivamente, afastei-me das poderosas patas traseiras. O beagle latiu para mim de repente, como se eu fosse uma invasora.

"Venha cá, gracinha."

Abaixei-me e estendi a mão.

"Doutora Scarpetta, percebo que a senhora confia em Molly Brown, e ela sabe disso. No seu caso" — apontou para Marino —, "você tem medo de cavalos, e eles também percebem isso. É bom que saibam."

Dorr afastou-se, nós o seguimos. Marino manteve-se próximo à parede ao passar por um cavalo de 1,5 metro de altura, no mínimo. O ferrador deu a volta até chegar ao local onde estacionara a caminhonete. Era uma picape vermelha especial, e na caçamba havia uma forja a gás propano. Ele girou um botão e a chama azul cresceu.

"Como os cascos dela não são grande coisa, preciso fazer grampos nas ferraduras, para que fiquem bem presas. Como sapatos ortopédicos em seres humanos", comentou ao pegar uma ferradura de alumínio com a tenaz e levá-la ao fogo.

"Conto até cinqüenta, a não ser que a forja esteja muito quente", prosseguiu. Senti o cheiro de metal aquecido. "Se estiver, basta ir até trinta. O alumínio não muda de cor, só esquento um pouco a peça para torná-la mais maleável."

Ele levou a ferradura até a bigorna e fez os furos. Preparou e achatou os ganchos com a marreta. Usou um rebolo para aparar as arestas, o ruído se assemelhava ao de uma serra Stryker. Tive a impressão de que Dorr usava o trabalho para nos enrolar, para ganhar tempo ou evitar fornecer as informações que desejávamos. Com certeza ele era totalmente leal a Kenneth Sparkes.

"No mínimo", falei, "a família da moça tem o direito de saber. Preciso notificar a morte dela aos parentes, mas não posso fazer isso até confirmar sua identidade. E eles perguntarão o que aconteceu a ela. Tenho de saber."

Mas ele não tinha nada a dizer, e o seguimos de volta ao local onde Molly Brown estava. Ela havia defecado e pisoteado as fezes. Irritado, ele limpou a sujeira com uma vassoura gasta, enquanto o beagle rondava.

"Sabe, a principal defesa do cavalo é a fuga", Dorr finalmente falou, depois de prender a pata da frente com os joelhos. "A única coisa que eles querem é ir embora, por mais que a gente pense que nos adoram."

Ele pregou os cravos e fixou os ganchos na parte externa do casco, curvando-os.

"As pessoas não são muito diferentes, quando se sentem acuadas", acrescentou.

"Espero que não esteja se sentindo acuado por nós", falei ao acariciar o beagle atrás da orelha.

Dorr fixou e alisou as pontas dos ganchos com uma lima, até remover as arestas, mais uma vez demorando a responder.

"Calma", disse a Molly Brown. O cheiro de metal e esterco tomou conta do ambiente. "A questão é que vocês chegaram aqui assim, sem mais nem menos", ele prosseguiu enquanto usava o martelo para ajustar a ferradura, "e pensam que vou confiar em vocês. Seria o mesmo que achar que podem ferrar um cavalo."

"Não o culpo por pensar assim", falei.

"Eu não sei ferrar um cavalo", disse Marino. "E nem pretendo aprender."

"Eles podem agarrar uma pessoa com os dentes e jogá-la longe. Pulam, dão coices, batem com o rabo na sua cara. O melhor é deixar claro, logo de saída, quem manda. Caso contrário, é problema na certa."

Dorr levantou-se, esfregando as costas. Retornou à forja para preparar outra ferradura.

"Sabe, Hughey", disse Marino, indo atrás dele, "estou pedindo sua ajuda porque acho que deseja nos ajudar. Você gostava daqueles cavalos. Deveria se importar com a morte de uma pessoa, também."

O ferrador procurava algo num compartimento lateral da picape. Achou a ferradura desejada e a prendeu com a tenaz.

"A única coisa que posso fazer é explicar minha teoria."

Ele aproximou a ferradura da chama.

"Sou todo ouvidos", disse Marino.

"Creio que foi um serviço de profissional, e que a mulher estava metida na história. Por algum motivo, não conseguiu escapar."

"Então você acha que ela era incendiária."

"Talvez fizesse parte do bando. Mas acabou se dando mal."

"E o que o leva a pensar isso?", perguntei.

Dorr prendeu a ferradura quente na morsa.

"Sabe, o modo de vida do senhor Sparkes incomoda muita gente, principalmente os tipos nazistas", ele respondeu.

"Ainda não está claro para mim o que a moça poderia ter a ver com isso", disse Marino.

Dorr parou para esticar as costas. Virou a cabeça e o pescoço estalou.

"Talvez quem cometeu o crime não soubesse que ele ia viajar. Precisavam da moça para entrar. Ele abriria a porta para uma mulher, principalmente se já tivesse saído com ela."

Marino e eu deixamos que continuasse falando.

"Ele não é o tipo de cara que se recusa a receber um conhecido. Na verdade, na minha opinião, sempre foi legal e tranqüilo demais, expondo-se ao perigo."

A raiva do ferrador era pontuada pelo martelar e limar, e a ferradura pareceu emitir um silvo de alerta quando Dorr a colocou num balde com água. Não disse mais nada, voltando para onde estava Molly Brown. Acomodou-se novamente na banqueta e começou a pôr a ferradura nova, limando uma beirada antes de usar o martelo. A égua se inquietou por um momento, mas no geral parecia entediada.

"Posso dizer mais uma coisa, que na minha opinião se encaixa na teoria", ele disse enquanto trabalhava. "Quando eu estava na fazenda, na quinta-feira, um helicóptero ficou sobrevoando a área. Não costumam pulverizar as plantações por ali, e o senhor Sparkes e eu não entendemos se o piloto se perdera, se tinha problemas ou procurava um lugar para pousar. Ele circulou por ali uns quinze minutos e depois rumou para o norte."

"De que cor era?", perguntei, ao me lembrar do helicóptero que sobrevoara o local do incêndio quando eu estava lá.

"Branco. Parecia uma libélula branca."

"Do tipo que usa motor ou turbina?", perguntou Marino.

"Não entendo nada de helicópteros, mas era pequeno. Dois lugares, acho, e não tinha número pintado. Dá o que pensar, certo? Como se alguém estivesse fazendo um levantamento aéreo."

Os olhos do beagle se fecharam um pouco e ele deitou a cabeça em cima do meu sapato.

"E vocês nunca tinham visto aquele helicóptero sobrevoando a fazenda antes?", perguntou Marino. Notei que ele se lembrara do helicóptero branco também, mas não queria demonstrar seu interesse.

"Não, senhor. Em Warrenton não gostam de helicópteros. Eles espantam os cavalos."

"Mas há pistas de pouso particulares e aeroclubes na área", acrescentou Marino.

Dorr levantou-se outra vez.

"Fiz o melhor que pude para explicar o caso", ele disse. Tirando um lenço do bolso, enxugou o rosto.

"Já contei tudo o que sei. Droga. Estou todo dolorido."

"Só mais uma coisa", insistiu Marino. "Sparkes é um sujeito importante, ocupado. Deve usar helicópteros de vez em quando. Para ir ao aeroporto, por exemplo, já que a fazenda fica longe de tudo."

"Claro, eles já pousaram na fazenda", disse Dorr.

Ele olhou demoradamente para Marino, desconfiado.

"Algum era parecido com o helicóptero branco que você viu?", perguntou Marino.

"Já falei que nunca tinha visto aquele helicóptero antes."

Dorr nos encarou enquanto Molly Brown se agitava, puxando o cabresto e arreganhando os dentes encardidos.

"Vou deixar uma coisa bem clara", disse Dorr. "Se vocês pretendem pôr a culpa no senhor Sparkes, não precisam me procurar nunca mais."

"Não queremos pôr a culpa em ninguém", disse Marino, em tom igualmente desafiador. "Só queremos saber a verdade. Como dizem, ela fala por si."

"Seria uma agradável surpresa", disse Dorr.

No carro, de volta para casa, senti um profundo desconforto ao tentar comparar o que sabia com o que fora dito. Marino fez poucos comentários, e seu humor piorou quando chegamos a Richmond. Quando paramos na frente da casa dele, o pager tocou.

"O helicóptero não se encaixa", ele disse enquanto eu estacionava atrás de sua picape. "E talvez não tenha nada a ver com o caso."

Sempre havia essa possibilidade.

"Mas que diacho é isso, agora?"

Ele ergueu o pager para ler a mensagem.

"Merda. Acho que aconteceu alguma coisa. É melhor você entrar."

Eu não costumava entrar na casa de Marino, pelo que me lembro estivera lá pela última vez nas férias, quando parei para levar pão caseiro e minha sopa especial. Claro, os enfeites espalhafatosos estavam acesos, até dentro da casa havia luzes e uma árvore de Natal cheia de penduricalhos. Lembro-me de um trem elétrico circulando por uma cidadezinha coberta de neve. Marino preparara eggnog com Virginia Lightning, um destilado clandestino fortíssimo. Francamente, eu não devia ter voltado para minha casa dirigindo.

Agora sua moradia parecia escura e vazia, sobre o carpete gasto da sala havia apenas sua poltrona reclinável favorita. A bem da verdade, em cima da lareira estavam vários troféus de boliche que ele ganhara nos últimos anos, e também havia o televisor de tela grande que era o destaque da mobília. Acompanhei-o até a cozinha e não pude deixar de notar o fogão engordurado, a pia cheia de louça e a lata de lixo transbordando. Abri a torneira de água quente e lavei a esponja. Comecei a limpar o local enquanto ele usava o telefone.

"Não precisa fazer nada", ele murmurou.

"Alguém precisa."

"Alô", ele disse ao telefone. "Aqui é o Marino. O que foi?"

Ele ficou muito tempo escutando, franzindo a testa. Seu rosto ficou vermelho. Lavei a louça, que não era pouca.

"Eles fazem uma checagem rigorosa?", perguntou Marino. "Não, só quero ter certeza de que eles confirmam se alguém está no lugar. Positivo? E fizeram isso, desta vez? Claro, já sei. Ninguém se lembra de nada. O mundo está cheio de gente desmemoriada, porra. E ninguém viu nada também, certo?"

Enxagüei os copos cuidadosamente e coloquei-os sobre uma toalha para secar.

"Concordo que a história da bagagem é suspeita", prosseguiu.

Usei o resto do detergente de Marino e fui obrigada a recorrer a uma barra de sabão ressecada que achei debaixo da pia.

"Enquanto você está aí", ele disse, "que tal ver o que consegue descobrir a respeito de um helicóptero branco que sobrevoou a fazenda de Sparkes?" Após uma pausa, completou: "Talvez uns dias antes do incêndio, e com certeza depois, pois eu o vi com meus próprios olhos quando do estávamos lá".

Marino ouviu mais um pouco e eu comecei a lavar os talheres. Para minha surpresa, ele falou: "Não quer dar um oi para sua tia, antes de desligar?".

Minhas mãos ficaram imóveis quando o encarei.

"Venha."

Peguei o telefone.

"Tia Kay?"

Lucy parecia tão surpresa quanto eu.

"O que você está fazendo na casa de Marino?", ela perguntou.

"Lavando a louça."

"O quê?"

"Está tudo bem?", perguntei.

"Marino pode contar as novidades. Vou investigar o helicóptero branco, ele precisou se abastecer em algum lugar. Talvez tenha feito um plano de vôo com o FSS em Leesburg, mas duvido. Preciso desligar."

Desliguei também. Senti-me excluída e ressentida, sem ter muita certeza do motivo.

"Creio que Sparkes se meteu numa encrenca danada, doutora", disse Marino.

"O que aconteceu?"

"Descobriram que na noite anterior ao incêndio, sexta-feira, ele chegou a Dulles para o vôo das nove da noite. Embarcou a bagagem mas não a recolheu na chegada em Londres. Isso significa que é possível que ele tenha despachado as malas e entregado o cartão de embarque, saindo em seguida do aeroporto, sem viajar."

"Eles contam as pessoas a bordo, nos vôos internacionais", argumentei. "Sua ausência no avião seria notada."

"Talvez. Mas ele chegou aonde está graças à sagacidade."

"Marino..."

"Espere. Deixe-me terminar a história. Sparkes afirma que o pessoal da segurança o aguardava assim que desceu do avião em Heathrow, na manhã seguinte, às 9h45 de sábado, hora da Inglaterra. Ou seja, 4h45 da madrugada, aqui. Ele soube do incêndio e pegou um vôo da United de volta para Washington, abandonando as malas."

"Acho bem possível que alguém faça isso, num momento tão grave."

Marino fez uma pausa, olhando firme para mim enquanto eu punha o sabão em cima da pia e enxugava as mãos.

"Doutora, você precisa parar de proteger o sujeito", disse.

"Não estou protegendo ninguém. Só tento ser mais

objetiva do que certas pessoas. Além disso, o pessoal da segurança em Heathrow deve se lembrar de tê-lo avisado quando desceu do avião, certo?"

"Até agora, nada. E não conseguimos descobrir como a segurança de lá ficou sabendo do incêndio, tampouco. Claro, Sparkes tem explicação para tudo. Diz que a segurança sempre toma providências especiais e o recebe no portão de saída. Ao que parece, a notícia do incêndio foi dada em Londres no noticiário matinal. O empresário com quem Sparkes pretendia se encontrar ligou para a British Air para alertá-los. Eles teriam dado a notícia a Sparkes no minuto em que ele pôs os pés lá."

"Alguém interrogou o tal empresário?"

"Ainda não. Lembre-se de que essa é a versão de Sparkes. Lamento informar, doutora, mas acho que muita gente mentiria para ajudá-lo. Se estiver por trás de tudo, posso garantir que planejou cada detalhe cuidadosamente. Devo acrescentar que no momento de sua chegada a Dulles para pegar o avião para Londres o fogo já havia começado e a moça já estava morta. Quem pode garantir que ele não a matou e depois usou um mecanismo de tempo para detonar o incêndio após sua saída da fazenda?"

"Trata-se de uma possibilidade", concordei. "Mas não há provas. E pelo jeito não há uma grande chance de sabermos isso, a não ser que algum material apareça nos exames de laboratório, indicando a possibilidade de uso de explosivos detonados por controle remoto para iniciar o fogo."

"Hoje em dia, metade dos aparelhos de uma casa pode ser usada como temporizador. Despertadores, videocassetes, computadores, relógios digitais."

"É verdade. Mas é preciso um detonador para explosivos de baixa potência, como espoletas, velas, fusíveis ou chamas", falei. "A não ser que haja mais serviço, já vou indo", falei secamente.

"Não fique brava comigo", disse Marino. "Até parece que é tudo culpa minha."

Parei na porta da frente e olhei para ele. Mechas de cabelo grisalho haviam grudado em sua testa suada. Provavelmente havia roupa suja espalhada pelo quarto. Ninguém conseguiria fazer uma faxina completa naquela casa, nem em 1 milhão de anos. Lembrei-me de Doris, a esposa, imaginando seu dócil servilismo, que durou até o dia em que saiu de casa repentinamente, apaixonada por outro homem.

Era como se Marino tivesse recebido uma transfusão de sangue errado. Por melhores que fossem suas intenções ou seu trabalho, vivia em terrível conflito com o ambiente. E isso o estava matando lentamente.

"Faça-me apenas um favor", falei, já com a mão na maçaneta da porta.

Ele limpou o rosto na manga da camisa e puxou um cigarro.

"Não estimule Lucy a tirar conclusões precipitadas", falei. "Você sabe tanto quanto eu que o problema está na polícia e na política local. Marino, creio que ainda não chegamos nem perto de resolver este caso. Portanto, não crucifique ninguém, por enquanto."

"Estou espantado", ele disse. "Afinal de contas, o filho-da-mãe expulsou você do escritório dele. Agora, de repente, virou santo?"

"Não falei que era santo. Francamente, não conheço nenhum santo."

"Sparkes encanta as mulheres", insistiu Marino. "Se eu não a conhecesse, diria que está caída por ele."

"Não considero o comentário digno de resposta."

Saí para a varanda, um pouco tentada a bater a porta na cara dele.

"Claro. Todo mundo diz isso, quando é culpado."

Ele saiu também, atrás de mim.

"Não pense que eu não percebo quando você e Wesley se desentendem..."

Virei-me para encará-lo e apontei o dedo como se fosse uma arma.

"Nem mais um pio", avisei. "Não se meta na minha vida e não ouse questionar meu profissionalismo, Marino. Você me conhece muito bem, caramba."

Desci os degraus e entrei no carro. Dei ré lentamente, mostrando minha competência ao volante. Não olhei para trás quando fui embora.

13

Na manhã de segunda-feira desabou um temporal que fustigou a cidade com ventos violentos e chuva forte. Fui trabalhar com o limpador de pára-brisa na posição mais rápida e o ar-condicionado ligado para desembaçar os vidros. Quando abri a janela para pôr a ficha do pedágio, ensopei a manga da blusa. Depois, como desgraça pouca é bobagem, duas peruas funerárias estavam estacionadas no pátio interno. Fui forçada a deixar o carro do lado de fora. Nos quinze segundos necessários para atravessar o estacionamento e destrancar a porta dos fundos do prédio meu castigo se completou. Entrei com água pingando dos cabelos e sapatos ensopados, fazendo barulho.

Verifiquei o registro de entrada para saber o que chegara durante a noite. Um bebê morrera na cama dos pais. Uma senhora idosa aparentemente cometera suicídio. Claro, havia uma vítima do tiroteio ocorrido na disputa pelos pontos de droga num dos conjuntos habitacionais próximos ao centro, que se tornara mais civilizado e saudável. Nos últimos anos a cidade passara a ser considerada uma das mais violentas dos Estados Unidos, com uma taxa de 160 homicídios anuais para uma população inferior a 250 mil habitantes.

Punham a culpa na polícia. E até em mim, se as estatísticas compiladas pelo meu departamento não agradassem aos políticos e os casos demorassem a ir a julgamento. A irracionalidade de tudo aquilo nunca deixou de me espantar, pois os donos do poder não pareciam se dar conta de que havia algo chamado medicina preventiva, o único modo de impedir a disseminação de doenças fatais. Por exemplo, é muito melhor vacinar as crianças contra a poliomielite do que tratar da doença após sua manifestação. Fechei o livro de ocorrências e saí da sala, deixando marcas de pés molhados no corredor deserto.

Entrei no vestiário, pois já sentia muito frio. Tirei depressa o conjunto e a blusa grudada ao corpo e apressei-me em vestir uma roupa seca que se recusava a entrar logo de uma vez. Pus o jaleco de laboratório por cima e enxuguei os cabelos com a toalha. Dei um jeito nas mechas rebeldes com os dedos e vi que o rosto a me olhar de volta no espelho parecia ansioso e cansado. Eu não andava comendo nem dormindo direito, além de haver relaxado a disciplina em relação ao café e às bebidas alcoólicas. Estava tudo ali, em volta dos olhos. Grande parte da tensão se devia à raiva e ao medo impotentes provocados pela fuga de Carrie. Não sabíamos onde se escondera, mas em minha mente ela estava em todos os lugares.

Fui para a sala de estar, onde Fielding, que evitava a cafeína, preparava um chá de ervas. Sua obsessão pela saúde não colaborou para que eu me sentisse melhor. Havia uma semana que eu não praticava exercícios.

"Bom dia, doutora Scarpetta", ele me cumprimentou, disposto.

"Deus te ouça", falei, pegando a garrafa de café. "Pelo que vi, não temos muitos casos, até o momento. Vou deixar tudo por sua conta, inclusive a reunião com a equipe. Preciso cuidar de outras coisas."

Fielding estava impecável e jovial, de camisa amarela com punhos duplos e abotoaduras. Usava gravata vistosa e calça esporte preta. Fizera a barba e estava perfumado. Até os sapatos brilhavam, pois, ao contrário do que acontecia comigo, ele jamais permitia que as circunstâncias da vida interferissem no modo como cuidava de si.

"Não sei como você consegue fazer isso", comentei, medindo-o de cima a baixo. "Jack, você não sofre de coisas normais, como depressão, stress, vontade de comer chocolate, fumar ou beber um Scotch?"

"Quando me sinto mal costumo exagerar na malhação", ele disse ao tomar um gole de chá e me olhar de esguelha, por trás da fumaça. "E acabo me machucando."

Por um momento ele ficou pensativo.

"Acho que a pior coisa que faço, já que me instigou a pensar no caso, é me afastar da minha mulher e dos meus filhos. Invento desculpas para não ir para casa. Banco o filho-da-mãe insensível e eles me odeiam por isso, durante algum tempo. Portanto, a resposta é sim, também sou autodestrutivo. Mas posso garantir", disse, olhando para mim, "que você se sentiria muito melhor se arranjasse tempo para dar uma bela caminhada, andar de bicicleta, fazer umas flexões e até puxar uns ferros."

Ele se afastou, acrescentando: "O corpo possui morfinas naturais, certo?".

"Obrigada", falei, lamentando ter tocado no assunto.

Mal me acomodara em minha poltrona e Rose entrou, com o cabelo todo arrumado, parecendo a diretora do departamento em seu conjunto azul-marinho elegantíssimo.

"Não sabia que já tinha chegado", disse, colocando os relatórios digitados a partir dos meus ditados em cima da pilha de papéis. "O ATF acabou de telefonar. McGovern."

"É mesmo?", perguntei, interessada. "Sabe qual é o assunto?"

"Ela disse que ia passar o fim de semana na capital e que precisava encontrar com você."

"Quando? Qual é o problema?"

Comecei a assinar as cartas.

"Ela mesma explicará quando chegar, daqui a pouco."

Ergui os olhos, surpresa.

"Ela ligou do carro para avisar que já passara por Kings Dominion e que chegaria em vinte ou trinta minutos", Rose prosseguiu.

"Então deve ser muito importante", murmurei, abrindo uma pasta de cartolina cheia de lâminas.

Dei meia-volta e removi a proteção plástica do microscópio antes de ligar sua iluminação.

"Não precisa interromper seu serviço", disse Rose, sempre protetora. "Afinal de contas, ela não marcou hora e não perguntou se você poderia recebê-la."

Posicionei uma lâmina na platina do microscópio e espiei pelo visor um corte do tecido do pâncreas. As células rosadas e encolhidas pareciam vítreas ou arranhadas.

"O exame toxicológico deu zero", comentei, colocando outra lâmina na platina. "Com exceção de acetona", completei. "Subproduto do metabolismo inadequado da glicose. E os rins apresentam textura vacuolar devido à hiperosmose das células proximais tubulares convolutas do revestimento. Ou seja, em vez de cubiformes e rosadas, elas estão claras, inchadas e maiores."

"Sonny Quinn novamente", disse Rose, desanimada.

"Além disso, temos um histórico de hálito frutal, perda de peso, sede, micção freqüente. Bastaria um tratamento à base de insulina. Mas eu também acredito no poder das orações, ao contrário do que a família andou dizendo aos repórteres."

Sonny Quinn era um menino de onze anos, filho de pais devotos da seita Christian Science. Falecera havia oito semanas, e, embora não houvesse dúvida quanto à causa da morte, pelo menos para mim, eu decidira aguardar os testes e exames suplementares para finalizar o relatório. Em resumo, o menino morrera por falta de tratamento médico adequado. Seus pais se posicionaram contra a autópsia, violentamente. Foram à televisão e me acusaram de perseguir sua religião e mutilar o corpo do filho.

Rose naquela altura já conhecia bem meus sentimentos a respeito do caso e perguntou: "Quer ligar para eles?".

"Isso não tem nada a ver com querer ou não. Vou telefonar, é indispensável."

Ela consultou a pasta grossa do caso Sonny Quinn e me passou o número telefônico.

"Boa sorte", disse ao passar pela porta que unia nossas salas.

Liguei, com o coração apertado.

"Senhora Quinn?", falei, quando atenderam.

"Sim?"

"Aqui é a doutora Kay Scarpetta. Tenho os resultados dos exames de Sonny..."

"Você ainda não cansou de nos fazer sofrer?"

"Achei que gostaria de saber o motivo da morte de seu filho..."

"Não preciso que me diga nada a respeito de meu filho", ela interrompeu.

Percebi que alguém tomava o fone da mão dela e meu coração disparou.

"Aqui é Quinn", disse o homem cuja defesa era a liberdade religiosa e cujo filho morrera por causa disso.

"Sonny morreu de pneumonia aguda em conseqüência de quetoacidose diabética causada por diabetes melito. Minhas condolências, senhor Quinn."

"Isso é um engano. Um erro."

"Não há engano, senhor Quinn. Nenhum erro", falei, tentando afastar a raiva da voz. "Só posso sugerir que procure tratamento médico imediato, caso algum de seus filhos apresente os mesmos sintomas de Sonny. Assim, evitará passar novamente por esse sofrimento todo."

"Não preciso que uma legista qualquer venha me dizer como cuidar dos meus filhos", ele retrucou friamente. "Até o julgamento."

Com certeza, pensei, pois sabia que o Estado acusaria marido e mulher de negligência e maus-tratos contra o filho, o que era crime.

"Não nos procure mais", disse o sr. Quinn antes de bater o telefone na minha cara.

Recoloquei o fone no gancho sentindo um aperto no peito. Ergui os olhos e vi Teun McGovern parada na soleira da porta. Percebi por sua expressão que ouvira cada palavra da conversa.

"Teun, entre, por favor", falei.

"E eu achava que meu trabalho era duro." Seus olhos se fixaram nos meus enquanto puxava a cadeira para se sentar de frente para mim. "Sei que você é obrigada a fazer essas coisas com freqüência, mas acho que nunca ouvi nada parecido. Também falo com familiares das vítimas, mas graças a Deus não me cabe relatar a eles exatamente o que a inalação da fumaça causou à traquéia e aos pulmões de seus entes queridos."

"É a parte mais difícil", comentei. O peso nas minhas costas não diminuiu.

"Você é o mensageiro portador de más notícias que eles querem matar."

"Nem sempre", falei, mesmo sabendo no fundo de minha alma solitária que ouviria as duras acusações de Quinn pelo resto dos meus dias.

Havia muitas vozes agora, gritos e apelos de raiva e dor, além de acusações por eu ter ousado tocar em suas feridas e por me dispor a escutar. Mas eu não pretendia discutir a questão com McGovern. Não pretendia permitir que ela se aproximasse muito de mim.

"Preciso dar outro telefonema", falei. "Não quer ir pegar um café? Ou esperar aqui um pouco? Aposto que você vai se interessar pelo assunto."

Liguei para a Universidade da Carolina do Norte, em Wilmington. Embora ainda não fossem nove horas, o responsável pela secretaria já estava lá. Foi exageradamente atencioso mas não ajudou em nada.

"Compreendo perfeitamente os motivos que a levaram a nos procurar e prometo fazer todo o possível para ajudar", disse. "Infelizmente, porém, preciso de uma ordem judicial. Não podemos divulgar informações pessoais a respeito dos alunos pelo telefone."

"Senhor Shedd, trata-se de um caso de homicídio", ressaltei, cada vez mais impaciente.

"Compreendo perfeitamente", repetiu.

A conversa prosseguiu nesse tom e não levou a nada.

Desisti e acabei desligando. Estava desolada ao concentrar a atenção em McGovern.

"Eles só querem livrar a cara, para o caso de a família processá-los depois", disse McGovern. Mas isso eu já sabia. "Só dão informações se não houver outra opção, e vai ter de ser assim."

"Certo", respondi secamente. "E o que a trouxe aqui?"

"Eu soube que os resultados dos exames de laboratório já saíram. Pelo menos alguns. Liguei na sexta", ela disse.

"Para mim, isso é novidade."

Aquilo me exasperou. Se a responsável pelo laboratório tivesse ligado para McGovern antes de falar comigo, ia se dar mal. Peguei o telefone e liguei para Mary Chan, a jovem pesquisadora que estava começando a trabalhar no laboratório.

"Bom dia", falei. "Eu soube que você tem resultados para mim."

"Eu ia levá-los para baixo daqui a pouco."

"Os mesmos que mandou para o ATF?"

"Isso mesmo. Os mesmos. Posso mandar por fax e levá-los pessoalmente."

Passei o número do fax da minha sala, mas não demonstrei irritação. Dei-lhe apenas um aviso.

"Mary, no futuro seria melhor que você me informasse a respeito dos meus casos *antes* de enviar resultados de exames a outras pessoas", falei pausadamente.

"Lamento", disse, e percebi que estava sendo sincera. "A investigadora ligou às cinco e eu já estava de saída."

Os resultados chegaram em dois minutos e McGovern abriu uma pasta velha e gasta para guardar suas cópias. Ela me observou enquanto eu lia. O primeiro relatório era uma análise das aparas metálicas que eu havia recolhido no corte na têmpora esquerda da vítima. De acordo com o microscópio eletrônico equipado com raios X, ou SEM/EDX, o material em questão era magnésio.

No caso dos detritos derretidos encontrados nos cabelos da vítima, os resultados eram igualmente inexplicáveis. O FTIR, ou espectrofotômetro infravermelho de Fourier, mostrara que as fibras absorviam a luz infravermelha seletivamente. O padrão característico era de um polímero de silício e oxigênio alternado com radicais orgânicos. Ou seja, silicone.

"Meio esquisito, não acha?", indagou McGovern.

"Vamos começar pelo magnésio", falei. "O que me vem à mente é água do mar, que contém muito magnésio. Ou mineração. A pessoa trabalhava com química industrial ou num laboratório de pesquisa. E quanto a explosivos?"

"Se for acompanhado de cloreto de potássio, a resposta é positiva. Pode ser pó faiscante", explicou. "Ou RDX, antimoniatos, nitrato de chumbo, fulminato de mercúrio, enfim, compostos usados em detonadores e espoletas, por exemplo. Ou ácido nítrico, ácido sulfúrico, glicerina, nitrato de amônia, nitrato de sódio. Nitroglicerina, dinamite e assim por diante. Devo lembrar que Pepper teria farejado explosivos do gênero."

"E magnésio?", perguntei.

"Usado em pirotecnia. Fogos de artifício. Para produzir luz branca brilhante. Ou em sinalizadores luminosos." Ela deu de ombros. "Em geral, preferem pó de alumínio, pois se conserva melhor. A não ser que as partículas sejam banhadas em óleo de linhaça, por exemplo."

"Sinalizadores", pensei em voz alta. "Alguém pode acender um sinalizador, deixá-lo num ponto estratégico e ir embora? Ganharia alguns minutos, no mínimo."

"Na presença de material inflamável adequado, sim."

"Mas isso não explica a presença dos resíduos de magnésio intacto no ferimento. Provavelmente as partículas foram transferidas do instrumento afiado usado para cortá-la."

"O magnésio não é usado na fabricação de facas", argumentou McGovern.

"Nunca, é mole demais. E quanto à indústria aeroespacial? Ele é bem leve."

233

"Com certeza, sim. Mas, nesses casos, os testes de laboratório indicariam a presença de alguma liga."

"Concordo. Vamos passar para o silicone. Não faz o menor sentido. A não ser que ela tivesse feito implante de silicone nos seios, antes que fossem proibidos, o que não ocorreu."

"Usam silicone como isolante elétrico, fluido hidráulico e hidrofugante. Mas nada disso faz sentido, a não ser que houvesse algo na banheira. Seria cor-de-rosa — mas não sei o quê."

"Descobriram se havia um tapetinho no banheiro? De material emborrachado cor-de-rosa?", perguntei.

"Apenas começamos o exame da casa junto com Sparkes", explicou McGovern. "Mas ele alega que a decoração no banheiro da suíte era em preto-e-branco, basicamente. Piso de mármore e paredes pretas. Pia, armários e banheira brancos. A porta do chuveiro era européia, o vidro não era temperado, não se partiu em bilhões de bolinhas quando a temperatura subiu acima dos duzentos graus centígrados."

"Isso explica por que o vidro derreteu em cima do corpo", falei.

"Sim, praticamente o cobriu como se fosse filme plástico."

"Mais ou menos", falei.

"A porta tinha dobradiças de latão, mas não havia moldura. Os materiais recuperados comprovam isso. Portanto, a memória do nosso amigo magnata da mídia funcionou pelo menos nesse aspecto."

"E nos outros?"

"Só Deus sabe, Kay."

Ela desabotoou o casaco do conjunto como se subitamente sentisse desejo de ficar mais à vontade. Paradoxalmente, consultou o relógio.

"Estamos tratando com um sujeito muito ladino", disse. "Disso, nós todos já sabemos."

"E o tal helicóptero? O que você pensa a respeito,

Teun? Presumo que já saiba do Schweizer ou Robinson branco que o ferrador viu na véspera do incêndio. Talvez seja o mesmo que nós duas vimos dois dias depois."

"Trata-se apenas de uma teoria", ela falou. "Vaga demais, creio."

Seu olhar era penetrante.

"Talvez ele tenha provocado o incêndio e precisasse chegar depressa ao aeroporto", ela prosseguiu. "No dia anterior, o helicóptero fez um vôo de reconhecimento sobre a fazenda, pois o piloto sabia que precisaria pousar e decolar de noite. Entendeu, até agora?"

Fiz que sim.

"Chega a sexta-feira. Sparkes mata a moça e incendeia a casa. Corre para o pasto, sobe no helicóptero e segue para algum lugar nas proximidades de Dulles, onde escondeu a Cherokee. Vai para o aeroporto e monta a cena, estacionando o carro e embarcando a bagagem. Depois some até chegar a hora de aparecer na fazenda Hootowl."

"E a razão para a presença do helicóptero no local na segunda-feira, quando fomos ver a cena do crime?", perguntei. "Qual seria?"

"Incendiários adoram apreciar o espetáculo", ela declarou. "Bem, não podemos garantir nada, mas Sparkes era bem capaz de estar lá, observando pessoalmente nosso serviço. Inclusive por paranóia. Calculou que pensaríamos ser uma aeronave da imprensa, e foi exatamente o que achamos."

"Tudo não passa de especulação, a esta altura", ponderei, pensando que já tinha ouvido o suficiente.

Comecei a organizar o fluxo ininterrupto de papelada. McGovern me examinava novamente. Levantou-se e fechou a porta.

"Creio que chegou a hora de termos uma conversa", disse. "Acho que você não vai com a minha cara. Se abrir o jogo, talvez possamos fazer algo a respeito, seja lá o que for."

"Não sei direito o que acho de você, se quer mesmo saber."

E a encarei também.

"A coisa mais importante para nós duas é fazer direito nosso trabalho, sem perder a perspectiva. Lembre-se de que estamos lidando com um assassinato", acrescentei.

"Você está me ofendendo", ela disse.

"Não foi minha intenção, garanto."

"Você acha que não faz diferença para mim que alguém tenha sido assassinado? É isso que quis insinuar? Acha que cheguei aonde estou sem me preocupar com quem ateia fogo nas coisas e com sua motivação?"

Ela ergueu a manga, como se fosse lutar.

"Teun", falei, "não tenho tempo para esse tipo de coisa, pois não acredito que seja construtivo."

"A questão é Lucy. Você enfiou na cabeça que estou tomando seu lugar, ou só Deus sabe o quê. O problema é esse, não é mesmo, Kay?"

Agora ela também estava me incomodando.

"Você e eu já trabalhamos juntas anteriormente, não é?", ela prosseguiu. "Nunca tivemos problemas. Então, alguém tem de perguntar o que foi que mudou. Qual a diferença? Creio que a resposta é óbvia. A diferença é que sua sobrinha está mudando para a Filadélfia enquanto conversamos. Trabalhará no meu departamento, sob a minha supervisão. A minha, não a sua. E você não gosta disso. Quer saber mais? Se eu estivesse em seu lugar, aposto que também não ia gostar."

"Não é o momento nem o local apropriado para esta conversa", falei com firmeza.

"Tudo bem."

Ela se levantou e pegou o casaco.

"Então vamos para outro lugar", decidiu. "Pretendo resolver isso antes de seguir viagem."

Por um momento fiquei indecisa. Eu reinava ali, em meu império atrás da mesa guardada por pastas, protegida pelas exigências da leitura dos artigos das publicações especializadas, cercada pelas legiões de mensagens e cartas que jamais me deixariam livre. Tirei os óculos e massageei as têmporas. Era mais fácil para mim enfrentar McGovern desfocada.

"Então convido-a para almoçar", falei. "Se estiver disposta a esperar mais três horas. Nesse meio-tempo" — levantei-me da poltrona — "tenho uma panela cheia de ossos que precisam ser fervidos. Se você tiver estômago e quiser vir comigo, fique à vontade."

"Você não vai conseguir me assustar", disse McGovern. Parecia contente.

McGovern não era do tipo que seguia os outros, e depois que acendi o fogo na sala de decomposição, ela esperou até o início da fervura. Em seguida, foi para o escritório do ATF em Richmond, reaparecendo subitamente após uma hora. Estava tensa e sem fôlego ao entrar. Eu mexia cuidadosamente os ossos mergulhados em água quente.

"Temos outro", ela disse agitada.

"Outro?", perguntei.

"Outro incêndio do assassino pirado. Desta vez na comarca de Lehigh, a cerca de uma hora da Filadélfia. Quer vir comigo?"

Mentalmente, explorei todas as possibilidades a respeito do que aconteceria se eu largasse tudo e a acompanhasse. Para começar, a idéia de passarmos cinco horas juntas trancadas num carro me enervava.

"Residencial", explicou. "Começou na manhã de ontem. Encontraram um corpo. Mulher. No banheiro principal."

"Ah, não!", exclamei.

"Está claro que o fogo foi ateado para ocultar o assassinato", disse, explicando os motivos que a levavam a relacionar o caso com a ocorrência em Warrenton.

Quando o cadáver foi descoberto, a polícia estadual da Pensilvânia imediatamente solicitou a colaboração do

237

ATF. Quando os investigadores do ATF examinaram o local e registraram os dados no laptop, o ESA imediatamente apontou as semelhanças. Na noite passada o caso Lehigh adquirira uma importância enorme e o FBI oferecera agentes e a consultoria de Benton. A polícia estadual aceitara.

"A casa foi construída sobre uma laje", explicou McGovern quando seguíamos pela I-95 Norte. "Graças a Deus, não precisamos nos preocupar com o porão. Nosso pessoal está lá desde as três da manhã. Curiosamente, desta vez o fogo não fez um serviço completo. As áreas da suíte principal, do quarto de hóspedes imediatamente acima, no piso superior, e da sala no térreo ficaram muito danificadas. Houve danos significativos no teto do banheiro e rachaduras no piso de concreto da garagem."

As rachaduras ocorrem quando o calor forte e súbito faz com que a umidade dentro do concreto se transforme em vapor, fragmentando a superfície.

"Onde se situava a garagem?", perguntei, tentando visualizar a cena.

"Na mesma ala da casa em que estava a suíte principal. Novamente, um incêndio intenso e rápido. Mas não queimou tudo. Em certos trechos apenas chamuscou superfícies e provocou danos moderados. Quanto ao resto da casa, houve somente estragos provocados pela fumaça e pela água. Não combina com o serviço do indivíduo que torrou a fazenda de Sparkes. Até agora, não há indício de uso de algum tipo de acelerador, e não havia material combustível suficiente no banheiro para justificar a altura das labaredas."

"O corpo estava na banheira?", perguntei.

"Sim. Isso me arrepia os cabelos."

"Não é para menos. Em que estado se encontra?" Fiz a pergunta mais importante enquanto McGovern ia a quinze quilômetros por hora acima do limite em sua Ford Explorer.

"Num estado que permitiu ao legista dizer que a garganta foi cortada."

"Então já fizeram a autópsia", concluí.

"Para ser sincera, não sei o que já foi feito ou não. Mas ela não vai a lugar nenhum. Está à sua espera. A minha parte é ver o que mais conseguimos descobrir a respeito do incêndio."

"Então você não vai me usar para remover detritos com a pá?"

McGovern riu e ligou o som. Não esperava um CD de *Amadeus*.

"Pode cavar, se quiser", disse com um sorriso que aliviou boa parte da tensão. "Você não é ruim nisso, para alguém que só corre se estiver fugindo. E que só usa o cérebro."

"Se a gente fizer muitas autópsias e carregar muitos cadáveres, não precisa levantar peso", argumentei, distorcendo descaradamente a verdade.

"Mostre as mãos."

Fiz isso e ela as examinou, mudando de faixa ao mesmo tempo.

"Nossa. Nunca me ocorreu o que serras, escalpelos e podadeiras fazem com a musculatura da mão", comentou.

"*Podadeiras?*"

"Aquela usada para abrir o peito."

"Tesoura cirúrgica, por favor."

"Bem, já vi gente usando podadeira em alguns necrotérios, bem como agulhas de tricô para seguir perfurações de projéteis."

"Não na minha morgue. Pelo menos não na que temos agora. Admito, porém, que na fase heróica éramos obrigados a improvisar", fui obrigada a confessar, ouvindo Mozart.

"Um dos segredinhos da profissão que a gente não quer ver comentados num tribunal", disse McGovern. "Como guardar uma garrafa de um ótimo uísque clandestino na gaveta da escrivaninha. Ou, no caso da polícia, guardar lembrancinhas da cena do crime, como cachimbos de maconha ou armas do criminoso. Os legistas preferem próteses de quadris e partes de crânios fraturados que, a rigor, deveriam ser enterrados com o corpo."

"Não nego que alguns colegas meus saem da linha", admiti. "Mas guardar partes de corpos sem permissão não é a mesma coisa que guardar uma garrafa de bebida clandestina, se quer saber minha opinião."

"Você é tremendamente rigorosa e intolerante, Kay", afirmou McGovern. "Ao contrário do resto de nós, nunca faz nada errado nem demonstra complacência. Provavelmente jamais perde o controle nem enche a cara. Para ser honesta, dá um medo danado em todo mundo manter contato com você, medo de que nos julgue e condene."

"Meu Deus, que idéia horrível fazem de mim!", exclamei. "Eu não podia imaginar que me viam desse modo."

Ela ficou muda.

"Com certeza eu não me vejo assim", falei. "Muito pelo contrário, Teun. Talvez seja mais reservada, mas isso é necessário. Talvez seja mais discreta, pois faz parte da minha natureza. Realmente, não tenho o hábito de confessar meus pecados publicamente. Mas não fico julgando todo mundo. E pode acreditar que sou mais exigente comigo mesma do que poderia ser com você."

"Não é a impressão que tenho. Creio que você me avalia e mede para saber se sou capaz de treinar Lucy sem exercer sobre ela uma influência perniciosa."

Eu não podia responder àquela acusação, pois era verdadeira.

"Nem mesmo sei onde ela está agora", dei-me conta repentinamente.

"Bem, posso contar. Na Filadélfia. Indo e voltando do novo apartamento para a sede do departamento."

Por um tempo a música tomou o lugar da conversa. A rodovia nos levou até Baltimore. Não pude deixar de pensar na estudante de medicina que também morreu num incêndio suspeito.

"Teun", falei. "Quantos filhos você tem?"

"Um. Homem."

Percebi que ela não se sentia à vontade para falar no assunto.

"Qual a idade dele?"

"Joe tem 26 anos."

"Mora na região?"

Olhei pela janela, vendo passarem as placas iluminadas que anunciavam acessos a ruas de Baltimore que eu conhecia muito bem na época em que estudava medicina na Johns Hopkins.

"Não sei onde ele mora, se quer saber a verdade", ela disse. "Nunca fomos próximos. Duvido que alguém tenha um dia se aproximado de Joe. E não sei se alguém já quis fazer isso."

Não insisti, mas ela havia resolvido se abrir.

"Percebi que havia algum problema com ele quando começou a pegar bebida no bar aos dez anos. Tomava gim e vodca, depois enchia as garrafas de água pensando que nos enganaria. Aos dezesseis já era alcoólatra, vivia entrando e saindo de clínicas, pronto-socorros, cadeias. Furtava, brigava na rua. Saiu de casa aos dezenove, ficou perambulando por aí, depois perdemos contato. Para ser sincera, acho que vive na rua, nem sei onde."

"Sua vida é dura", comentei.

14

Os Atlanta Braves estavam hospedados no hotel Sheraton em Society Hill; percebi isso quando McGovern me deixou lá por volta das sete. Os fãs, jovens e idosos, usavam bonés e jaquetas do time de beisebol, percorrendo os corredores e bares com fotografias enormes de seus heróis, em busca de um autógrafo. Chamaram a segurança, e um sujeito desesperado me deteve quando eu passava pela porta giratória.

"Viu algum deles?", perguntou. Seus olhos arregalados moviam-se de um lado para outro.

"Vi quem?"

"Os Braves!"

"Como são?", perguntei.

Esperei na fila da recepção, interessada somente numa longa permanência na banheira. Passamos duas horas engarrafadas ao sul da Filadélfia, pois cinco automóveis e uma van haviam se engavetado, espalhando vidro e metal retorcido pelas seis pistas da via expressa. Era muito tarde para viajar mais uma hora até o necrotério da comarca de Lehigh. Isso teria de ficar para a manhã seguinte. Peguei o elevador para o quarto andar e inseri o cartão magnético para destravar a fechadura eletrônica do meu quarto. Abri a cortina e olhei para o rio Delaware e para os mastros do *Moshulu* atracado em Penn's Landing. Repentinamente, eu estava na Filadélfia com uma muda de roupa, a valise de alumínio e a bolsa.

A secretária eletrônica piscava. Ouvi a gravação da

voz de Benton avisar que se hospedaria no mesmo hotel e chegaria cedo, assim que se livrasse de Nova York com seu trânsito infernal. Em torno das nove horas, supunha. Lucy deixara o número de seu telefone, mas não sabia se poderíamos nos ver ou não. Marino tinha novidades, contaria tudo quando eu ligasse de volta. Fielding avisou que os Quinn apareceram no noticiário da televisão, no início da noite, para anunciar processo contra o departamento de medicina legal por violar a separação entre igreja e Estado, provocando danos emocionais irreparáveis.

Sentei-me na beirada da cama e tirei os sapatos. A meia-calça desfiara, tirei-a e a joguei no lixo. As roupas incomodavam, usara-as durante muito tempo. Imaginei o cheiro de ossos humanos cozidos em meu cabelo.

"Droga!", exclamei em voz baixa. "Que diabo de vida é essa, afinal?"

Tirei o casaco e a blusa, para colocá-los do avesso em cima da cama. Pus a tampa no ralo e deixei a banheira enchendo de água quente, na temperatura máxima que eu suportava. O som da água corrente acalmou meus nervos. Despejei a espuma de banho, cujo odor lembrava framboesas maduras ao sol. A possibilidade de encontrar Benton me deixava confusa. Como havíamos chegado àquele ponto? Amantes, colegas de trabalho, amigos, tudo o que éramos se confundia como um desenho na areia. Nosso relacionamento se tornara uma intrincada trama em tons delicados, ressecada, que podia ser facilmente abalada. Ele telefonou quando eu me enxugava.

"Lamento ter chegado tão tarde", ele disse.

"Tudo bem?", perguntei.

"Topa tomar alguma coisa no bar?"

"Não se os Braves estiverem lá. Quero distância de confusão."

"Os Braves?", perguntou.

"Por que você não vem ao meu quarto. Tem frigobar."

"Num minuto."

Ele chegou usando o típico uniforme de terno azul e

243

camisa branca. Ambos confirmavam a dureza do dia, sugerida pela barba por fazer. Abraçou-me e ficamos assim por um longo tempo, sem falar nada.

"Seu cabelo cheira a fruta", ele disse.

"A gente devia estar em Hilton Head", murmurei. "Como viemos parar na Filadélfia, afinal?"

"A coisa está preta", ele disse.

Benton me empurrou delicadamente e tirou o paletó. Deixou-o em cima da cama e abriu a porta do frigobar.

"O de sempre?", perguntou.

"Não, só vou tomar uma Evian."

"Bem, eu preciso de algo mais forte."

E desenroscou a tampa de uma miniatura de Johnny Walker.

"Na verdade, vou tomar um duplo, e sem gelo", foi logo avisando.

Ele me passou a água, puxou uma cadeira e sentou-se. Ajeitei os travesseiros na cama e me acomodei confortavelmente enquanto conversávamos, mantendo certa distância.

"O que foi?", perguntei. "Além de tudo?"

"O problema que sempre acontece quando o ATF e o Bureau são repentinamente envolvidos num caso", disse, tomando um gole. "Ainda bem que já me aposentei."

"Você não parece aposentado", falei, zombeteira.

"O pior é que é verdade. Como se já não tivesse Carrie para me atormentar, agora fui chamado para ajudar a resolver esse homicídio. Para ser sincero, Kay, o ATF tem seus especialistas em perfis psicológicos e eu preferia que o FBI não metesse o bedelho nessa história."

"Seja mais específico, Benton. Não vejo como o FBI pode justificar o envolvimento no caso, a não ser declarando a morte da mulher um ato de terrorismo."

"Usaram o vínculo potencial com o caso Warrenton", ele informou. "Como você sabe, o chefe da unidade local já ligou para os policiais estaduais encarregados da investigação, informando que o Bureau faria qualquer coisa para ajudar. Portanto, eis-me aqui. Havia dois agentes no local do incêndio, esta manhã. Todo mundo ficou furioso."

"Sabe, Benton, supostamente estamos todos do mesmo lado", falei. Aquela conversa surrada me dava nos nervos.

"Pelo que sei, o agente do escritório local do FBI na Filadélfia escondeu um cartucho de nove milímetros na cena do crime para ver se Pepper era capaz de achá-lo."

Benton girou lentamente o uísque em seu copo.

"Claro, Pepper não achou nada, nem havia começado a farejar. E o agente achou a trapaça muito engraçada. Disse que o cachorro precisava voltar para a escola."

"Só um idiota mesmo para inventar uma brincadeira dessas", retruquei revoltada. "Ele teve sorte, se não levou uma surra do treinador."

"Portanto, essa é a situação", ele prosseguiu após um suspiro. "A mesma merda de sempre. Nos velhos tempos, os agentes do FBI mostravam mais compostura. Não davam carteiradas a torto e a direito, não se exibiam para a imprensa nem assumiam o comando de investigações que não eram capazes de realizar. Fico constrangido, agora. Mais do que isso, furioso com os novos idiotas que estão arruinando a minha reputação, junto com a deles. Afinal de contas, dediquei 25 anos... Bem, a verdade é que eu não sei o que vou fazer, Kay."

Seus olhos se fixaram nos meus enquanto bebia outro gole.

"Faça a sua parte e pronto, Benton", falei calmamente. "Por mais que o conselho pareça trivial, no fundo nenhum de nós pode fazer muito mais a respeito. Não trabalhamos para o Bureau, para o ATF ou para a polícia estadual da Pensilvânia. Trabalhamos para as vítimas reais e potenciais. Sempre."

Ele esvaziou o copo e sentou-se na escrivaninha. As luzes de Penn's Landing piscavam do outro lado da minha janela. Camden, em Nova Jersey, brilhava na margem oposta do rio.

"Duvido que Carrie ainda esteja em Nova York", ele disse em seguida, olhando através da janela para a paisagem noturna.

"Um pensamento reconfortante."

"E não temos indícios de que esteja na cidade. Ninguém a viu, não há pistas de espécie alguma. Onde arranja dinheiro, por exemplo? Com freqüência, a melhor pista é essa. Assaltos, furto de cartões de crédito. Até o momento, não temos nenhuma indicação de que tenha feito algo do gênero em Nova York. Claro, isso não prova que ela não está na cidade. Mas deve ter um plano, e estou seguro de que vai segui-lo."

Seu perfil na penumbra contrastava com as luzes externas enquanto ele continuava olhando para o rio. Benton estava deprimido. Soava cansado, derrotado. Levantei-me e cheguei perto dele.

"Melhor irmos para a cama", falei, massageando seu ombro. "Estamos exaustos e tudo parece pior quando estamos cansados, não é mesmo?"

Ele esboçou um sorriso e fechou os olhos enquanto eu massageava suas têmporas e beijava a nuca.

"Quanto você cobra por hora?", ele indagou.

"Mais do que você pode pagar", retruquei.

Não dormimos juntos, pois as camas eram pequenas e precisávamos descansar. Eu gostava de tomar uma ducha pela manhã e ele também. Era a diferença entre o novo e o confortável. No começo passávamos a noite inteira acordados, ávidos um pelo outro, pois trabalhávamos juntos, ele era casado e nada poderia deter nosso desejo. Eu sentia falta daquela sensação de vida. Com freqüência, quando estávamos juntos agora, meu coração se fechava ou doía docemente. Eu me via envelhecendo.

O céu estava nublado e a rua molhada após a lavagem quando Benton e eu seguimos de carro para o centro. Chegamos a Walnut Street pouco depois das sete, na manhã seguinte. Saía vapor dos bueiros e grades, seria um dia úmido e frio. Os sem-teto dormiam nas calçadas ou enrolados em mantas imundas, no parque. Um sujeito parecia morto debaixo da placa de PROIBIDO PERMANECER NESTE LOCAL, na frente do departamento de polícia, do outro lado da rua. Benton abriu a pasta para consultar seus papéis enquanto eu guiava. Fez anotações num bloco amarelo e pensou em assuntos fora de minha alçada. Entrei na I-76 Oeste, onde as luzes traseiras enfileiravam-se como contas de um colar vermelho infinito até onde a vista alcançava. Atrás de nós, o sol brilhava.

"Por que alguém escolheria um banheiro como foco inicial?", indaguei. "Por que não outro cômodo da casa?"

"Obviamente, isso tem um significado para ele, se estivermos mesmo lidando com crimes em série", ele disse, virando uma página. "Um símbolo, talvez. Também pode ser conveniente por alguma outra razão. Meu palpite, se estivermos lidando com o mesmo autor, é que o banheiro tem um significado simbólico, se todos os incêndios começaram lá. Representa algo para ele, quem sabe seu próprio foco inicial para os crimes. Caso algo tenha acontecido a ele no banheiro quando era criança, por exemplo. Sofreu abuso sexual, ou testemunhou algo horrivelmente traumático."

"Infelizmente não podemos pesquisar isso nos arquivos das penitenciárias."

"O problema é que metade da população carcerária se encaixaria. Muitos criminosos sofreram maus-tratos na infância. Depois descontaram nos outros."

"Eles fazem pior com os outros", falei. "Eles não foram assassinados."

"Foram, em certo sentido. Quando você é espancado e estuprado na infância, sua vida acaba, mesmo que o corpo continue. Não que isso explique a psicopatia. Nada que eu conheça explica, a não ser que você acredite no mal e na possibilidade de escolha das pessoas."

"É exatamente nisso que eu acredito."

Ele olhou para mim e disse: "Eu sei".

"E quanto à infância de Carrie? O que sabemos dos motivos que a levaram a fazer as escolhas que fez na vida?"

"Ela nunca aceitou falar no assunto", ele refrescou minha memória. "Não há muito material em sua avaliação psiquiátrica, exceto a descrição da atitude que assumia conforme a conveniência do momento. Manipuladora, ela bancava a doida hoje e a boazinha do dia seguinte. Distante. Depressiva e arredia. Ou paciente modelo. Esses bandidos têm mais direitos do que nós, Kay. Manicômios judiciários e centros de psiquiatria forense são tão zelosos em relação aos pacientes que até parece que os criminosos somos nós."

A manhã ganhou leveza e faixas horizontais violeta e brancas estavam perfeitas no firmamento. Atravessamos fazendas e paredões de granito rosa marcados pelos furos feitos para acomodar a dinamite que explodiu as rochas para abrir a estrada. A neblina pairando sobre as lagoas me lembrava panelas com água fervente, e quando passamos pelas chaminés altas de onde saíam rolos de fumaça, pensei no incêndio. Ao longe, as montanhas não passavam de sombras. As caixas-d'água no alto das torres salpicavam o horizonte como balões coloridos.

Levamos uma hora para chegar ao hospital de Lehigh Valley, um conjunto de prédios de concreto ainda em construção, com hangar para helicóptero e centro de tratamento de traumas nível 1. Estacionei numa vaga para visitantes, e o dr. Abraham Gerde nos recebeu no impecável saguão novo.

"Kay", disse carinhosamente, apertando minha mão. "Quem diria que um dia você nos visitaria, não é mesmo? Você deve ser Benton. Temos uma ótima lanchonete, se quiserem tomar um café ou comer alguma coisa primeiro."

Benton e eu agradecemos e recusamos educadamente. Gerde era um jovem patologista forense de cabelos escuros e olhos azuis atraentes. Passara pelo meu departamento três anos antes e ainda era jovem demais na profissão, raramente o aceitavam como testemunha especialista nos julgamentos. Era humilde e meticuloso, qualidades em minha opinião mais valiosas que a experiência, especialmente em nossa profissão. A não ser que Gerde tivesse mudado radicalmente, era improvável que tivesse tocado no defunto depois de saber que eu estava a caminho.

"Ponha-me a par dos fatos", pedi enquanto percorríamos o corredor cinzento e brilhante.

"Eu já havia pesado e medido a vítima, e estava começando o exame externo quando o legista ligou. Assim que ele informou o envolvimento do ATF e avisou que você estava a caminho, interrompi os procedimentos."

A comarca de Lehigh elegia o legista que decidia quais casos precisavam de autópsia e depois determinava o tipo de morte. Felizmente para Gerde, o legista era um policial aposentado que não interferia nos patologistas forenses e, no geral, endossava as decisões que tomavam. Mas isso nem sempre se repetia em outros estados ou outras comarcas da própria Pensilvânia, onde as autópsias por vezes eram feitas na sala de embalsamar da agência funerária, e alguns legistas eram políticos profissionais que não conseguiam distinguir o buraco de entrada de um projétil do buraco de saída, e tampouco se importavam com isso.

Nossos passos ecoavam no espaço amplo enquanto descíamos a escada. No final, Gerde empurrou portas duplas e entramos num depósito lotado de caixas de papelão abertas e trabalhadores apressados usando capacete. Atravessamos diferentes setores do prédio e chegamos ao corredor que conduzia ao necrotério, um lugar pequeno com piso de cerâmica rosado e duas mesas de aço inoxidável fixas no chão. Gerde abriu um armário e nos passou dois trajes cirúrgicos esterilizados descartáveis, aventais de plástico e botas descartáveis de cano alto. Vestimos os trajes por cima de nossas roupas e depois pusemos luvas de látex e máscaras.

A moça morta fora identificada, chamava-se Kellie Shephard, 32 anos, negra. Trabalhara no hospital onde estava agora entre os cadáveres, dentro de um saco preto sobre a maca, na câmara frigorífica que naquele dia não continha mais corpos, com exceção dos recipientes cor de laranja berrante das amostras de tecidos retiradas para exames durante as cirurgias e de natimortos aguardando cremação. Empurramos a moça morta para a sala de autópsia e abrimos o zíper do saco preto.

"Já fizeram os raios X dela?", perguntei a Gerde.

"Sim, e também tiraram as impressões digitais. O dentista examinou os dentes ontem e já preparou a ficha, que conferia com os registros anteriores à morte."

Gerde e eu abrimos o zíper e o saco. Desdobramos as cobertas ensangüentadas e expusemos o corpo mutilado à luz intensa dos refletores cirúrgicos. Ela estava fria e rígida, os olhos cegos semicerrados no rosto deformado. Gerde ainda não lavara o corpo, a pele continha uma crosta de sangue preto-avermelhado, o cabelo duro parecia bombril. Os ferimentos eram tão numerosos e violentos que irradiavam uma aura de profunda raiva. Senti a fúria e o ódio e visualizei a luta feroz entre eles.

Os dedos e as palmas das duas mãos haviam sido cortados até os ossos durante sua tentativa de se proteger dos golpes da faca, segurando-a pela lâmina. Vi cortes fundos nos antebraços e punhos, também tentativas de defesa, bem como nas pernas. Provavelmente, ela caíra no chão e procurara chutar a faca. Os ferimentos se espalhavam numa constelação selvagem pelos seios, abdome e ombros, havendo ainda marcas nas nádegas e nas costas.

Muitos cortes eram grandes e irregulares, provocados pela mudança de direção da lâmina quando a vítima se mexia, ou quando a faca era puxada. O padrão dos cortes indicava uma faca de uma só lâmina com guarda que deixara arranhões quando os golpes foram desferidos. Um corte relativamente superficial ia do queixo à maçã do rosto, e o corte na garganta começava logo abaixo da orelha direita e descia até chegar à metade do pescoço, seguindo até o outro lado.

"Sugere que a garganta foi cortada por trás", falei enquanto Benton, em silêncio, olhava tudo e fazia anotações. "Cabeça puxada para trás, garganta exposta."

"Concluí que cortar a garganta da moça foi o *grand finale*", disse Gerde.

"Se ela tivesse sofrido um ferimento assim no início, teria sangrado depressa demais para esboçar qualquer resistência. Portanto, a resposta é sim, muito provavelmente ele cortou a garganta no final, talvez quando ela já estivesse caída no chão. E as roupas?"

"Vou pegá-las", disse Gerde. "Sabe, aparecem os casos mais estranhos aqui. Um desastre automobilístico medonho provocado pelo sujeito que sofreu um enfarte enquanto dirigia. O carro cai do alto da ponte e ele leva três ou quatro pessoas consigo. Tivemos um assassinato relacionado à internet, não faz muito tempo. Além disso, por aqui os maridos não atiram nas mulheres. Eles as estrangulam, matam a pauladas ou decapitam."

Ele continuou falando ao se afastar na direção do canto onde as roupas secavam em cabides, sobre uma bacia rasa. As peças estavam separadas por camadas de plástico para assegurar que fluidos corporais e materiais não fossem transferidos de uma peça a outra. Eu estava cobrindo a segunda mesa de autópsia com um forro esterilizado quando Teun McGovern entrou, guiada por um funcionário do necrotério.

"Achei melhor dar uma passada aqui antes de ir para o local do incêndio", falou.

Ela usava uniforme de combate e botas. Carregava um envelope pardo. Não se deu ao trabalho de colocar o traje cirúrgico ou calçar luvas para examinar cuidadosamente o crime sangrento.

"Meu Deus", disse.

Ajudei Gerde a estender o pijama em cima da mesa que acabara de cobrir. A blusa e a calça cheiravam a fuligem e estavam tão manchadas e empapadas de sangue que não pude distinguir sua cor. Havia cortes e furos no tecido de algodão, tanto na frente como nas costas.

"Ela chegou usando isso?" Eu só queria ter certeza.

"Sim", respondeu Gerde. "Tudo abotoado e fechado. Precisamos levar em conta a possibilidade de parte do sangue ser do assassino. Numa luta do gênero, não me surpreenderia se ele tivesse se cortado também."

Sorri para ele. "Você aprendeu a lição direitinho."

"Com uma doutora de Richmond", ele respondeu.

"À primeira vista parece um pijama de uso doméstico", comentou Benton. "Ela estava em casa, de pijama. Talvez já fosse tarde da noite. Um caso clássico de exagero ao matar, como vemos freqüentemente nos homicídios em que as duas pessoas mantêm um relacionamento. Mas é muito inusitado" — ele deu um passo à frente, aproximando-se da mesa — "o aspecto do rosto. Fora este corte." Ele apontou. "Não parece haver outros ferimentos. Tipicamente, quando o atacante mantém um relacionamento com a vítima, ele concentra a violência no rosto, pois a face é a pessoa."

"O corte no rosto é mais raso que os outros", notei, abrindo ligeiramente o ferimento com os dedos enluvados. "Mais fundo no queixo, vai ficando raso conforme avança para cima, pela face."

Recuei um passo e olhei o pijama novamente.

"Curiosamente, não falta nenhum fecho nem botão", falei. "E não há rasgos, como se poderia esperar numa luta do gênero, quando o agressor segura a vítima e tenta controlá-la."

"Creio que a palavra-chave no caso é *controle*", disse Benton.

"Ou falta de controle", rebateu McGovern.

"Exatamente", concordou Benton. "Foi um ataque fulminante, de surpresa. Algo provocou essa reação no sujeito, ele perdeu as estribeiras. Duvido seriamente que ele pretendesse agir do modo como agiu. O fogo aponta para a mesma direção. Pelo jeito, não conseguiu provocar o incêndio que desejava."

"Em minha opinião, o sujeito não ficou muito tempo no local, depois que a matou", disse McGovern. "Ele pôs fogo na casa ao sair, acreditando que assim apagaria as pistas. Você tem toda a razão. Ele não fez um bom serviço. Devemos acrescentar ainda que o alarme contra incêndio da moça soou à 1h58 da madrugada, os bombeiros chegaram em menos de cinco minutos. Portanto, o estrago foi mínimo."

Kellie Shephard apresentava queimaduras de segundo grau nos pés e nas costas, mas era tudo.

"Havia alarme contra roubo?", perguntei.

"Não estava ligado", respondeu McGovern.

Ela abriu o envelope pardo e começou a espalhar fotos do local do incêndio sobre a mesa. Benton, Gerde e eu as estudamos longamente. A vítima usava o pijama ensangüentado e estava deitada de bruços na soleira da porta do banheiro, com um dos braços sob o corpo e o outro estendido para a frente, como se quisesse alcançar algo. As pernas estavam retas e juntas, o pé quase tocava o vaso sanitário. A água suja no piso impossibilitava a localização das marcas de sangue, que existiriam se ela tivesse sido arrastada. Mas os closes no batente da porta e na parede adjacente revelavam cortes óbvios que pareciam recentes.

"O foco inicial do incêndio", explicou McGovern, "é exatamente aqui."

Ela apontou para uma foto do interior do banheiro queimado.

"Esse canto, perto da banheira, onde há uma janela aberta e cortina", disse. "E nesse trecho, como podem ver, há restos da mobília de madeira e almofadas do sofá que queimaram."

Ela tocou na foto.

"Portanto, temos uma porta e uma janela abertas. Ventilação cruzada ou, se quiserem, uma chaminé. Como numa lareira. O fogo começou no piso de cerâmica e atingiu as cortinas. Mas as chamas não tiveram força suficiente para chegar ao teto, neste caso."

"Por que você supõe isso?", indaguei.

"Só pode haver um bom motivo", ela respondeu. "O incêndio não foi bem-feito. É claro como o dia que o incendiário empilhou a mobília e as almofadas, além do que mais havia no banheiro, para começar o fogo. Mas ele jamais atingiu a intensidade necessária. O fogo inicial foi incapaz de incendiar a pilha de material combustível, pois a janela estava aberta e as labaredas seguiram em sua direção. Ademais, ele não ficou mesmo por ali para ver o resultado, pois teria se dado conta do fiasco. Desta vez o fogo mal atingiu o corpo, como uma língua de dragão."

Benton, de tão silencioso e imóvel, mais parecia uma estátua na qual apenas os olhos se moviam, examinando as fotos. Dava para perceber que um monte de coisas passava por sua cabeça, mas ele se mostrava parcimonioso com as palavras, como de costume. Nunca havia trabalhado com McGovern e não conhecia o dr. Abraham Gerde.

"Vamos passar muito tempo aqui", dirigi-me a ele.

"Vou para a cena", retrucou Benton.

Seu rosto parecia de pedra; ele ficava assim quando sentia a presença do mal, como se fosse um vento frio. Olhei para ele, que retribuiu o olhar.

"Pode vir comigo", ofereceu McGovern.

"Obrigado."

"Mais uma coisa", disse McGovern. "A porta dos fundos estava destrancada e havia um recipiente de areia para gato vazio na grama, ao lado dos degraus de acesso."

"Então você acha que ela saiu para limpar o banheiro do gato?", Gerde perguntou aos dois. "E o sujeito estava lá, esperando por ela?"

"Trata-se apenas de uma teoria", disse McGovern.

"Então o assassino sabia que ela tinha gato?", falei, cética. "E sabia que ela ia acabar saindo de noite para jogar fora a areia ou abrir a porta para o gato?"

"Não sabemos se ela dispensou a areia mais cedo e deixou o recipiente lá fora, para tomar ar", Benton ponderou enquanto tirava o traje. "Ela pode ter desligado o alarme e aberto a porta tarde da noite, ou no início da madrugada, mas por outras razões."

"E o gato?", perguntei. "Já apareceu?"

"Ainda não", McGovern disse ao sair acompanhada por Benton.

"Vou começar a colher material", falei a Gerde.

Ele pegou a máquina fotográfica e passou a registrar as imagens enquanto eu ajustava a iluminação. Estudei o corte no rosto e recolhi diversas fibras do ferimento, além de um fio de cabelo castanho longo ondulado que suspeitei ser dela própria. Mas havia outros fios, curtos e avermelhados. Haviam sido pintados recentemente, pois apenas uma fração de centímetro na raiz continuava escura. Claro, havia pêlos de gato por todo lado, com certeza transferidos para as partes ensangüentadas do corpo quando a vítima estava caída no chão.

"Persa, talvez?", perguntou Gerde. "Pêlos longos, muito finos?"

"Tive a mesma impressão", falei.

15

A extenuante tarefa de recolher fragmentos e indícios invisíveis a olho nu precisava ser feita em primeiro lugar. As pessoas geralmente não têm idéia do chiqueiro microscópico que transportam até alguém como eu começar a vasculhar o corpo e as roupas em busca de sinais quase imperceptíveis. Encontrei farpas de madeira, provavelmente do assoalho e das paredes, areia do gato, fragmentos de insetos e plantas, bem como as inevitáveis cinzas e detritos do incêndio. Contudo, o achado mais revelador veio do ferimento escabroso no pescoço. Usando a lupa, identifiquei duas lascas metálicas reluzentes. Apanhei-as com a ponta do dedo mínimo e as transferi delicadamente para um pano quadrado de algodão branco esterilizado.

Havia um microscópio de dissecação em cima de uma antiquada escrivaninha de metal. Ajustei o aumento para vinte vezes e acionei o iluminador. Mal pude acreditar no que vi ao observar as lascas de chapa de metal prateado retorcidas no círculo brilhante.

"Isso é muito importante", falei rapidamente. "Preciso guardar os fragmentos no algodão, dentro de um recipiente para provas. Precisamos garantir sem sombra de dúvida que não há fragmentos metálicos semelhantes em nenhum outro ferimento. A olho nu, ele reluz como uma lantejoula prateada."

"Transferidos da arma do crime?"

Gerde, animado, aproximou-se para espiar também.

"Eles estavam incrustados profundamente no ferimento do pescoço. Portanto, a resposta é sim, foram transferidos da arma do crime. São similares aos fragmentos encontrados no caso Warrenton", expliquei.

"E o que sabemos a respeito?"

"Uma apara de magnésio", respondi. "Por favor, não mencione isso a ninguém. Não queremos que a informação vaze para a imprensa. Preciso informar Benton e McGovern."

"Confie em mim", ele disse com veemência.

Contamos um total de 27 ferimentos. Após um rigoroso escrutínio de todos eles, confirmamos a ausência de outros fragmentos metálicos brilhantes. Isso me intrigou um pouco, eu presumira que a garganta fora cortada no final. Se era esse o caso, por que não havia lascas nos cortes anteriores? Eu calculava que as encontraria, principalmente nos casos em que a faca penetrara até a guarda e fora arrancada com força, esfregando nos músculos e tecidos flexíveis.

"Não é impossível, mas não faz sentido", falei a Ger-de enquanto media o corte na garganta. "Dezessete centímetros de comprimento", falei, marcando a trajetória no diagrama do corpo. "Raso na altura da orelha direita, depois mais fundo, cortando os músculos e a traquéia, depois raso novamente, do outro lado do pescoço. Sugere que o atacante estava atrás da vítima ao cortá-la, e que era canhoto."

Quando começamos a lavar o corpo já eram quase duas da tarde. Durante alguns minutos a água que escorria pela mesa de aço ficou vermelha. Esfreguei o sangue teimosamente grudado com uma esponja grande e macia; seus ferimentos pareciam ainda maiores e mutilantes quando a pele escura e lisa ficou limpa. Kellie Shephard havia sido uma linda mulher, com maçãs salientes no rosto e pele perfeita, lisa como madeira encerada. Media 1,70 metro e seu corpo era atlético, esguio. Suas unhas não estavam pintadas e ela não usava jóias quando foi encontrada.

Quando a abrimos, a cavidade peitoral perfurada continha quase um litro de sangue, resultado da hemorragia nos vasos sangüíneos principais que passavam pelo coração e pelos pulmões. Após sofrer os ferimentos, ela teria sangrado alguns minutos até morrer. Portanto, os golpes foram desferidos no final do confronto com o assassino, quando já não conseguia se defender, enfraquecida. Os ângulos dos ferimentos indicavam que ela se mexera pouco, deitada no chão, quando eles foram desferidos de cima para baixo. Em seguida, conseguira rolar, ficando de bruços, quem sabe num último esforço para se proteger, e nas minhas conjecturas foi então que lhe cortaram a garganta.

"Alguém ficou completamente encharcado de sangue", comentei ao começar a medir os cortes nas mãos.

"Sem dúvida."

"Ele precisou se limpar em algum lugar. Ninguém chega à recepção de um hotel nesse estado."

"Talvez more perto do local do crime."

"Ou fugiu de carro, torcendo para não ser parado pela polícia."

"Há um fluido marrom no estômago."

"Ela não comeu nada nas últimas horas, provavelmente jantou cedo", falei. "Acho melhor descobrir se a cama estava desarrumada."

Esboçava-se em minha mente a imagem de uma mulher dormindo quando algo a surpreendeu, na noite de sábado ou na madrugada de domingo. Por alguma razão ela se levantou, desligou o alarme e abriu a porta dos fundos. Gerde e eu usamos grampos cirúrgicos para fechar a incisão em Y pouco depois das quatro. Lavei-me no minúsculo vestiário da morgue, onde um boneco articulado, usado para mostrar mortes violentas no tribunal, jazia caído no box do chuveiro.

Com exceção de sedes abandonadas de fazendas, que adolescentes irresponsáveis queimavam, incêndios criminosos eram raros em Lehigh. A violência não chegara ao bairro de baixa classe média chamado Wescosville, onde

Shephard residia. Os crimes mais sérios eram furtos em lojas e ataques de descuidistas que viam pela janela uma bolsa ou carteira dentro da casa, entravam e pegavam. Uma vez que não havia departamento de polícia em Lehigh, quando a polícia estadual chegava para atender ao chamado do alarme contra roubo, os ladrões já estavam longe.

Peguei o uniforme de combate e botas reforçadas com aço em minha maleta e usei o mesmo vestiário do boneco. Gerde fez questão de me levar até o local do incêndio. Impressionei-me com os abetos exuberantes e jardins floridos à beira da pista. De quando em quando via uma igreja simples mas bem cuidada. Entramos em Hanover Drive, onde as casas eram modernas, de tijolos e madeira, espaçosos sobrados com aros de basquete, bicicletas e outros sinais de filhos.

"Faz alguma idéia de quanto custam?", perguntei, observando as casas.

"Duzentos a 300 mil dólares", ele disse. "Há um bocado de engenheiros, enfermeiras e corretores da Bolsa morando aqui. Além disso, a I-78 é a principal rodovia que atravessa o vale do Lehigh. Dá para pegar a via expressa e chegar a Nova York em uma hora e meia. Muita gente mora aqui e trabalha na cidade."

"O que mais há na área?", perguntei.

"Depósitos e fábricas, a uns quinze minutos de carro. Coca-Cola, Air Products, depósitos da Nestlé e da Perrier, entre outros. Além das fazendas."

"Mas ela trabalhava no hospital."

"Certo. Que fica a dez minutos de distância, no máximo, como você pode perceber."

"Por acaso você se lembra de tê-la visto antes, alguma vez?"

Gerde ficou pensativo por um minuto enquanto uma fina coluna de fumaça subia por trás das árvores, no fim da rua.

"Tenho quase certeza de tê-la visto na lanchonete", respondeu. "É difícil não notar uma pessoa como ela. Estava numa mesa com outras enfermeiras, creio. Não me recordo bem. Acho que nunca conversamos, porém."

A casa de Shephard era revestida de madeira, com tábuas pintadas de amarelo emolduradas em branco. Embora o fogo tivesse sido contido sem muita dificuldade, os danos provocados pela água e pelos machados que abriram buracos enormes no telhado para ventilar o lugar foram devastadores. Restou uma fachada patética, coberta de fuligem sob o telhado parcialmente desabado e janelas com os vidros quebrados que mais pareciam olhos sem vida. Canteiros de flores foram pisoteados, a grama cuidadosamente aparada virou um lamaçal e o Camry último tipo estacionado na entrada ficou coberto de cinzas. O corpo de bombeiros e os investigadores do ATF trabalhavam na parte de dentro enquanto dois agentes do FBI com jaquetas à prova de balas patrulhavam a área externa.

Encontrei McGovern no quintal, conversando com uma jovem agitada de jeans cortado, sandália e camiseta.

"E a que horas aconteceu? Por volta das seis?", indagou McGovern.

"Isso mesmo. Eu estava cozinhando o jantar quando ela chegou em casa, estacionando o carro exatamente onde está agora", a moça relatou, excitada. "Depois entrou e só saiu depois de meia hora para arrancar o mato. Ela gostava de trabalhar na terra, cortar a grama, coisas do gênero."

McGovern olhou para mim quando me aproximei.

"Essa é a senhora Harvey", explicou. "A vizinha."

"Oi", falei à sra. Harvey, cujo brilho de excitação nos olhos beirava o receio.

"A doutora Scarpetta é médica-legista", contou McGovern.

"Sei", disse a sra. Harvey.

"A senhora viu Kellie novamente, naquela noite?", McGovern perguntou em seguida.

A mulher fez que não com a cabeça.

"Ela entrou em casa e foi tudo. Sei que trabalhava muito e normalmente ia para a cama bem cedo."

"Tinha namorado? Saía com alguém?"

"Ah, ela teve vários", disse a sra. Harvey. "Médicos, de vez em quando, colegas do hospital. Aí, no ano passado, ela começou a sair com um rapaz que tinha sido paciente dela. Nenhum namoro durava muito tempo, pelo jeito. Ela era bonita demais, isso causava problemas. Os homens só queriam uma coisa, ela tinha outros planos. Sei bem disso, ela costumava comentar seus casos."

"Mas ninguém recentemente?", indagou McGovern.

A sra. Harvey parou para pensar.

"Só as amigas", respondeu. "Colegas de trabalho, também. Costumavam passar aqui, ou saíam juntas. Mas não me lembro de nenhum movimento naquela noite. Não estou afirmando nada. Alguém pode ter aparecido sem que eu percebesse."

"Já encontraram o gato?", perguntei.

McGovern não respondeu.

"Gato desgraçado", comentou a sra. Harvey. "Metido. Mimado, muito mimado."

Ela sorriu, mas seus olhos se encheram de lágrimas.

"Era o xodó dela", comentou a sra. Harvey.

"Vivia dentro de casa?", perguntei.

"Mas é claro. Kellie nunca deixava o gato sair, ele era tratado como um filho, numa redoma."

"A caixa de areia foi encontrada no quintal", informou McGovern. "A senhora sabe se Kellie esvaziava a caixa e a deixava do lado de fora à noite? Costumava fazer isso sempre? Sair da casa depois que escurecia, destrancando a porta e desligando o alarme?"

A sra. Harvey se mostrou confusa; suspeitei que ela nem imaginava que a vizinha fora assassinada.

"Bem", disse, "sei que ela saía às vezes para esvaziar a caixa de areia, mas sempre jogava tudo num saco e punha na lata de lixo. Portanto, não faria sentido deixar para fazer isso à noite. Acho que ela esvaziou a caixa e a pôs do lado de fora para tirar o cheiro. Ou não teve tempo de lavá-la, deixando para o dia seguinte. Seja como for, o gato sabia usar o toalete. Não mudaria nada para ele ficar sem a caixa de areia por uma noite."

Ela arregalou os olhos quando uma viatura policial se aproximou.

"Ninguém me contou como o fogo começou", sondou a sra. Harvey. "Já sabem?"

"Estamos tentando descobrir", disse McGovern.

"Ela não morreu... bem, foi tudo muito rápido, né?"

Ela entrecerrou os olhos por causa do sol intenso e mordeu o lábio inferior.

"Não gostaria de saber que ela sofreu", disse.

"Em geral, as pessoas que morrem em incêndio não sofrem", respondi com tato, evitando uma resposta direta. "O monóxido de carbono causa um desmaio, elas perdem totalmente a consciência."

"Graças a Deus", ela disse.

"Vou para dentro", McGovern falou para mim.

"Senhora Harvey", falei, "a senhora conhecia Kellie muito bem?"

"Fomos vizinhas durante quase cinco anos. Não costumávamos sair juntas, mas sem dúvida eu a conhecia bem."

"Será que a senhora tem fotos dela recentes, ou sabe onde posso conseguir uma?"

"Devo ter alguma guardada."

"Preciso ter certeza na identificação", expliquei, embora meu motivo para a solicitação fosse outro.

Queria saber qual era a aparência de Shephard em vida.

"Se souber mais alguma coisa a respeito dela, eu gostaria muito de ser informada", prossegui. "Por exemplo, tinha parentes na região?"

"Nenhum", disse Harvey, fitando a casa destruída da vizinha. "Vivia mudando. O pai era militar, sabe, creio que mora com a mãe dela na Carolina do Norte. Kellie era muito sofisticada, havia morado em várias cidades. Eu sempre dizia que desejava ser forte e inteligente como ela, que não levava desaforo para casa. Certa vez apareceu uma cobra na minha varanda. Fiquei histérica e a chamei para ajudar. Ela veio, espantou a cobra para o gramado e a matou com uma pá. Acho que ficou assim porque os homens não a deixavam em paz. Eu sempre dizia que ela podia ser estrela de cinema, e ela respondia: "Sandra, eu não sei representar". Aí eu retrucava: "A maioria das atrizes também não".

"Ela era bem esperta, então."

"Com certeza. Por isso mandou instalar o alarme contra roubo. Kellie era valente e esperta. Se você entrar um pouco em casa, posso procurar as fotos."

"Não quero incomodar", falei, "mas seria muita gentileza sua."

Atravessamos a sebe e subimos alguns degraus para chegar à cozinha espaçosa e bem iluminada. Estava na cara que Harvey adorava cozinhar, mantinha o guarda-comida cheio e possuía todos os eletrodomésticos imagináveis. Havia panelas penduradas em ganchos no teto e a comida no fogão cheirava bem, carne com cebola. Um estrogonofe ou ensopado.

"Sente-se ali, perto da janela. Vou pegar as fotos e volto já", disse.

Acomodei-me na mesa de café e olhei através da janela para a casa de Kellie Shephard. Vi gente passando atrás das janelas quebradas, e alguém tinha acendido os refletores pois o sol já estava baixo e fraco. Imaginei que a vizinha sempre a via entrar e sair.

Sem dúvida, Harvey sentia curiosidade pela vida de uma moça exótica o bastante para ser estrela de cinema. Dificilmente alguém poderia ter seguido e vigiado Shephard sem que a vizinha notasse a presença de um desconhecido ou de um carro estranho nas redondezas. Mas eu precisava formular as perguntas com cautela, pois ainda não havíamos tornado pública a informação de que Shephard sofrera uma morte violenta.

"Imagine, tenho algo melhor ainda, nem dá para acreditar", Harvey falou ao retornar à cozinha. "Uma equipe de televisão foi ao hospital na semana passada para fazer uma matéria sobre o pronto-socorro. Apareceu no jornal da noite e Kellie estava de serviço. Por isso, gravei tudo. Lamento ter demorado tanto para me lembrar, mas isso tudo me deixou com a cabeça fora do lugar, entende?"

Nas mãos, ela tinha uma fita de vídeo. Acompanhei-a até a sala de estar, onde havia um aparelho. Sentei-me numa poltrona azul rodeada pelo carpete azul, enquanto ela rebobinava e apertava a tecla *play*. As primeiras tomadas do hospital de Lehigh Valley foram feitas a partir de um helicóptero que pousava com um caso de emergência. Foi então que eu soube que Kellie era paramédica numa equipe de resgate aéreo, e não apenas enfermeira.

A reportagem mostrava Kellie de macacão, avançando rapidamente pelo corredor com outro membros da equipe de resgate que acabavam de chegar.

"Com licença, com licença", ela pedia ao correr no meio das pessoas.

Era um exemplo espetacular de bom funcionamento do genoma humano. Sua dentição era perfeita, e a câmera namorava cada ângulo de seu corpo elegante. Não era difícil imaginar pacientes apaixonados por ela. Em seguida, a reportagem a mostrava na lanchonete, após a realização de mais uma missão impossível.

"É sempre uma corrida contra o tempo", Shephard dizia ao repórter. "Sabemos que um minuto de demora pode custar uma vida humana. E haja adrenalina."

O ângulo da câmera mudou enquanto ela dava uma entrevista meio banal.

"Mal posso acreditar que tenha gravado tudo isso. É que raramente algum conhecido meu aparece na televisão", dizia Harvey.

Não percebi de imediato.

"Pare a fita!", gritei. "Volte um pouco. Aí, isso mesmo. Congele a imagem!"

Havia alguém ao fundo, lanchando tranqüilamente.

"Não é possível", murmurei. "Não pode ser."

Carrie Grethen usava jeans e camiseta manchada. Comia um sanduíche na mesa, junto com outros funcionários do hospital. Não a reconheci imediatamente, pois o cabelo cobria a orelha e fora tingido com hena vermelha. Antes, era curto e branco oxigenado. Mas seus olhos me atraíram como um buraco negro. Ela fitava a câmera diretamente enquanto mastigava, o olhar era frio, intenso e perverso como antes.

Levantei-me da poltrona, fui até o videocassete e ejetei a fita.

"Preciso levar isso", avisei. Minha voz traía o pânico. "Prometo que vou devolver."

"Tudo bem. Desde que não se esqueça. Só tenho esta cópia." Sandra Harvey levantou-se também. "A senhora está bem? Parece que viu um fantasma."

"Preciso ir embora. Muito obrigada por tudo", falei.

Saí correndo para a casa vizinha e subi os degraus nos fundos, onde a água fria pingava do teto, formando uma poça de dois centímetros de profundidade. Os agentes andavam de um lado para o outro, fotografando detalhes e trocando idéias.

"Teun!", chamei.

Avancei com cuidado, saltando os pedaços em que faltava o piso, fazendo o possível para não tropeçar. Vi vagamente quando um agente jogou o cadáver queimado do gato num saco plástico.

"Teun!", gritei novamente.

Ouvi passos firmes chapinhando na água, desviando dos pedaços de teto caído e das paredes desabadas. Ela segurou meu braço com mão forte.

"Ei, cuidado para não cair", disse.

"Precisamos encontrar Lucy", falei.

"O que houve?"

Ela me escoltou para fora com cuidado.

"Onde está ela?", perguntei ansiosa.

"Há uma ocorrência no centro. Uma mercearia, provavelmente incêndio criminoso. Kay, mas que diabo...?"

Estávamos no gramado. Eu segurava a fita de vídeo como se fosse minha única esperança na vida.

"Teun, por favor." Olhei-a com desespero. "Me leve até a Filadélfia."

"Vamos", ela disse.

16

McGovern fez o trajeto de volta para a Filadélfia em 45 minutos, sem dar a mínima para os limites de velocidade. Chamou a sede pelo rádio e falou usando um canal codificado seguro. Embora passasse informações com cautela, deixou bem claro que todos os agentes disponíveis deveriam vasculhar as ruas em busca de Carrie. Enquanto ela tomava essas providências, entrei em contato com Marino pelo celular e pedi que pegasse o primeiro avião.

"Ela está aqui", falei.

"Porra. Benton e Lucy já sabem?"

"Saberão assim que eu conseguir localizá-los."

"Estou a caminho", ele disse.

Eu não acreditava, nem McGovern, que Carrie ainda estivesse na comarca de Lehigh. Ela pretendia ir aonde pudesse causar os maiores danos. Com certeza descobrira que Lucy se transferira para a Filadélfia. Carrie talvez estivesse seguindo Lucy. Eu sabia de uma coisa, mas não conseguia entender direito: o assassinato em Warrenton e o que ocorrera ali serviram como isca para atrair as pessoas que haviam derrotado Carrie no passado.

"Mas Warrenton aconteceu antes de ela fugir de Kirby", McGovern argumentou quando virava em Chestnut Street.

"Sei disso", falei, sentindo que o medo reduzira minha pulsação a zero. "Não sei de nada, só sei que ela está metida nisso de algum jeito. Não apareceu por acaso na reportagem da televisão, Teun. Sabia que após o assassinato de Kellie Shephard iríamos em busca de todas as pistas possíveis. Carrie estava certa de que veríamos a fita."

O incêndio ocorrera numa área degradada, a oeste da Universidade da Pensilvânia. Escurecera, as luzes de emergência piscavam, visíveis a quilômetros. Os carros de polícia bloquearam duas quadras. Havia pelo menos oito caminhões-pipa dos bombeiros e mais quatro com escadas Magirus. A mais de vinte metros de altura, os bombeiros dirigiam os jatos para o telhado fumegante. A noite rugia com os motores diesel, e jatos de alta pressão martelavam madeira e quebravam vidros. As mangueiras inchadas atravessavam a rua e a água chegava à altura dos pára-choques dos carros estacionados, que não iriam tão cedo para lugar nenhum.

Fotógrafos e equipes de televisão ocupavam a calçada e entraram em alerta quando McGovern e eu descemos do carro.

"O ATF está cuidando do caso?", perguntou uma repórter da tevê.

"Só viemos dar uma espiada", respondeu McGovern, sem parar de caminhar.

"Então há suspeita de incêndio criminoso, como nas outras mercearias?"

O microfone nos acompanhava enquanto as botas chapinhavam na água.

"Estamos investigando", declarou McGovern. "E a senhora precisa se afastar, por favor."

A repórter ficou na frente de um carro de bombeiro. McGovern e eu nos aproximamos da loja. As labaredas atingiram a barbearia vizinha, onde bombeiros com machados e picaretas abriam buracos no telhado. Agentes do ATF, com jaquetas protetoras, entrevistavam testemunhas potenciais. Investigadores de capote e capacete entravam e saíam do porão. Ouvi alguém mencionar chaves elétricas, medidores e furto de eletricidade. A fumaça preta diminuía, e parecia haver uma única área do prédio onde as chamas teimavam em crescer novamente.

"Ela deve estar lá dentro", McGovern disse no meu ouvido.

Segui-a de perto. A fachada da loja, de vidro temperado, era apenas um imenso buraco. Parte das mercadorias boiava na água fria que escorria para fora. Latas de atum, bananas enegrecidas, absorventes íntimos, sacos de batata frita e vidros de molho para salada passaram por mim. Um bombeiro resgatou uma lata de café solúvel e a jogou dentro do caminhão, dando de ombros. Fachos de possantes lanternas varriam o interior escuro e esfumaçado da loja destruída, iluminando as vigas torcidas como balas de coco e fios expostos, pendurados nos vergalhões em I.

"Lucy Farinelli está aí?", gritou McGovern.

"Quando a vi pela última vez ela estava lá fora, nos fundos, interrogando o proprietário", respondeu uma voz masculina.

"Tomem cuidado", disse McGovern.

"Pode deixar. Estamos tendo dificuldade para desligar a eletricidade. Deve haver um cabo de força subterrâneo. Pode verificar isso?"

"Vou ver num minuto."

"Então é isso que minha sobrinha faz", falei a McGovern enquanto vadeávamos de volta para a rua, rodeadas de vegetais estragados e comida enlatada.

"Nos dias bons. Creio que ela está na unidade 718. Vamos ver se consigo chamá-la."

McGovern levou o rádio até a altura da boca e chamou Lucy.

"O que foi?", minha sobrinha respondeu.

"Está ocupada?"

"Quase terminando."

"Pode nos encontrar na porta?"

"Estou a caminho."

Meu alívio era inconfundível. McGovern sorriu enquanto as luzes piscavam e a água escorria. Os bombeiros estavam pretos de fuligem e suavam. Observei seus movimentos vagarosos, as botas de cano alto, as mangueiras nos ombros. Tomavam seguidos copos de um refresco verde que preparavam em jarras plásticas. Os holofotes foram acesos num dos caminhões, seu brilho era ofuscante e tornava a cena confusa, surrealista. Curiosos atraídos pelo fogo, ou *mariposas*, como os agentes do ATF os chamavam, surgiram das trevas e tiravam fotos com câmeras descartáveis, enquanto alguns camelôs vendiam incenso e relógios falsificados.

Quando Lucy se aproximou, a fumaça diminuíra e clareara, indicando a predominância do vapor. A água vencera a batalha.

"Ótimo", comentou McGovern, observando a mudança. "Acho que estamos quase chegando lá."

"Os ratos roeram a fiação", foi a primeira coisa que Lucy disse. "Pelo menos, é a teoria do dono."

Ela me olhou, surpresa.

"O que a trouxe aqui?", perguntou.

"Pelo jeito, Carrie está envolvida no incêndio e no assassinato em Lehigh", McGovern respondeu no meu lugar. "Existe a possibilidade de que ainda esteja na região, talvez aqui mesmo na Filadélfia."

"Como?" Lucy ficou atônita. "Como assim? E quanto a Warrenton?"

"Eu sei", retruquei. "Parece inexplicável. Mas há paralelismos flagrantes."

"Então talvez este seja um clone", minha sobrinha disse. "Ela leu a notícia e está brincando com a gente."

Pensei novamente na partícula de metal e no foco inicial. Detalhes do gênero não foram divulgados pela imprensa. Nem mesmo noticiaram que Claire Rawley fora assassinada com um instrumento cortante afiado, como uma faca. Além disso, outra coincidência martelava em minha cabeça. Tanto Rawley como Shephard eram lindas.

"Mandamos vários agentes para as ruas", McGovern disse a Lucy. "O principal era você ficar sabendo e manter-se alerta, entende? Kay." Ela olhou para mim. "Talvez este não seja o lugar adequado para você."

Não respondi. Dirigi-me a Lucy.

"Teve notícias de Benton?"

"Nenhuma."

"Não consigo entender", murmurei. "Onde ele poderia estar?"

"Quando falou com ele pela última vez?", Lucy quis saber.

"No necrotério. Ao sair, ele disse que ia para a cena do crime. O que pode ter feito? Passado uma hora por lá, no máximo?", falei a McGovern.

"No máximo. Você acha que ele pode ter voltado para Nova York, ou mesmo para Richmond?", ela me perguntou.

"Nesse caso, teria me avisado, com certeza. Mandei várias mensagens ao pager dele. Vamos torcer para que Marino saiba de algo. Está a caminho."

As mangueiras esguichavam água e uma fina garoa caía sobre nós.

Era quase meia-noite quando Marino bateu à porta do meu quarto, no hotel. Não sabia de nada.

"Você não devia estar aqui sozinha", foi dizendo ao chegar. Estava tenso, desalinhado.

"Sabe me dizer onde eu estaria mais segura? Não sei o que está acontecendo. Benton não deixou nenhum recado. Não responde às mensagens do pager."

"Vocês dois não andaram brigando, por acaso?"

"Marino, pelo amor de Deus", falei exasperada.

"Você perguntou, só estou tentando ajudar."

"Sei disso."

Respirei fundo e tentei me acalmar.

"E quanto a Lucy?"

Ele sentou na beirada da minha cama.

"Houve um incêndio grande perto da universidade. Provavelmente, ela ainda está por lá", respondi.

"Incêndio criminoso?"

"Ainda não se sabe."

A tensão cresceu nos minutos em que permanecemos silenciosos.

"Bem, não podemos ficar aqui esperando só Deus sabe o quê", falei. "Vamos sair. Não vou conseguir dormir, mesmo."

Comecei a andar de um lado para outro.

"Não pretendo passar a noite inteira aqui pensando que Carrie está lá fora, me esperando, diacho."

As lágrimas brotaram em meus olhos.

"Benton está em algum lugar. Talvez no local do incêndio, com Lucy. Não sei."

Dei as costas para ele e olhei para o porto. Eu respirava com dificuldade, e minhas mãos estavam tão frias que as unhas azularam.

Marino se levantou, e percebi que me observava.

"Vamos", ele disse. "Vamos descobrir o que está havendo."

Quando chegamos ao local do incêndio, em Walnut Street, a atividade diminuíra consideravelmente. A maioria dos carros de bombeiros havia partido, os últimos bombeiros responsáveis pelo rescaldo estavam exaustos, recolhendo mangueiras. O vapor esfumaçado ainda saía do meio da loja, mas não vi chamas. Lá dentro, vozes e passos ecoavam enquanto o facho potente das lanternas cortava a escuridão e se refletia nos cacos de vidro. Vadeei a área inundada, passando pelos detritos e pelas mercadorias que flutuavam. Ouvi a voz de McGovern perto da entrada, ao me aproximar. Ela falava algo a respeito de um legista.

"Convoque-o imediatamente", gritou. "E tome cuidado ali adiante, tá bom? Não sabemos o que há por aí, e não quero que ninguém pise onde não deve."

"Alguém tem uma máquina fotográfica?"

"Certo, temos um relógio, aço inoxidável, masculino. Vidro quebrado. Achamos um par de algemas, confirmado?"

"O que você disse?"

"O que você acabou de ouvir. Algemas, Smith & Wesson, artigo genuíno. Fechadas e trancadas, como se alguém as estivesse usando. Na verdade, trancadas com *duas voltas* na chave."

"Está brincando?"

Avancei para dentro, enquanto as pesadas gotas de água batiam no capacete e escorriam pelo meu pescoço. Reconheci a voz de Lucy, mas não consegui entender o que ela estava dizendo. Parecia histérica, e de repente começou uma movimentação frenética, ruidosa, com muito chapinhar de água.

"Calma, calma!", ordenou McGovern. "Lucy! Alguém precisa tirá-la daqui."

"Não", gritou Lucy.

"Vamos, vamos", repetia McGovern. "Estou segurando seu braço. Vá com calma, tá?"

"Não!", gritou Lucy. "NÃO! NÃO! NÃO!"

Seguiram-se o barulho de alguma coisa caindo na água e um grito de surpresa.

"Minha nossa! Você está bem?", disse McGovern.

Eu já estava a meio caminho, dentro da loja, quando vi McGovern ajudando Lucy a se levantar. Minha sobrinha, histérica, sangrava na mão mas não parecia se importar com isso. Caminhei até onde estavam com o coração apertado. O sangue nas minhas veias parecia tão gelado quanto a água que me rodeava.

Ela tremia dos pés à cabeça.

"Quando você tomou a antitetânica pela última vez?", perguntei.

"Tia Kay", ela gemeu. "Tia Kay."

Lucy passou os braços em torno do meu pescoço e nós duas quase caímos. Ela chorava tanto que não conseguia falar, seu abraço chegava a machucar minhas costelas, de tão forte.

"O que aconteceu?", perguntei a McGovern.

"Vamos tirar as duas daqui imediatamente", ela disse.

"Diga logo o que foi que houve!"

Eu não pretendia ir a lugar nenhum enquanto ela não me explicasse tudo. Ela hesitou.

"Encontramos um corpo. Uma vítima do incêndio. Kay, por favor."

Ela segurou meu braço, mas eu me livrei com um repelão.

"Temos de sair daqui", ela disse.

Afastei-me dela e olhei para os fundos, onde os investigadores conversavam, mexiam na água e iluminavam um canto.

"Outros ossos aqui também", alguém disse. "Não, engano. É madeira queimada."

"Acho que não."

"Droga. Cadê a porra do legista?"

"Deixe isso por minha conta", falei a McGovern, como se estivesse no comando da operação. "Leve Lucy e enrole uma toalha limpa na mão dela. Cuidarei do ferimento em seguida. Lucy", falei a minha sobrinha, "você vai ficar bem."

Tirei seus braços de meu pescoço e comecei a tremer. Intuitivamente, eu já sabia.

"Kay, não vá lá", McGovern ergueu a voz. "Não!"

Mas eu sabia que tinha de ir; abruptamente afastei-me delas e fui para o canto, pisando na água, quase tropeçando, sentindo os joelhos fraquejarem. Os investigadores fizeram silêncio conforme eu me aproximava. A princípio, não compreendi o que via sob a luz das lanternas, um vulto carbonizado misturado com papel molhado e material de isolamento, algo por cima do forro despencado e dos pedaços de madeira enegrecida.

Então vi o cinto e a fivela, depois o fêmur protuberante que parecia um pedaço de pau grosso, queimado. Meu coração batia tão forte que parecia querer saltar para fora do peito. Os restos mortais terminavam na cabeça enegrecida, desfigurada, na qual só distingui chumaços de cabelo prateado ensopado.

"Deixe-me ver o relógio", falei, arregalando os olhos para os investigadores.

Um deles estendeu o braço e eu apanhei o relógio de sua mão. Era um modelo Aerospace masculino, da Breitling, de aço inoxidável.

"Não", murmurei ao cair de joelhos na água. "Não é possível."

Cobri o rosto com as mãos. Minha mente entrou em pane. Ficou tudo escuro, vacilei. Uma mão me segurou. A bile me subiu à garganta.

"Vamos, doutora", uma voz masculina disse gentilmente enquanto me ajudava a levantar.

"Não pode ser ele", gritei. "Meu Deus, por favor, não permita que seja ele. Por favor, por favor."

Incapaz de me manter equilibrada, apoiei-me em dois agentes para sair dali, juntando os fragmentos do que restara de mim. Não falei com ninguém até chegar à rua. Caminhei, cambaleei até a Explorer de McGovern. Ela estava no banco de trás, segurando uma toalha suja de sangue em volta da mão de Lucy.

"Preciso de um kit de primeiros socorros", ouvi minha voz dizer a McGovern.

"Acho melhor levá-la para o hospital", sua voz respondeu quando ela me fitou com pena e medo brilhando nos olhos.

"Ande logo", falei.

McGovern virou-se para pegar algo no banco traseiro. Colocou uma maleta Pelican alaranjada sobre o banco e soltou as presilhas. Lucy estava quase em estado de choque, tremendo violentamente, pálida.

"Ela precisa de um cobertor", falei.

Removi a toalha e lavei a mão dela com água limpa. Uma lasca grande do polegar quase se soltara. Banhei-a abundantemente com anti-séptico. O cheiro de iodo penetrou em minhas narinas e tudo pareceu um pesadelo, por um instante. Não podia ser verdade.

"Ela precisa levar pontos", disse McGovern.

Não podia ter acontecido. Era tudo um sonho.

"Vamos para o hospital, para que ela seja suturada."

Mas eu já cortara as tiras de esparadrapo de benzoína esterilizado, pois sabia que pontos não funcionariam num ferimento daquele tipo. As lágrimas escorriam pelo meu rosto enquanto eu terminava o serviço com uma camada grossa de gaze. Levantei-me e olhei pela janela, vendo Marino parado na porta. Seu rosto estava deformado pela dor e pela raiva. Parecia que ele ia vomitar. Saí da Explorer.

"Lucy, você precisa vir comigo", falei, pegando-a pelo braço. Eu sempre funcionava melhor quando estava cuidando de alguém. "Vamos."

As luzes de emergência iluminavam nossos rostos na noite habitada por pessoas vagas, distantes. Marino nos levou embora de carro quando a perua do legista estava chegando. Tirariam raios X, fariam exames de dentição, talvez até comparassem o DNA para confirmar a identidade. Os procedimentos exigiram algum tempo, mas não importava. Eu já tinha certeza. Benton estava morto.

17

Segundo a melhor reconstituição dos eventos que se pôde fazer naquele momento, Benton fora atraído para uma armadilha fatal. Não fazíamos a menor idéia de como chegara à mercearia de Walnut Street, se fora ao encontro de sua morte medonha ou se fora seqüestrado em outro local e depois forçado a subir a escada até o depósito do pequeno prédio, situado numa área perigosa da cidade. Acreditávamos que tivesse sido algemado em algum momento, e a busca minuciosa localizou um pedaço de arame enrolado em forma de oito que provavelmente tinha atado seus tornozelos até que virassem cinza.

As chaves do carro e a carteira foram recuperadas, mas não a pistola Sig Sauer nove milímetros, nem o anel de ouro com seu brasão. Ele deixara várias mudas de roupa na suíte do hotel, além da pasta, que havia sido revistada e depois entregue a mim. Passei a noite na casa de Teun McGovern. Ela espalhou agentes em torno da residência, pois Carrie continuava circulando por ali e pretendia atacar novamente. Era apenas uma questão de tempo.

Ela tentaria terminar o que havia começado, e a questão mais importante, no fundo, era quem seria a próxima vítima e se Carrie teria sucesso. Marino se mudou para o minúsculo apartamento e passou a montar guarda no sofá. Nós três não tínhamos nada a dizer uns aos outros, pois não restava mesmo nada a dizer. O que estava feito estava feito.

McGovern fez o possível para me apoiar. Na noite anterior, em várias ocasiões, levara chá e lanches até meu quarto, cuja janela de cortina azul dava para as casas antigas de tijolos e luminárias de latão de Society Hill. Ela se mostrou bastante sensível ao não me pressionar, e eu me sentia tão arrasada que só queria saber de dormir. Mas acordava a todo momento, sentindo um mal-estar medonho, e logo me lembrava do motivo.

Não me recordei dos sonhos, porém. Chorei até os olhos incharem. Na manhã de quinta-feira tomei uma ducha demorada e fui para a cozinha da casa de McGovern. Ela tomava café e lia o jornal usando um conjunto em estilo militar azul.

"Bom dia", disse, agradavelmente surpresa ao me ver fora do quarto. "Está se sentindo melhor?"

"Quero saber o que está havendo", falei.

Sentei-me à sua frente. Ela baixou a xícara de café e afastou a cadeira.

"Vou pegar café para você", disse.

"Conte o que está havendo", insisti. "Quero saber, Teun. Descobriram alguma coisa? No necrotério?"

Ela hesitou por um momento, fixando a vista numa antiga magnólia que havia do outro lado da janela, cheia de flores marrons meio murchas.

"Ainda estão trabalhando no caso", disse finalmente. "Mas, com base nas evidências disponíveis, a garganta dele foi cortada. Havia cortes nos ossos da face. Aqui e aqui."

Ela mostrou o lado esquerdo da mandíbula e o espaço entre os olhos.

"Não havia fuligem nem queimaduras na traquéia, nem monóxido de carbono. Portanto, ele já havia morrido quando o incêndio começou. Lamento muito, Kay... nem sei o que dizer."

"Como é possível que ninguém o tenha visto entrar no prédio?", perguntei, como se não tivesse compreendido o horror contido em suas palavras. "Alguém o obrigou, talvez apontando uma arma, e ninguém viu nada?"

"A loja fecha às cinco da tarde", ela respondeu. "Não

há sinal de arrombamento, e por algum motivo o alarme contra roubo não foi ligado e não disparou. Já tivemos casos de estabelecimentos similares incendiados por causa do seguro. Sempre há famílias paquistanesas envolvidas, de um modo ou de outro."

Ela tomou um gole de café.

"O mesmo *modus operandi*", explicou. "Estoque mínimo, o incêndio começa pouco depois do fechamento da loja, ninguém na vizinhança sabe de nada."

"Isso não teve nada a ver com incêndio para receber seguro!", gritei, enfurecida.

"Claro que não", ela concordou calmamente. "Pelo menos, não diretamente. Mas posso explicar minha teoria, se estiver disposta a escutar."

"Pode dizer."

"Talvez Carrie tenha sido a encarregada do incêndio..."

"Claro que foi ela!"

"Estou querendo dizer que ela pode ter conspirado com o dono para pôr fogo na mercearia a mando dele, que talvez tenha até pago pelo serviço, sem fazer a menor idéia de qual era o verdadeiro plano. Claro, isso tudo exigiria um cuidadoso planejamento."

"Ela passou anos sem fazer nada além de planejar."

Meu peito doeu novamente, as lágrimas formaram um bolo na garganta e começaram a encher os olhos.

"Vou para casa", falei. "Preciso fazer alguma coisa. Não posso ficar aqui."

"Acho que seria melhor...", ela tentou argumentar.

"Preciso descobrir o que Carrie pretende aprontar a seguir", falei, como se isso fosse possível. "Preciso saber como vem agindo e o que está fazendo. Há um plano geral, um procedimento padrão, uma peça a mais no quebra-cabeça. Acharam aparas de metal?"

"Não restou muita coisa. Ele estava no depósito, no foco inicial. Havia muito material combustível no local, não sabemos bem qual, além de muitas bolinhas de isopor boiando. Elas pegam fogo facilmente. Mas não encontramos nada que pudesse ter sido usado para iniciar o fogo, por enquanto."

"Teun, há as aparas de metal do caso Shephard. Deixe-me levá-las para Richmond e compará-las com as que temos lá. Os investigadores podem entregá-las a Marino, contra recibo."

Ela me olhou de modo cético, melancólico e cansado.

"Você precisa lidar com sua perda, Kay", ela disse. "Deixe o resto por nossa conta."

"Estou lidando, Teun."

Levantei-me e olhei para ela.

"Do único modo que sei lidar", falei. "Por favor, me ajude."

"Você devia se afastar do caso. E pretendo dar folga a Lucy por uma semana, pelo menos."

"Você não pode me tirar do caso", retruquei. "De jeito nenhum."

"Você não tem condições de ser objetiva."

"E o que você faria, no meu lugar?", perguntei. "Iria para casa e ficaria lá, esperando, sem fazer nada?"

"Eu não estou no seu lugar."

"Responda", exigi.

"Ninguém conseguiria me impedir de continuar no caso. Eu ficaria obcecada. Agiria exatamente como você está agindo", ela disse ao se levantar também. "Conte comigo. Farei o possível para ajudá-la."

"Obrigada", falei. "Muito obrigada, Teun."

Ela me olhou por um tempo, encostada na bancada, com a mão no bolso da calça.

"Kay, não se culpe pelo que aconteceu", ela disse.

"Eu só culpo Carrie", falei ao derramar lágrimas amargas. "Eu sei exatamente a quem cabe toda a culpa."

18

Algumas horas depois, Marino me levou com Lucy de volta a Richmond. Foi a pior viagem de automóvel de minha vida. Nós três fomos olhando para a frente sem falar nada, uma depressão opressiva tomava conta do ambiente. Tudo parecia irreal, mas quando a realidade se impunha, doía como um soco forte desferido em meu peito. As imagens de Benton eram vívidas. Não sei se foi uma dádiva ou um complemento à tragédia nós termos dormido em camas separadas na última noite que passamos juntos.

Por um lado, eu não sabia se suportaria lembranças recentes de seu toque, seu hálito, do modo como o sentia em meus braços. Por outro, desejava abraçá-lo e fazer amor novamente. Minha mente rolava por diferentes despenhadeiros, rumo a pontos negros nos quais os pensamentos davam lugar a preocupações com elementos da realidade, como o destino de suas coisas e roupas que estavam em minha casa.

Seus restos mortais seriam despachados para Richmond, e, apesar de tudo que eu sabia a respeito da morte, nós dois nunca havíamos dado atenção à nossa, ao tipo de cerimônia fúnebre que preferiríamos ou ao local onde seríamos enterrados. Não queríamos pensar na nossa morte e não o fizemos.

A I-95 Sul era uma rodovia indistinta rumando para o infinito como se o tempo tivesse parado. Quando as lágrimas enchiam meus olhos, eu virava o rosto para a janela e disfarçava. Lucy ia no banco traseiro, muda. Raiva, dor e medo eram palpáveis como um muro de concreto.

"Vou largar tudo", disse ela finalmente, quando passávamos por Fredericksburg. "Para mim, chega. Vou arranjar qualquer coisa em outro lugar. Acho que vou trabalhar com computadores."

"Uma ova", retrucou Marino, olhando pelo retrovisor. "É justamente isso que aquela puta quer que você faça. Abandone sua carreira. Fracasse em tudo e se transforme numa mulher frustrada."

"Já sou uma fracassada e uma mulher frustrada."

"Você não é isso porra nenhuma", disse Marino.

"Ela o matou por minha causa", ela prosseguiu no mesmo tom de desânimo.

"Ela o matou porque quis. Podemos escolher entre ficar mergulhados na autocomiseração e antecipar seu próximo movimento, antes que ela ataque novamente e pegue mais um de nós."

Mas não havia como consolar minha sobrinha. Indiretamente, ela expusera todos nós a Carrie, no início.

"Carrie deseja que você se sinta culpada por tudo", falei.

Lucy não respondeu. Virei a cabeça para olhar para ela. Usava uniforme sujo e bota, seu cabelo estava desgrenhado. Ainda cheirava a fumaça, pois não tomara banho. Tampouco comera ou dormira, pelo que eu sabia. Seu olhar era vazio e duro. Um brilho traía a decisão que havia tomado, eu já tinha visto aquele brilho antes, quando o desespero e a hostilidade despertavam seu lado destrutivo. Parte dela queria morrer, ou talvez já tivesse morrido.

Chegamos em casa às cinco e meia, os raios oblíquos do sol estavam quentes e brilhantes, o céu azul embaçado, sem nuvens. Peguei os jornais na porta da frente e senti um novo mal-estar ao ver a manchete na primeira página, anunciando a morte de Benton. Embora a identificação não fosse definitiva, tudo indicava que ele havia morrido num incêndio, em circunstâncias muito suspeitas, enquanto assessorava o FBI na caçada à assassina fugitiva Carrie Grethen. Os investigadores não informaram o que Benton estava fazendo naquela mercearia incendiada, nem sabiam se o haviam atraído para uma armadilha.

"O que você quer fazer com isso?", perguntou Marino.

Ele abrira o porta-malas do carro, onde três sacos de papel pardo grande guardavam os objetos pessoais de Benton que estavam em seu quarto de hotel. Não consegui responder.

"Quer que eu ponha no escritório?", ele insistiu. "Se preferir, posso dar uma espiada no que tem aí, doutora."

"Não, não mexa nisso", falei.

O papel pardo farfalhou quando ele ergueu os sacos para levá-los para dentro de casa. Percorreu o corredor com passos lentos, pesados, e quando voltou para a entrada, eu continuava parada na frente da porta aberta.

"Telefono mais tarde", ele disse. "E não largue a porta aberta quando sair, entendeu? Não desative o alarme em hipótese alguma. E acho melhor você e Lucy ficarem em casa."

"Não precisa se preocupar conosco."

Lucy levara a bagagem para seu quarto, ao lado da cozinha, e olhava fixamente pela janela quando Marino partiu. Aproximei-me por trás dela e toquei seu ombro com suavidade.

"Não desista", falei, encostando a testa em sua nuca.

Lucy não se virou, mas senti o sofrimento que a inundava.

"Estamos juntas nisso", prossegui, delicadamente. "Só sobramos nós duas, no fundo. Você e eu. Benton gostaria que nos uníssemos para enfrentar tudo. Jamais aceitaria que você desistisse. Além disso, o que eu faria, hein? Se desistir do trabalho, você estará me abandonando também."

Ela começou a soluçar.

"Preciso de você", falei com dificuldade. "Mais do que nunca."

Virando-se, ela me abraçou como costumava fazer quando era uma menina pequena, carente de afeto. As lágrimas molharam meu pescoço e por um longo tempo permanecemos no meio do quarto cheio de equipamentos de computação e livros. Nas paredes havia pôsteres de seus heróis da adolescência.

"Foi minha culpa, tia Kay. Tudo minha culpa. Eu o matei!", ela gritou.

"Não", reagi, abraçando-a com força, chorando também.

"Como você poderá me perdoar? Eu o tirei de você!"

"Não foi nada disso, Lucy. Você não fez nada."

"Será impossível viver com esse peso nas costas."

"Você vai dar um jeito, tenho certeza. Precisamos da ajuda uma da outra para superar este momento."

"Eu também o amava. Ele fez tudo para me ajudar. Conseguiu a vaga para mim no FBI, me deu uma chance. Sempre me apoiou em tudo."

"Vai dar tudo certo", falei.

Ela se afastou de mim e largou o corpo na beirada da cama, limpando as lágrimas com a fralda da camisa azul imunda. Apoiou os cotovelos nos joelhos e baixou a cabeça, olhando para suas próprias lágrimas, que caíam como pingos de chuva no assoalho de madeira.

"Estou tentando explicar. Você precisa me ouvir", disse em voz baixa, dura. "Acho que não agüento mais, tia Kay. Todo mundo tem um limite. Chega uma hora em que a gente não consegue ir adiante." Ela ofegava. "Preferia que ela tivesse me matado, no lugar dele. Creio que teria feito um favor a mim."

Observei-a, vendo que sentia vontade de morrer ali mesmo, perante meus olhos.

"Tia Kay, se eu não conseguir suportar, você vai ter de entender e não poderá se culpar por nada", ela murmurou, limpando o rosto com a manga.

Aproximei-me e levantei seu queixo. Estava quente, cheirando a fumaça. Seu hálito e o odor de seu corpo eram intensos.

"Preste atenção", falei energicamente, de um modo que a teria assustado, no passado. "Pode ir tirando essas idéias da cabeça agora mesmo. Ainda bem que você não morreu, dê-se por feliz com isso e nem pense em cometer suicídio, se estiver querendo insinuar essa possibilidade. Sabe o que é o suicídio, Lucy? Uma demonstração de raiva, de ressentimento. A forma definitiva de mandar todo mundo à merda. Você teria coragem de fazer isso com Benton? Com Marino? Comigo?"

Segurei seu rosto entre as minhas mãos até que nossos olhares se encontraram.

"Você não vai permitir que um monte de lixo como Carrie a leve a isso", insisti. "Cadê o espírito rebelde que eu conheci?"

"Não sei", ela respondeu com um suspiro.

"Sabe, sim. Não estrague a minha vida, Lucy. Já houve danos demais. Não me obrigue a passar o resto dos meus dias ouvindo o eco de um tiro ressoando sem parar em minha mente. Sei que você não é covarde."

"Não sou mesmo."

Seus olhos se fixaram nos meus.

"Amanhã daremos o troco", falei.

Ela balançou a cabeça, engolindo em seco.

"Vá tomar um banho", ordenei.

Esperei até ouvir o barulho do chuveiro e fui para a cozinha. Precisávamos comer, embora eu duvidasse que alguma de nós estivesse com fome. Descongelei um peito de frango e o cozinhei com os legumes frescos disponíveis. Temperei a sopa com alecrim, louro e sherry, mas evitei especiarias mais fortes, como pimenta, pois precisávamos de algo leve. Marino ligou duas vezes enquanto jantávamos, para saber se estávamos bem.

"Se quiser, venha para cá", falei. "Fiz uma sopa, embora seja meio rala para seus padrões."

"Estou bem", ele disse, mas não me convenceu.

"Aqui tem lugar de sobra, se quiser passar a noite conosco. Aliás, eu deveria ter dito isso antes."

"Obrigado, doutora. Preciso fazer uma coisa."

"Estarei no departamento amanhã bem cedo", falei.

"Sua atitude chega a me espantar", ele retrucou em tom de censura, como se pensar no trabalho fosse uma atitude incompatível com o que eu deveria estar sentindo.

"Tenho um plano. E, haja o que houver, pretendo executá-lo", expliquei.

"Odeio quando você arranja um plano."

Desliguei e tirei os pratos de sopa da mesa da cozinha. Quanto mais pensava no que pretendia fazer, mais urgência eu sentia.

"É difícil arranjar um helicóptero?", perguntei a minha sobrinha.

"Como assim?" Ela parecia surpresa.

"Você entendeu."

"Você se importa se eu perguntar o motivo? Sabe, não dá para chamar um helicóptero como se fosse um táxi."

"Ligue para Teun", falei. "Diga que estou tomando umas providências e que preciso de toda a cooperação possível. Diga que vou precisar dela, acompanhada por uma equipe, em Wilmington, na Carolina do Norte, se as coisas saírem como pretendo. Ainda não sei quando. Talvez logo. Preciso de carta branca. Ela terá de confiar em mim."

Lucy levantou-se e foi até a pia pegar mais água.

"Isso é absurdo", disse.

"Dá para arranjar o helicóptero ou não?"

"Se eu tiver permissão, sim. A Patrulha da Fronteira tem uma frota. Normalmente, usamos os deles. Provavelmente mantêm um na capital."

"Ótimo. Dê um jeito, o mais rápido possível. Amanhã bem cedo vou contatar os laboratórios para confirmar algo que já sei. Depois, provavelmente, iremos a Nova York."

"Por quê?"

Ela parecia interessada e cética.

"Vamos pousar em Kirby e eu pretendo ir até o final dessa história", respondi.

Marino ligou de novo, por volta das dez. Mais uma vez, garanti que Lucy e eu estávamos bem, dadas as circunstâncias. Dentro de casa nos sentíamos seguras, havia um sistema de alarme sofisticado, iluminação, armas. A voz dele soava cansada, arrastada. Percebi que bebera e ligara a televisão no volume máximo.

"Você precisa se encontrar comigo no laboratório às oito", alertei.

"Já sei."

"É muito importante, Marino."

"Você não costuma dizer isso, doutora."

"Você precisa dormir um pouco", falei.

"E você também."

Mas eu não consegui. Sentei-me na frente da escrivaninha do escritório para rever os incêndios suspeitos do ESA. Estudei a morte em Venice Beach, depois o caso de Baltimore, procurando descobrir algo em comum entre as ocorrências e as vítimas, além do foco inicial e da suspeita de ato intencional, jamais comprovada pelos investigadores. Liguei para o departamento de polícia de Baltimore e consegui entrar em contato com um investigador que parecia disposto a falar.

"Johnny Montgomery cuidou do caso", disse o detetive. Percebi que fumava.

"Você sabe algo a respeito?", sondei.

"Acho melhor falar diretamente com ele. E aposto que ele vai querer checar se você é mesmo quem diz."

"Ele pode ligar para meu departamento amanhã de manhã e confirmar tudo", falei, dando o número. "Chegarei às oito, no máximo. E quanto a e-mail? O investigador Montgomery tem um endereço eletrônico que eu possa usar para mandar uma mensagem?"

"Espere um pouco que eu vou pegar."

Ouvi o ruído da gaveta sendo aberta, e ele me passou a informação.

"Acho que já ouvi falar de você", o detetive falou em tom pensativo. "Se for a legista que estou pensando. Boa aparência, pelo que vi na televisão. Você costuma vir a Baltimore?"

"Cursei medicina em sua linda cidade."

"Bem, agora sei que você é esperta."

"Austin Hart, o rapaz falecido no incêndio, também era estudante da Johns Hopkins", provoquei.

"Além de homossexual. Pessoalmente, acho que o motivo foi preconceito."

"Preciso de uma foto dele e de informações sobre seus hábitos e hobbies." Resolvi aproveitar a boa vontade do detetive.

"Claro." Ele tragou. "Um rapaz atraente. Soube que trabalhou como modelo para pagar a faculdade. Fez anúncio de cueca Calvin Klein, essas coisas. Aposto que foi algum namorado ciumento. Se vier novamente a Baltimore, doutora, precisa conhecer Camden Yards. Ouviu falar no novo estádio, não é?"

"Mas é claro", respondi, enquanto minha mente processava excitadamente a informação inédita.

"Posso conseguir ingressos, se quiser."

"Seria muita gentileza sua. Entrarei em contato com o investigador Montgomery. Muito agradecida por sua ajuda."

Desliguei o telefone antes que ele pudesse perguntar qual era meu time de beisebol preferido e imediatamente mandei um e-mail para Montgomery, resumindo minhas dúvidas, embora já soubesse o suficiente. Em seguida, tentei a Divisão do Pacífico do Departamento de Polícia de Los Angeles, responsável por Venice Beach, e dei sorte. O investigador responsável pelo caso Marlene Faber estava de plantão naquela noite e acabara de chegar. Chamava-se Stuckey e não se mostrou interessado em comprovar quem eu era.

"Gostaria que alguém resolvesse o caso para mim", foi logo dizendo. "Seis meses, e não conseguimos nada. Nem uma pista capaz de ajudar a esclarecer o crime."

"E o que você poderia me dizer a respeito de Marlene Faber?", perguntei.

"Trabalhou em *General Hospital*, fez umas pontas. E em *Northern Exposure*. Já viu essas séries?"

"Não assisto muita televisão. No máximo, a tevê pública."

"E o que mais? Claro, *Ellen*. Nenhum papel de destaque, mas nada impedia que viesse a fazer muito sucesso um dia. Era a moça mais linda do mundo. E saía com um produtor, mas ele não teve nada a ver com o crime, pelo que apuramos. A única coisa que interessava ao sujeito era cheirar pó e transar com todas as candidatas ao estrelato. Sabe, depois que me destacaram para o caso, vi muitas fitas de séries em que ela apareceu. Era boa atriz. Uma pena, o que houve."

"Algo incomum na cena do crime?", perguntei.

"Tudo era incomum, por lá. Não dava para entender como um incêndio foi começar no banheiro do andar superior, o pessoal do ATF não conseguiu explicar isso. Não havia nada lá para queimar, fora papel higiênico e toalhas. Nenhum sinal de arrombamento e o alarme contra roubo não tocou."

"Investigador Stuckey, por acaso os restos mortais da vítima estavam na banheira?"

"Isso mesmo. Outro negócio estranho, a não ser que fosse suicídio. Talvez ela tenha ateado fogo em tudo e cortado os pulsos depois. Muita gente corta os pulsos na banheira."

"Algum indício ou fragmento microscópico digno de nota?"

"Doutora, ela virou cinza. Parecia saída do crematório. Só sobrou uma parte do torso, usada para identificação por raios X, mas fora isso só recolhemos alguns dentes, pedaços de ossos calcinados e um pouco de cabelo."

"Ela trabalhou como modelo?", indaguei em seguida.

"Claro, fez comerciais de tevê e anúncios de revista. Ganhava muito bem. Tinha um Viper preto do ano e uma linda casa à beira-mar."

"Gostaria que você me mandasse fotos e relatórios por e-mail."

"Pode dizer seu endereço eletrônico, verei o que dá para fazer."

"Preciso disso com urgência, investigador Stuckey", falei.

Desliguei. Minha mente rodopiava. Todas as vítimas eram fisicamente muito bonitas, e trabalhavam com fotografia ou televisão. Não poderíamos ignorar esses denominadores comuns. Eu acreditava que Marlene Faber, Austin Hart, Claire Rawley e Kellie Shephard haviam sido selecionados por uma razão específica, importantíssima para o assassino. A cena começava a clarear. O padrão combinava com assassinatos em série, como os de Bundy, que escolhia mulheres de cabelos longos e lisos, parecidas com a namorada que o repudiara. Só Carrie Grethen não se encaixava na história. Para começar, ela estava presa em Kirby quando as três primeiras mortes ocorreram, e seu *modus operandi* jamais seguira padrões semelhantes.

Eu estava assombrada. Carrie não poderia estar presente mas estava. Cochilei na poltrona até às seis da manhã. Acordei sobressaltada, com o pescoço doendo por ter ficado torto muito tempo. Sentia as costas duras e doloridas. Levantei-me lentamente e me espreguicei. Sabia o que precisava fazer mas não tinha certeza de que seria capaz. Só de pensar nisso ficava aterrorizada, meu coração disparava violentamente. Sentia meu pulso martelar, como um punho cerrado batendo numa porta. Olhei para os sacos de papel pardo que Marino pusera na frente da estante de livros cheia de publicações jurídicas. Estavam etiquetados e lacrados. Eu os apanhei e segui pelo corredor até o quarto de Benton.

Embora ele costumasse dormir em minha cama, mantinha um quarto na outra ala da casa. Ali trabalhava e guardava suas coisas, pois nós dois aprendemos com a idade que o espaço era o amigo mais confiável. A possibilidade de bater em retirada tornava os confrontos menos prejudiciais ao relacionamento, e a ausência durante o dia estimulava o contato noturno. A porta do quarto dele estava aberta, como ele a deixara. Luzes apagadas, cortinas cerradas. As sombras tomavam conta do quarto enquanto eu olhava para dentro, paralisada por um instante. Nunca precisei de tanta coragem na vida como na hora de acender a luz.

A cama ainda estava feita, com lençóis e edredom azul-escuros, pois Benton era meticuloso, mesmo se estivesse com muita pressa. Jamais esperara que eu trocasse a cama ou lavasse sua roupa suja, e em parte isso se devia à personalidade forte e independente que nunca o abandonava, nem mesmo em minha companhia. Ele fazia tudo do seu jeito. Nesse aspecto, éramos muito parecidos; chegava a ser surpreendente que nos amássemos tanto. Peguei a escova de cabelo em cima da penteadeira, pois sabia que seria útil na hora de comparar o DNA, caso não houvesse outra forma de identificação. Depois fui até a mesinha-de-cabeceira de cerejeira para ver os livros e as pastas grossas que guardava lá.

Ele estava lendo *Cold mountain* e rasgara a aba de um envelope para marcar a página onde parara a leitura, pouco antes da metade. Claro, havia provas da última versão do manual de classificação criminal que ele estava editando. Ver suas anotações rabiscadas nas margens me arrasou. Virei as páginas do original com ternura, passando o dedo por cima das palavras quase ilegíveis. As lágrimas correram subitamente. Coloquei os sacos sobre a mesa e abri.

A polícia vasculhara o armário e as gavetas, nenhum item contido nos sacos fora dobrado com capricho. Enrolaram e embolaram tudo. Abri uma a uma as camisas brancas de algodão, as gravatas e dois suspensórios. Ele levara dois ternos mais leves, ambos estavam amassados como papel crepom. Havia sapatos sociais e tênis, meias e cuecas, mas foi seu conjunto de barbear que me deteve mais tempo.

Mãos metódicas o examinaram, deixando a tampa de um vidro de Givenchy III frouxa. O perfume vazou e a fragrância forte, máscula, despertou fortes emoções em mim. Senti seu rosto liso, bem escanhoado. De repente, o vi atrás da escrivaninha, na antiga sala na Academia do FBI. Recordei-me de sua fisionomia marcante, dos trajes impecáveis, do cheiro na época em que, sem perceber, eu já estava me apaixonando. Empilhei as roupas com cuidado, depois abri e comecei a examinar o segundo saco. Coloquei a valise de couro preto sobre a cama e destranquei.

Notei logo a falta do Colt Mustang .380, a pistola que às vezes ele usava presa no tornozelo. Achei significativo que tivesse levado a arma na noite de sua morte. Ele sempre portava a nove milímetros no coldre sob o paletó, mas o Colt era um reforço reservado para situações de perigo. Essa atitude revelava que Benton estivera fazendo uma diligência em algum momento, depois de deixar o local do incêndio, em Lehigh. Suspeitei que ele tivesse ido encontrar alguém, e não compreendia o motivo para ter ocultado isso de todos. Duvidava que ele fosse capaz de um descuido desse porte.

Apanhei a agenda de couro marrom e folheei em busca de qualquer anotação recente suspeita. Havia horas para o barbeiro, dentista, viagens, mas nada anotado no dia de sua morte, exceto o aniversário da filha Michelle no meio da semana seguinte. Imaginei que ela e as irmãs estivessem com Connie, a mãe, ex-esposa de Benton. Temia a idéia de um dia compartilhar com elas aquela dor, independentemente do que sentissem a meu respeito.

Ele havia rascunhado comentários e dúvidas sobre o perfil de Carrie, o monstro que em seguida causaria sua morte. A ironia era inconcebível, eu o imaginava tentando dissecar o comportamento de Carrie na esperança de antecipar seus movimentos seguintes. Não acreditava que soubesse que enquanto se concentrava no modo de agir de Carrie ela também estava pensando nele. Ela planejara o incêndio na comarca de Lehigh e a fita de vídeo, e naquele momento devia estar disfarçada de membro da equipe de produção.

Meus olhos se detiveram em expressões como *relacionamento/fixação entre criminoso e vítima* e *fusão de identidade/erotomania e vítima considerada alguém de status superior*. No verso da página, ele escrevera *padrão posterior de vida. Como entender a vitimologia de Carrie? Kirby. Qual o acesso a Claire Rawley? Aparentemente, nenhum. Inconsistente. Indicação de um criminoso diferente? Um cúmplice. Gault. Bonnie e Clyde. Seu MO original. Talvez seja por aí. Carrie não age sozinha. Mulher ou homem, 28-45? Helicóptero branco?*

Senti a pele arrepiar ao me dar conta do que Benton estivera pensando quando ficou no necrotério tomando notas, observando meu trabalho com Gerde. Benton antecipara o que agora parecia óbvio. Carrie não estava sozinha na empreitada. Conseguira de algum modo se aliar a um parceiro maligno, talvez enquanto estava encarcerada em Kirby. Sem dúvida, a aliança precedera sua escapada. Calculei que ela, nos cinco anos passados lá, tivesse conhecido outro paciente psicopata posteriormente libertado. Talvez se correspondesse com ele com a mesma audácia e descaramento com que escrevia para mim e para a imprensa.

Também era significativo que a valise de Benton tivesse sido encontrada dentro da suíte do hotel, pois eu sabia que estava em seu poder pouco antes, no necrotério. Portanto, ele havia retornado ao quarto em algum momento, após deixar a cena do crime em Lehigh. Li outras anotações a respeito do assassinato de Kellie Shephard. Benton enfatizara *excessos, frenesi* e *desorganização*. E registrara *perda de controle* e *reação da vítima destoando do plano, prejudicando o ritual.* Não deveria ter acontecido daquele jeito. Raiva. Matará novamente, em breve.

Fechei a pasta e deixei-a sobre a cama, sentindo o coração doer. Saí do quarto, apaguei a luz e fechei a porta, sabendo que só entraria lá novamente para esvaziar o guarda-roupa e as gavetas de Benton, quando resolvesse viver

293

sem sua ausência presente. Discretamente, fui ver como Lucy estava, e percebi que dormia com a pistola ao alcance da mão, na mesa-de-cabeceira. Inquieta, perambulei até o saguão de entrada, onde desliguei o alarme apenas o tempo suficiente para apanhar o jornal na porta. Fui para a cozinha passar um café. Estava pronta para ir trabalhar às sete e meia, mas Lucy nem se mexera. Entrei de novo silenciosamente em seu quarto. O sol atravessava a persiana e brilhava débil sobre seu rosto, banhando-o com luz suave.

"Lucy?", toquei de leve em seu ombro.

Ela acordou com um pulo e sentou-se na cama.

"Preciso ir", falei.

"Eu também tenho de levantar."

Lucy arrancou as cobertas.

"Quer tomar um café comigo?", convidei.

"Claro."

Ela pôs os pés no chão.

"Acho bom você comer alguma coisa", falei.

Ela dormira de short e camiseta. Seguiu-me até a cozinha, silenciosa feito um gato.

"Quer um pouco de granola?", perguntei, tirando a caneca de café do armário.

Ela não disse nada, apenas observou enquanto eu abria uma lata de granola caseira que Benton costumava comer de manhã com banana ou morango. O aroma de cereais torrados foi o bastante para me deprimir outra vez. Senti a garganta contraída e o estômago embrulhado. Parei por um momento, desamparada, incapaz de erguer a colher, pegar a tigela ou realizar qualquer ato, por mais singelo que fosse.

"Pode deixar, tia Kay", disse Lucy ao perceber o que estava acontecendo. "Não estou mesmo com fome."

Minhas mãos tremiam quando fechei a lata.

"Não sei como você vai agüentar ficar aqui", ela disse. E serviu-se de café.

"É aqui que eu moro, Lucy."

Abri a geladeira e passei-lhe o litro de leite.

"Onde está o carro dele?", Lucy perguntou, pondo leite no café.

"No aeroporto de Hilton Head, suponho. Ele pegou o avião direto para Nova York, de lá."

"E o que você pretende fazer a respeito?"

"Ainda não sei."

Eu estava cada vez mais nervosa.

"No momento, o carro não está na minha lista de prioridades. As coisas dele estão espalhadas pela casa", falei.

E respirei fundo.

"Não posso decidir tudo de uma vez", justifiquei.

"Devia se livrar de tudo, até a última peça, hoje mesmo."

Encostada na bancada, Lucy tomava café e me observava com a mesma expressão vazia.

"Falo sério", insistiu, num tom desprovido de emoção.

"Não pretendo tocar em nada até que seu corpo chegue."

"Posso ajudar, se quiser."

Ela bebeu mais um gole de café. Começava a me irritar.

"Farei isso à minha moda, Lucy", falei, sentindo a dor penetrar em cada célula do meu corpo. "Para variar, desta vez não vou fechar a porta e sair correndo. Agi assim durante a maior parte de minha vida, a começar pela época em que meu pai morreu. Tony me abandonou, Mark foi assassinado. Fui me aperfeiçoando na arte de esvaziar um relacionamento como se fosse uma casa velha. Deixar tudo para trás como se nunca tivesse morado lá. E quer saber de uma coisa? Não funciona."

Ela olhava para os pés descalços.

"Já falou com Janet?", perguntei.

"Ela sabe. Agora está completamente fora de si porque eu não quero vê-la. Não quero ver ninguém."

"Quanto mais você foge, mais volta ao mesmo lugar", alertei. "Se não aprendeu nada comigo, Lucy, pelo menos entenda isso. Não espere até que metade de sua vida tenha passado."

"Aprendi muitas coisas com você", minha sobrinha disse. A luz da manhã entrou pela janela, iluminando a cozinha. "Mais do que imagina."

Por um longo tempo ela olhou para a passagem que dava para a sala.

"Fico achando que ele vai entrar a qualquer momento", murmurou.

"Eu sei. Fico pensando a mesma coisa."

"Vou ligar para Teun. Assim que souber de algo, entro em contato pelo pager."

O sol surgiu no leste, intenso. Outras pessoas a caminho do trabalho fechavam os olhos para se proteger de seu brilho, naquele que prometia ser um dia claro e quente. Acompanhei o fluxo do tráfego na Ninth Street, passando pela Capitol Square, protegida pela cerca de ferro fundido, com seus prédios brancos impecáveis ao estilo Jefferson e monumentos a Stonewall Jackson e George Washington. Pensei em Kenneth Sparkes, em sua influência política. Lembrei-me do medo e do fascínio que sentia quando ele telefonava para reclamar e exigir. Sentia uma pena imensa daquele homem, agora.

Os acontecimentos recentes não livraram seu nome das suspeitas pela simples razão de que mesmo quem sabia da possibilidade de estar ocorrendo uma série de homicídios, como nós, não podia divulgar a informação para a imprensa. Eu tinha certeza de que Sparkes não sabia de nada. Queria desesperadamente conversar com ele, de algum modo aliviar suas preocupações, como se ao agir assim pudesse diminuir a minha dor. A depressão oprimia meu peito com suas mãos frias e férreas quando entrei na Jackson Street e no pátio coberto do prédio do meu departamento. A visão de um carro funerário descarregando um saco preto mexeu comigo de um jeito que nunca ocorrera antes.

296

Tentei não imaginar os restos mortais de Benton dentro de um saco daqueles, nem a escuridão da gaveta fria de aço no frigorífico. Era horrível saber tudo o que eu sabia. A morte não era uma abstração, e eu podia imaginar cada procedimento, cada som e odor num lugar onde não havia gestos de carinho, só objetividade clínica e um crime a ser solucionado. Eu descia do carro quando Marino chegou.

"Posso estacionar aqui?", ele perguntou, embora soubesse que o pátio não era para a polícia.

"Tudo bem", respondi. "Uma das peruas foi para a oficina, acho. E você não vai demorar."

"Como sabe, diacho?"

Ele trancou o carro e bateu a cinza do cigarro. Marino voltara a adotar sua postura rude, o que me tranqüilizou imensamente.

"Vai passar na sua sala primeiro?", ele perguntou enquanto subíamos a rampa até a porta que dava acesso à morgue.

"Não. Vou direto para cima."

"Então vou lhe contar o que já deve estar sobre sua mesa", disse. "Temos uma identificação positiva de Claire Rawley. A partir do cabelo na escova dela."

Não me surpreendi, mas a confirmação só serviu para aumentar ainda mais minha tristeza.

"Obrigada", falei. "Agora já temos certeza, pelo menos."

19

Os laboratórios de análise de materiais situavam-se no terceiro piso. Minha primeira parada foi no microscópio eletrônico de varredura, ou SEM, que expunha a amostra, como as aparas de metal do caso Shephard, a um feixe de elétrons. O material que compunha a amostra emitia elétrons e a imagem surgia no monitor de vídeo.

Em resumo, o SEM era capaz de identificar quase todos os 103 elementos, fosse carbono, cobre ou zinco, e graças à profundidade de campo do microscópio, à sua alta resolução e espantosa capacidade de aumento, substâncias microscópicas como resíduos de pólvora, cabelos ou um fragmento de folha de maconha podiam ser vistos nos mínimos e por vezes escabrosos detalhes.

O SEM Zeiss fora instalado numa sala sem janelas, azul-acinzentada e bege, com armários e prateleiras cobrindo as paredes, pias e bancadas. Uma vez que o caríssimo instrumento era muito sensível a vibrações mecânicas, campos magnéticos, perturbações elétricas e térmicas, o ambiente era rigorosamente controlado.

Havia um sistema de ventilação e ar condicionado independente do resto do edifício. A iluminação para fotos era fornecida por lâmpadas de filamento que não provocavam interferência, viradas para o teto para iluminar suave e indiretamente o local. As paredes e o piso de concreto reforçado com vigas metálicas não vibravam com a movimentação das pessoas nem com os veículos da via expressa.

Mary Chan era miúda, tinha pele clara e extrema competência como microscopista. Quando chegamos, falava ao telefone, rodeada pela complexa aparelhagem. Dotado de painéis de controle, unidades geradoras, canhão de elétrons e coluna óptica, analisador de raios X e câmara de vácuo acoplada a um cilindro de nitrogênio, o SEM mais parecia o painel de controle de uma nave espacial. Chan usava o jaleco de laboratório abotoado até o queixo e com um gesto simpático indicou que nos receberia num minuto.

"Tire a temperatura novamente e tente a tapioca. Se ela não segurar nem isso, ligue para mim outra vez, tá?", Chan disse a alguém. "Preciso desligar agora."

"Minha filha", justificou-se. "Não está passando bem do estômago, aposto que foi excesso de sorvete ontem à noite. Ela pegou o Chunky Monkey no congelador quando eu não estava olhando."

Seu sorriso valente traía o cansaço. Desconfiei que passara a maior parte da noite em claro.

"Cara, adoro esse negócio", Marino disse ao entregar o material a ela.

"Outra apara metálica", expliquei. "Lamento exigir tanto de você, Mary, mas preciso ver isso agora. É urgente."

"Outro caso ou o mesmo?"

"O incêndio na comarca de Lehigh, na Pensilvânia", expliquei.

"Está falando sério?" Ela demonstrou surpresa ao cortar o papel pardo com um estilete. "Minha nossa", disse, "foi um negócio horrível, pelo que vi na televisão. E o agente do FBI, hein? Terrível, terrível."

Ela não tinha nenhum motivo para saber de meu relacionamento com Benton.

"Com esses casos e o de Warrenton, a gente até desconfia que há um piromaníaco à solta por aí", prosseguiu.

"É isso mesmo que estamos tentando descobrir", falei.

Chan removeu a tampa do recipiente destinado a preservar as provas e usou a pinça para remover a camada superior de algodão branco, expondo os dois fragmentos brilhantes. Ela rolou a cadeira até a bancada atrás de si e prendeu um pedaço quadrado de fita de carbono adesiva dupla face numa pequena base de alumínio. Sobre o conjunto, posicionou o fragmento metálico que parecia ter superfície maior. Teria o tamanho de meio cílio, no máximo. Ela ligou o microscópio óptico estereoscópico, posicionou a amostra na platina e ajustou o foco de luz para examiná-la com pequena amplificação antes de passar para o SEM.

"Estou vendo duas superfícies distintas", disse ao ajustar o foco. "Uma bem brilhante, outra fosca acinzentada."

"Então é diferente da amostra de Warrenton", falei. "As duas superfícies eram brilhantes, certo?"

"Correto. Suponho que uma das superfícies ficou exposta à oxidação atmosférica, seja lá qual for o motivo."

"Importa-se?", perguntei.

Ela saiu de lado e eu espiei pelas lentes. Com aumento de quatro vezes, a lasca metálica parecia uma tirinha de folha de alumínio amassada, eu mal conseguia distinguir as finas estrias deixadas pelo instrumento usado para raspar o metal. Mary tirou várias fotos Polaroid e depois rolou a cadeira até o console do SEM. Apertou um botão para preparar a câmara, criando o vácuo.

"Isso exige alguns minutos", ela nos avisou. "Podem esperar aqui ou voltar mais tarde."

"Vou pegar um café", disse Marino, que não era fã ardoroso da tecnologia moderna e certamente queria fumar.

Chan abriu uma válvula para encher a câmara de nitrogênio e evitar qualquer contaminação, por umidade ou outros fatores. Em seguida, acionou um comando no console e posicionou nossa amostra na plataforma do microscópio eletrônico.

"Agora precisamos chegar a menos seis milímetros de mercúrio. É o nível de vácuo necessário para acionar o feixe. Normalmente, demora dois ou três minutos. Mas prefiro manter a bomba acionada um pouco mais, para obter um vácuo realmente adequado", explicou ao pegar o café. "Creio que o noticiário está muito confuso", comentou. "Muitas insinuações."

"Mudou alguma coisa?", perguntei, contrariada.

"Você sabe muito bem como é. Sempre que leio reportagens sobre meu testemunho em juízo, acho que era o depoimento de outra pessoa, não o meu. Quero dizer, primeiro insinuaram que Sparkes estava metido no caso; para ser sincera, eu já estava achando que ele queimou a própria casa e matou a moça. Por dinheiro, provavelmente, e para se livrar dela, que sabia demais. Mas aí, inesperadamente, ocorrem dois incêndios na Pensilvânia, mais duas pessoas morrem e há indícios de ligação entre os casos. E o que Sparkes estava fazendo nesse período?"

Ela tomou um pouco de café.

"Desculpe-me, doutora Scarpetta, nem perguntei se queria um pouco. Posso pegar."

"Não, obrigada", falei.

Observei a luz verde que se movia no mostrador, conforme o nível de mercúrio descia lentamente.

"Também achei esquisito aquela psicopata ter fugido do hospício em Nova York — como se chama, mesmo? Carrie? E o especialista em perfis psicológicos do FBI, responsável pela investigação, de repente é assassinado. Acho que podemos começar", disse, mudando de assunto.

Ela acionou o feixe de elétrons e ligou o monitor de vídeo. O aumento estava ajustado para quinhentas vezes; ela o reduziu, e começamos a ver a imagem da corrente do filamento na tela. No início parecia uma onda, depois foi se achatando. Ela teclou novos comandos, reduzindo ainda mais o aumento, agora para vinte vezes, e surgiram as imagens dos sinais emitidos pela amostra.

"Podemos aumentar o tamanho do feixe para ter mais energia." Ela ajustou os controles e botões enquanto falava.

"É parecido com uma apara de metal, no formato aproximado de uma fita torcida", informou.

A topografia era simplesmente uma versão ampliada do que víramos no microscópio óptico momentos antes, e como a imagem não era muito brilhante, sugeria um elemento com número atômico baixo. Ela ajustou a velocidade de varredura e eliminou parte do ruído, que parecia uma tempestade de neve na tela.

"Aqui se podem ver claramente a parte brilhante e a fosca", disse.

"E você acredita que isso se deve à oxidação", comentei, puxando uma cadeira.

"Bem, temos duas superfícies do mesmo material. Eu arriscaria dizer que a face brilhante pertence ao lado recentemente lascado, enquanto a outra parte não."

"Faz sentido para mim."

O pedaço de metal retorcido parecia um estilhaço suspenso no espaço.

"Tivemos um caso no ano passado", Chan falou novamente, enquanto acionava o interruptor quadro a quadro para tirar fotos. "Um sujeito foi atingido por um cano, numa oficina mecânica. E o tecido da cabeça continha uma lasca de material torneado. Foi transferido para o ferimento. Bem, vamos mudar a imagem e ver o que aparece nos raios X."

O monitor de vídeo ficou cinza e um contador digital de segundos começou a marcar o tempo. Mary acionou outros comandos no painel de controle e uma imagem cor de laranja viva surgiu na tela, contrastando com o fundo azul forte. Ela moveu o cursor e expandiu o que parecia ser uma estalagmite psicodélica.

"Vamos ver se há outros metais."

Ela realizou novos ajustes.

"Nada", disse. "Tudo muito limpo. Creio que temos o mesmo suspeito em ação novamente. Vamos comparar com o magnésio e ver se há superposição de linhas."

Ela sobrepôs o espectro do magnésio ao de uma das amostras, verificando que eram idênticos. Acessou a tabela de elementos e a colocou na tela. O quadrado referente ao magnésio ficou vermelho. Confirmamos o elemento químico, e, embora já esperasse aquele resultado, fiquei surpresa.

"Tem alguma explicação para a presença de magnésio puro num ferimento?", perguntei a Chan, vendo que Marino retornava.

"Bem, já mencionei o caso do cano", ela disse.

"Que cano?", Marino quis saber.

"A única possibilidade que me vem à mente é uma metalúrgica", Chan prosseguiu. "Mas creio que tornear magnésio seria incomum. Não consigo imaginar para que serviria."

"Obrigada, Mary. Precisamos passar em outro lugar e gostaria que você mc entregasse a amostra de metal de Warrenton, para que eu possa levá-la ao pessoal do laboratório de balística e armamentos."

Ela consultou o relógio enquanto o telefone tocava. Imaginei quantos casos esperavam a vez.

"Já vai", ela disse, generosamente.

O laboratório de balística e o de armas de fogo ficavam no mesmo pavimento, a bem da verdade pertenciam ao mesmo setor científico, uma vez que a balística estudava sulcos e marcas nos cartuchos e projéteis saídos de armas de fogo. O espaço no prédio novo parecia um estádio, em comparação com o antigo, o que indicava o lamentável aumento da deterioração da sociedade lá fora.

Agora era comum que as crianças guardassem revólveres nos armários da escola, ou os sacassem no vestiário. Portavam armas no ônibus, e criminosos violentos com onze e doze anos abundavam. As armas de fogo continuavam sendo a escolha mais popular em suicídios e assassinato do cônjuge, ou do vizinho cujo cachorro latia demais. Ainda mais apavorantes eram os insanos e recalcados que entravam em locais públicos e começavam a disparar a esmo. Isso explicava o vidro à prova de balas no meu escritório e no saguão do prédio do departamento.

A área de trabalho de Rich Sinclair era carpetada e bem iluminada, com vista para o coliseu, que sempre me lembrava um cogumelo pronto para decolar. Ele estava usando pesos para testar a força necessária para puxar o gatilho de uma pistola Taurus. Quando Marino e eu entramos, ouvimos o som do percussor ao ser acionado. Eu não me sentia muito disposta a jogar conversa fora e fiz o possível para não ser rude ao informar a Sinclair o que desejava, e com urgência.

"Esta é a amostra metálica de Warrenton", falei, abrindo o recipiente para provas. "E esta amostra aqui foi encontrada no cadáver do incêndio em Lehigh."

Abri o outro recipiente.

"Ambas possuem estrias claramente visíveis no SEM", expliquei.

O objetivo era verificar se as estrias ou marcas combinavam, indicando que o mesmo instrumento fora usado para tirar as lascas de magnésio obtidas até o momento. As fitas de metal era frágeis e finas. Sinclair usou uma delicada espátula de plástico para apanhá-las. Não teve muita cooperação, elas saltavam e escorregavam como se quisessem escapar, quando ele tentava retirá-las da proteção de algodão. Usou dois pedaços quadrados de cartolina preta para colocar as amostras, uma de Warrenton e a outra de Lehigh. Em seguida, posicionou-as no microscópio de comparação.

"Ora, vejam", Sinclair disse imediatamente. "Temos um material muito interessante."

Ele manipulou as lascas com a espátula, achatando-as antes de acertar o aumento para quarenta vezes.

"Talvez sejam de algum tipo de lâmina", disse. "As estrias provavelmente resultaram do processo de finalização, e acabam sendo um defeito, pois nenhum processo dá um resultado perfeitamente liso. Ou seja, satisfaz o fabricante, mas ele não está aqui vendo o que nós vemos. Ei, temos uma área melhor ainda, aqui."

Ele deu um passo para o lado, permitindo que olhássemos também. Marino debruçou-se sobre o visor primeiro.

"Para mim, parecem marcas de esquis na neve", comentou. "E são de uma lâmina, certo? Ou de outra coisa?"

"Sim, essas imperfeições, ou marcas de acabamento, foram feitas pelo equipamento que lascou o metal. Percebe a semelhança, quando uma amostra está alinhada com a outra?"

Marino não percebeu.

"Dê uma espiada, doutora." Sinclair se afastou.

O que vi no microscópio serviria como prova em juízo. As estrias da amostra do caso Warrenton em um campo de luz combinavam com as estrias da outra amostra em outro. Certamente, o mesmo instrumento fora usado para raspar uma peça feita de magnésio, em ambos os casos de homicídio. A questão era que instrumento ou ferramenta era essa. Como as lascas eram muito finas, era de supor tratar-se de uma lâmina bem afiada. Sinclair tirou várias fotos Polaroid para mim e colocou num envelope especial.

"Bem, e agora?", Marino perguntou enquanto me seguia até o centro dos laboratórios de armas, passando por cientistas ocupados em examinar trajes ensangüentados, protegidos por capuzes contra contaminação biológica. Outros examinavam uma chave Phillips e um facão, na bancada em forma de U.

"Agora vamos às compras", falei.

Não reduzi o ritmo enquanto dialogávamos, na verdade minha pressa crescia, pois eu sabia que nos aproximávamos da reconstituição dos atos cometidos por Carrie e seu cúmplice.

"Como assim, *às compras?*"

Do outro lado da parede soavam disparos abafados, nos estandes de teste de tiro.

"Por que você não verifica se Lucy está bem?", falei. "Encontrarei os dois mais tarde."

"Não gosto quando você vem com essa história de *mais tarde*", Marino disse quando as portas do elevador se abriram. "Quer dizer que você vai sair por aí por sua conta, metendo o bedelho onde não devia. E não é hora de andar pela rua sozinha. Não temos a menor idéia de onde Carrie está."

"Isso mesmo, não temos", concordei. "Mas espero que a situação esteja para mudar, e logo."

Descemos no térreo e segui apressada para a porta que dava para o pátio interno. Abri meu carro. Marino parecia tão frustrado que pensei que fosse ter um ataque.

"Quer me dizer aonde vai, afinal?", ele exigiu, em voz alta.

"A uma loja de artigos esportivos", falei, ligando o motor. "A maior que houver."

Era a Jumbo Sports, na margem sul do rio James, perto do bairro onde Marino residia. Aliás, esse era o único motivo para eu saber da existência da loja, uma vez que raramente me passava pela cabeça comprar bolas de basquete, frisbees, pesos e tacos de golfe.

Peguei a Powhite Parkway e saí dois pedágios adiante, na via expressa Midlothian, rumo ao centro. A loja de artigos esportivos era imensa, em tijolos vermelhos, com figuras de atletas em vermelho sobre o fundo branco nas paredes externas. O estacionamento estava surpreendentemente cheio para aquela hora do dia; imaginei que muitos adeptos da malhação passavam a hora do almoço ali.

Eu não tinha a menor idéia de onde ficava nada e precisei de alguns minutos para estudar as placas no alto dos inúmeros corredores. Luvas de boxe estavam em promoção e havia equipamentos para exercício capazes de torturas inimagináveis. Araras com trajes para todos os esportes não terminavam nunca, tudo em cores berrantes. Pouco havia em tons civilizados, como o branco, a única cor que eu usava nos raros e deliciosos momentos em que conseguia jogar tênis. Deduzi que as facas estariam na seção de camping e caça, uma área ampla nos fundos. Havia arcos, flechas, alvos, barracas, canoas, kits de sobrevivência e trajes camuflados. Naquele momento eu era a única

306

mulher interessada naquilo tudo. No início ninguém se mostrou disposto a me atender. Paciente, comecei a estudar as facas em exposição.

Um sujeito bronzeado procurava uma espingarda de pressão para dar ao filho no aniversário de dez anos, enquanto um senhor de terno branco indagava a respeito de soro antiofídico e repelente contra mosquitos. Quando minha paciência se esgotou, interferi.

"Com licença", falei.

O vendedor, um rapaz com ar de universitário, não demonstrou ter ouvido minha voz, a princípio.

"Na verdade, o senhor deve consultar um médico antes de usar soro antiofídico", ele explicava ao homem de branco.

"E como você acha que eu vou poder fazer isso se estiver no meio do mato e uma cobra venenosa me picar?"

"Eu quis dizer consultá-lo antes de iniciar a expedição, senhor."

Eu não agüentava mais aquela conversa sem sentido.

"O soro antiofídico não somente é inútil como pode ser perigoso", falei. "Usar torniquetes e incisão no local da picada, sugar o veneno e outras superstições do tipo só agravam o problema. Se o senhor for picado", falei ao homem de branco, "o que deve fazer é imobilizar a parte do corpo que for atingida, evitar primeiros socorros improvisados que só pioram as coisas e correr para o hospital."

Os dois arregalaram os olhos.

"Quer dizer que não adianta eu levar nada?", o senhor de branco perguntou para mim. "É desnecessário comprar tudo isso, na sua opinião?"

"Arranje um par de botas grossas e um cajado com o qual possa bater no mato", respondi. "Fique longe do capim alto e não enfie a mão em tocas ou buracos. Uma vez que o veneno é transportado pelo sistema linfático do organismo, ataduras largas — com a Ace — são úteis. Assim como uma tala que mantenha a perna imobilizada."

"Você por acaso é médica?", o vendedor perguntou.

"Já tratei de picadas de cobra."

Não expliquei que as vítimas não haviam sobrevivido.

"Só queria saber se você tem algo para afiar facas", expliquei ao vendedor.

"Para facas de cozinha ou de campanha?"

"Vamos ver o que você tem para facas de acampamento."

Ele apontou para uma parede onde vi um vasto sortimento de pedras de amolar, chairas e outros tipos de amolador espalhados pelas prateleiras. Alguns eram de metal, outros de cerâmica. Todas as marcas protegiam seus segredos da concorrência, evitando revelar a composição do produto na embalagem. Meus olhos percorreram as prateleiras e se detiveram na mais baixa. Dentro de uma embalagem plástica transparente havia um bloco de metal cinza-prateado. Chamava-se *acendedor de fogueira* e era feito de magnésio. Senti a excitação crescer conforme lia as instruções. Para acender o fogo, bastava raspar a superfície com uma faca e fazer uma pequena pilha de lascas metálicas, do tamanho de uma moeda. Não era preciso usar fósforos, pois o kit incluía uma pedra que soltava a faísca necessária para a ignição.

Corri pela loja com meia dúzia de acendedores de magnésio nas mãos, e na pressa me perdi no meio das seções. Passei por bolas e sapatos de boliche, luvas de beisebol e acabei na natação, onde fui instantaneamente atraída por uma coleção de toucas de cores vibrantes. Uma delas era rosa-shocking. Pensei nos resíduos encontrados no cabelo de Claire Rawley. Desde o começo, eu imaginara que ela estava usando algo na cabeça quando a mataram, ou pelo menos quando o fogo a alcançou.

Chegáramos a pensar numa touca de banho, mas logo descartamos a idéia, pois o plástico fino não suportaria mais que alguns segundos de calor. Nem por um instante me lembrei das toucas de natação. Ao examinar rapidamente os tipos disponíveis, descobri que eram feitos de Lycra, látex ou silicone.

A touca rosa era de silicone, um material capaz de suportar temperaturas bem mais altas que os outros. Adquiri várias. Retornei ao meu departamento e dei sorte por não ser multada, pois fui costurando no trânsito, pela esquerda ou pela direita, em qualquer pista livre. As imagens se formaram em minha mente, dolorosas e horríveis demais para permanecerem por muito tempo. Eu esperava que minha teoria estivesse errada. Voava de volta ao laboratório porque precisava saber.

"Ai, Benton", murmurei como se ele estivesse do meu lado. "Não pode ter sido isso."

20

Estacionei e desci do carro novamente à uma e meia. Caminhei apressadamente até o elevador e subi outra vez ao terceiro andar. Procurava Jerri Garmon, a especialista que examinara o resíduo rosado no início do caso e descobrira que era silicone.

Abrindo e fechando portas, acabei por localizá-la dentro de uma sala destinada aos instrumentos de última geração usados na análise de substâncias orgânicas, de heroína a aglutinantes de tintas. Usava seringa para injetar uma amostra na câmara aquecida do cromatógrafo de gás e só se deu conta de minha presença quando falei.

"Jerri", eu disse, quase sem fôlego. "Lamento incomodá-la, mas trouxe algo para você dar uma espiada."

Mostrei a touca de natação. Sua reação foi totalmente neutra.

"Silicone", falei.

Seus olhos brilharam.

"Nossa! Numa touca de natação? Quem diria. Jamais alguém pensaria nisso. Para você ver, hoje em dia a gente não consegue mais acompanhar as novidades."

"Podemos queimá-la?", perguntei.

"Preciso esperar um pouco para obter este resultado, de qualquer maneira. Venha comigo. Agora você me deixou curiosa também."

Já faltava espaço nos amplos laboratórios de análise de provas microscópicas, onde as amostras eram processadas antes de serem submetidas a instrumentos complicados como o SEM e o espectrômetro de massa. Dezenas de latas de alumínio herméticas empregadas para recolher fragmentos nos locais de incêndio e resíduos inflamáveis formavam pirâmides nas prateleiras. Havia frascos enormes de Drierite azul granular, placas de Petri, provetas, filtros de carvão ativado e os inevitáveis sacos pardos usados para guardar provas. O teste que eu tinha em mente seria rápido e fácil.

O forno de mufla, situado num canto, mais parecia um pequeno crematório de cerâmica bege, do tamanho exato de um frigobar de hotel, capaz porém de atingir uma temperatura superior a 1300 graus centígrados. Jerri ligou o aparelho e o termômetro passou a registrar a alteração térmica interna. Ela colocou a touca no forno, sobre uma vasilha de porcelana branca semelhante a uma tigela de sucrilhos, e abriu a gaveta para apanhar a luva grossa de asbesto que protegeria seu braço até o cotovelo. Aguardou até a marca dos cinqüenta graus, empunhando uma tenaz. Em 150 graus, examinou a touca. Não fora afetada em nada.

"Posso antecipar que a esta temperatura o látex e a Lycra estariam soltando um montão de fumaça e começando a derreter", Jerri informou. "Mas este material nem amoleceu, e sua cor permanece inalterada."

A touca de silicone só fumegou acima de 250 graus centígrados. Em quatrocentos graus, as bordas acinzentaram. O material amoleceu e começou a derreter. Por volta dos quinhentos, estava em chamas, e Jerri precisou de uma luva mais grossa.

"Muito interessante", disse ela.

"Acho que dá para entender por que usam o silicone como isolante térmico", falei, também assombrada.

"Acho melhor você se afastar um pouco."

"Pode deixar."

Recuei para longe da área crítica e ela tirou a tigela do forno com a tenaz e carregou nossa experiência flamejante na mão enluvada de asbesto. A exposição ao ar acelerou a combustão, e quando ela posicionou o material sob uma capela e acionou o exaustor, a superfície da touca queimava descontroladamente, obrigando-a a usar um abafador para cobri-la.

As chamas foram finalmente sufocadas, e ela removeu o abafador para observar o resultado. Meu coração disparou quando notei a cinza branca que parecia de papel e as áreas de silicone preservadas, ainda distintamente rosadas. A touca de natação não ficava pegajosa nem se liqüefazia. Ela simplesmente se desintegrava, até que a redução da temperatura, a falta de oxigênio ou mesmo o uso de água interrompesse o processo. O resultado final de nossa experiência era completamente compatível com os fragmentos retirados dos longos cabelos louros de Claire Rawley.

A imagem de seu corpo na banheira com a touca de natação rosa na cabeça era tenebrosa e a dedução do que ocorrera, quase incompreensível. Quando o banheiro pegou fogo, a porta do box caiu sobre ela. Pedaços de vidro e as laterais da banheira protegeram o corpo conforme as chamas se espalhavam a partir do foco inicial, atingindo o teto. A temperatura centígrada na banheira não superou os quinhentos graus, e uma pequena parte da touca de silicone foi preservada, por uma razão tão simples como inesperada: a porta do box era antiga, feita de vidro comum grosso.

Enquanto voltava de carro para casa, tinha a impressão de que o engarrafamento ia me sufocar, parecia mais agressivo por causa da pressa que eu sentia. Quase peguei o telefone várias vezes, desesperada para ligar para Benton e comunicar minha descoberta. Aí vi água e detritos nos fundos de uma mercearia incendiada na Filadélfia. Vi o que restara do relógio de aço inoxidável, meu presente de Natal para ele. Visualizei o arame que o prendeu na altura do tornozelo, as algemas fechadas a chave. Agora já sabia o que ocorrera e o motivo. Benton fora assassinado como os outros, mas por vingança, dessa vez. Por ressentimento, para satisfazer o prazer diabólico de Carrie, que precisava fazer dele uma espécie de troféu.

As lágrimas me escorriam pelo rosto quando estacionei na entrada de casa. Corri, e soluços ancestrais brotavam de dentro de meu corpo quando bati a porta atrás de mim. Lucy veio correndo da cozinha. Usava calça cargo cáqui e camiseta preta. Na mão, tinha um vidro de molho de salada.

"Tia Kay!", gritou, correndo para mim. "O que aconteceu, tia? Cadê o Marino? Está tudo bem com ele?"

"Marino está bem, não foi isso", respondi com a voz entrecortada.

Ela passou o braço em torno de mim e me ajudou a chegar até o sofá da sala de estar.

"Benton", falei. "Igual aos outros. Como Claire Rawley. Uma touca de natação para prender os cabelos dela, tirá-lo do caminho. A banheira. Como numa cirurgia."

"Como é?", perguntou Lucy, sem entender nada.

"Eles queriam o rosto dela!"

Levantei-me do sofá.

"Você não compreende?", gritei para ela. "As marcas nos ossos, na têmpora e no queixo. Como de escalpelamento, só que pior! Ele não provoca os incêndios para ocultar os homicídios! Queima tudo para evitar que descubram o que faz às vítimas! Ele rouba sua beleza, tudo o que nelas há de belo, removendo seus rostos."

Lucy abriu a boca, chocada.

Depois, gaguejou: "Carrie? Agora ela faz isso?".

"Não", expliquei. "Mas participa."

Andando de um lado para o outro, eu torcia as mãos.

"Como no caso de Gault", falei. "Ela gosta de olhar. Com certeza, também ajuda. Deve ter falhado com Kellie Shephard, ou Kellie conseguiu se defender porque Carrie era mulher. Em seguida elas brigaram, Carrie a rasgou e apunhalou até que o companheiro de Carrie interveio e cortou a garganta de Kellie, por isso encontramos lascas de magnésio lá. Da faca dele, não de Carrie. Ele é a tocha, o incendiário, não Carrie. E ele não quis o rosto de Kellie pois fora cortado, arruinado durante a luta."

"Não acha que eles fizeram isso com...?", Lucy começou a dizer, cerrando os punhos no colo.

"Com Benton?", ergui a voz. "Quer saber se eu acho que levaram o rosto dele também?"

Encostei-me na parede revestida de madeira. Por dentro, sentia a mente escura e fria, morta.

"Carrie sabia que Benton imaginava tudo o que ela poderia fazer com ele", falei em voz baixa, pausada. "Desfrutou cada segundo de prazer enquanto ele ficava lá, algemado. Tentou amedrontá-lo com a faca. Sim. Acho que fizeram a mesma coisa com ele, também. A bem da verdade, tenho certeza."

Foi quase impossível completar a última sentença.

"Espero apenas que ele já estivesse morto", falei.

"Seria o único jeito, tia Kay."

Lucy também chorava ao se aproximar de mim para me abraçar.

"Eles não podiam correr o risco de alguém ouvir os gritos dele", disse.

Na hora seguinte, passei as informações recentes a Teun McGovern, e ela concordou que seria fundamental e urgente identificar quem era o parceiro de Carrie, e, se possível, como se conheceram. Notei que McGovern ocultava a raiva que sentiu quando expliquei minhas suspeitas e certezas. Talvez Kirby fosse nossa única esperança, e ela concordou que eu, por ser médica e em função do cargo que ocupava, teria mais chance de sucesso na visita do que ela, agente da lei.

A Polícia da Fronteira enviara um Bell JetRanger para a HeloAir, perto do aeroporto internacional de Richmond, e Lucy queria decolar em seguida, voando durante a noite. Argumentei que isso estava fora de cogitação, no mínimo porque não teríamos onde ficar quando chegássemos a Nova York, e seguramente não poderíamos dormir na ilha Ward. Eu precisava alertar o pessoal de Kirby de que estávamos a caminho, logo cedo. Não seria um pedido, mas um aviso. Marino achava melhor nos acompanhar, mas recusei a oferta.

"Polícia, não", falei quando ele passou em minha casa lá pelas dez da noite.

"Você está completamente fora de si, porra", ele disse.

"E se estiver, o que é que tem?"

Ele olhou para seus tênis de corrida gastos, que jamais haviam desempenhado tal função em sua longa existência.

"Lucy é da polícia", ele resmungou.

"No que diz respeito a eles, é apenas o piloto."

"Tá bom."

"Isso precisa ser feito assim, à minha moda, Marino."

"Puxa vida, doutora, nem sei o que dizer. Não consigo entender como você consegue lidar com tanta coisa."

O rosto profundamente afogueado e os olhos vermelhos traíam seu profundo sofrimento, quando ergueu a vista para mim.

"Quero ir lá para pegar os dois filhos-da-puta", ele disse. "Eles armaram uma cilada para o Benton. Já sabia disso, né? O Bureau registrou uma ligação às 15h14, na terça-feira. O elemento disse ter uma informação a respeito do caso Shephard, e que só a passaria a Benton Wesley. Eles adotaram o procedimento padrão, *claro, todos dizem a mesma coisa*. São especiais. Querem falar apenas com o chefão. Ele disse, textualmente: 'Avise a ele que é a respeito de uma mulher, uma maluca que conheci no hospital de Lehigh. Ela estava sentada numa mesa próxima de Kellie Shephard'."

"Meu Deus!", exclamei, sentindo as têmporas latejarem de raiva.

"Pelo que sabemos, Benton telefonou para o número que o tal sujeito deixou. Era um telefone comunitário perto da mercearia incendiada", ele prosseguiu. "Calculo que Benton foi lá encontrar o cara — o psicopata companheiro de Carrie. Ele não fazia a menor idéia de quem era o elemento, até que PUM!"

Tremi.

"Apontaram uma arma para Benton, provavelmente puseram uma faca na garganta também. Depois o algemaram, dando duas voltas na chave. Por que fazer isso? Porque tinham conhecimento de que Benton, sendo policial, sabia que um bandido comum desconhece a possibilidade de dar duas voltas na chave, no caso daquelas algemas. Normalmente, os guardas apenas fecham as algemas, após deter um suspeito. O prisioneiro puxa e as algemas apertam ainda mais. Se ele conseguir um grampo de cabelo ou qualquer coisa que sirva de gazua, é capaz até de destrancála e se soltar. Se usarem a chave, dando duas voltas, então adeus. Não há como se soltar sem usá-la. Benton sabia disso muito bem quando o pegaram. Um sinal claro e ruim de que estava lidando com alguém escolado, do ramo."

"Não agüento ouvir mais nada", falei a Marino. "Por favor, vá para casa."

Eu estava ficando com enxaqueca. Sempre percebia isso quando o pescoço e a cabeça começavam a doer inteiros e o estômago embrulhava. Acompanhei Marino até a porta. Percebi que o havia magoado. Explodindo de dor, ele não tinha onde descarregá-la, pois nunca aprendera a mostrar os sentimentos. Acho que nem sabia direito o que estava sentindo.

"Ele não morreu, sabe", falou quando abri a porta. "Não acredito. Não vi e não acredito."

"Eles vão mandar o corpo de volta logo", falei, ouvindo as cigarras cantando na escuridão, vendo as mariposas voando em volta da lâmpada da entrada. "Benton está morto", falei com surpreendente firmeza. "Não adianta nada você se recusar a aceitar os fatos."

"Ele vai aparecer qualquer dia desses", disse Marino, com a voz embargada. "Você vai ver. Conheço o cara. Ele não ia dançar assim tão fácil."

316

Mas Benton dançara assim, facilmente. Acontecia com muita freqüência. Versace voltava para casa, após comprar café e revistas, Lady Diana não usava o cinto de segurança. Fechei a porta depois que Marino subiu no carro e partiu. Liguei o alarme, um reflexo condicionado que andava causando problemas quando eu me esquecia de que fora acionado e abria uma janela. Lucy, deitada no sofá da sala, via um documentário na tevê a cabo com a luz apagada. Sentei-me do lado dela e pus a mão em seu ombro.

Não falamos durante o documentário sobre os gângsteres no início de Las Vegas. Acariciei seu cabelo, senti sua pele quase febril. Gostaria de saber o que estava se passando dentro daquela cabecinha. Isso me preocupava enormemente também. As idéias de Lucy eram diferentes. Tinham sua especificidade, impossível de interpretar com uma pedra da Rosetta qualquer, fosse intuição ou psicoterapia. Mas isso eu aprendera a seu respeito desde o nascimento. Ela costumava se calar em relação ao mais importante, e não estava falando nada a respeito de Janet.

"Vamos para a cama, assim poderemos levantar cedo, madame piloto", falei.

"Acho que vou dormir aqui mesmo."

Apontando o controle remoto, ela abaixou o volume.

"Vestida?"

Ela deu de ombros.

"Se conseguirmos chegar à HeloAir por volta das nove, telefonarei de lá para Kirby."

"E se eles disserem para você não ir?", minha sobrinha indagou.

"Avisarei que estou a caminho. No momento, a cidade de Nova York tem um prefeito republicano. Se for indispensável, chamarei meu amigo, o senador Lord. Ele acionará o secretário de Saúde e o prefeito. Duvido que o pessoal em Kirby queira comprar a briga. Seria melhor permitir a visita, não acha?"

"Eles têm mísseis terra-ar por lá, por acaso?"

"Sim, são chamados pacientes", falei. Rimos, pela primeira vez em vários dias.

Nem sei explicar como consegui dormir tão bem. Quando o despertador tocou às seis horas, eu estava na cama. Percebi que não me levantava desde a meia-noite, ou pouco antes. Isso sugeria uma cura, uma renovação da qual eu precisava desesperadamente. A depressão era um véu através do qual eu quase conseguia enxergar, e começava a vislumbrar uma pontinha de esperança. Estava fazendo o que Benton contava que eu fosse fazer, em vez de vingar sua morte. Isso, realmente, ele não desejaria.

Sua vontade teria sido proteger Marino, Lucy e a mim de qualquer ameaça. Ele gostaria que eu protegesse a vida de pessoas que nem sequer conhecia, indivíduos inocentes que trabalhavam em hospitais, ou como modelos. Eles haviam sido sentenciados a uma morte horrível na fração de segundo em que um monstro à solta os notara com seus olhos malignos queimando de inveja.

Lucy levantou para correr assim que o sol surgiu, e, apesar de a idéia de ela sair sozinha me assustar, eu sabia que levava a pistola na mochila. Nenhuma de nós poderia permitir que a vida parasse por causa de Carrie. Dava a impressão de que ela tinha uma vantagem enorme. Se levássemos uma vida normal, poderíamos morrer. Se abríssemos mão de viver por causa do medo, também morreríamos, só que de uma maneira muito pior, no fundo.

"Presumo que esteja tudo tranqüilo lá fora", falei quando Lucy entrou em casa e me encontrou na cozinha.

Servi o café-da-manhã na mesa da cozinha, onde Lucy já se instalara. O suor lhe escorria pelo rosto e pelo ombro. Passei-lhe uma toalha de rosto. Ela tirou os tênis e as meias, trazendo à minha mente a imagem de Benton naquele mesmo lugar, fazendo a mesma coisa. Ele sempre parava na cozinha após a corrida. Gostava de descansar um pouco ali, conversar comigo antes de tomar uma ducha e se envolver com seus ternos impecáveis e pensamentos profundos.

"Algumas pessoas levando seus cães para passear em Windsor Farms", ela disse. "Nem sinal de gente rondando a vizinhança. Perguntei ao segurança na guarita se estava tudo em ordem. Se algum táxi ou entregador de pizza havia aparecido à sua procura. Se recebera ligações suspeitas ou visitantes inesperados. Ele disse que não."

"Folgo em saber."

"Aquilo foi bobagem. Duvido que tenha sido obra dela."

"Então, quem foi?", perguntei, surpresa.

"Odeio informá-la, mas há outras pessoas no mundo que não gostam de você."

"Um vasto segmento da população carcerária."

"E gente que não está presa, ainda não. Como o pessoal da seita Christian Science cujo filho foi autopsiado. Não acha que poderia ter ocorrido a eles atormentá-la um pouco? Mandando táxis, caçambas de entulho e pizzas? Ou ligando para a morgue de manhã cedo, para assustar Chuck? Era só o que faltava, um funcionário do necrotério apavorado demais para ficar sozinho no prédio. Ele seria capaz de pedir demissão, o que é pior ainda. Bobagem", repetiu. "Mesquinharia, ressentimento, maldades miúdas de gente ignorante, com mente estreita."

Nada disso me ocorrera antes.

"Ele ainda recebe telefonemas?", ela indagou.

Olhou para mim enquanto tomava café, e pela janela em cima da pia vi o sol cor de tangerina subindo no horizonte azulado e baço.

"Vou descobrir", falei.

Peguei o telefone e teclei o número do necrotério. Chuck atendeu imediatamente.

"Necrotério", disse nervoso.

Ainda não eram sete horas, com certeza ele estava sozinho.

"É a doutora Scarpetta", falei.

"Ah!" Percebi seu alívio. "Bom dia."

"Chuck? E os telefonemas? Ainda os recebe?"

"Sim, senhora."

"Não dizem nada? Você não ouve nem o som da respiração de alguém?"

"Por vezes creio escutar o ruído do tráfego no fundo, como se a pessoa estivesse num telefone público, em algum lugar."

"Tenho uma idéia."

"Diga."

"Quando ligarem de novo, quero que diga 'Bom dia, senhor e senhora Quinn'."

"Como é?" Chuck ficou surpreso.

"Faça como eu estou dizendo. Aposto que os telefonemas terminarão."

Lucy ria quando desliguei.

"*Touché*", disse.

21

Após o café, circulei entre o quarto e o escritório, escolhendo o que levar na viagem. A valise de alumínio ia com certeza, pois me acostumara a tê-la comigo quase sempre, nos últimos tempos. Pus na mala uma calça comprida e uma blusa extra, além dos artigos de toalete. Na bolsa ia o Colt .38. Embora andar armada fosse rotineiro para mim, nunca sequer pensara em levar um revólver a Nova York, onde primeiro prendiam quem o portasse e depois faziam as perguntas. Quando Lucy e eu já estávamos no carro, contei-lhe o que havia feito.

"Chama-se ética conjuntural", ela disse. "Melhor ser presa do que morrer."

"Levei isso em consideração", assenti. Até então, eu era uma cidadã cumpridora da lei.

HeloAir era um serviço de aluguel de helicópteros na extremidade oeste do aeroporto de Richmond, onde algumas empresas citadas na lista das quinhentas maiores da revista *Fortune* mantinham terminais próprios para King Airs, Lear Jets e Sikorskys. O Bell JetRanger encontrava-se no hangar, e enquanto Lucy foi tomar as providências referentes ao aparelho saí procurando um piloto gentil o bastante para permitir que eu usasse seu telefone. Tirei o cartão AT&T da bolsa e liguei para o setor administrativo do Centro Kirby de Psiquiatria Forense.

A diretora era uma psiquiatra chamada Lydia Ensor, que se mostrou extremamente evasiva ao atender a chamada. Tentei detalhar quem eu era, mas a médica me interrompeu.

"Sei exatamente quem é a senhora", disse com o sotaque forte do Meio-Oeste. "Estou acompanhando a situação de perto e pretendo cooperar no que estiver ao meu alcance. Contudo, não me parece claro qual seja seu interesse, doutora Scarpetta. É chefe do departamento de medicina legal da Virgínia, se não me engano."

"Exato. Além de consultora em patologia forense do ATF e do FBI."

"Claro, eles também entraram em contato comigo." Ela parecia genuinamente perplexa. "Deduzo que procura informações referentes a um de seus casos. Sobre pessoas mortas?"

"Doutora Ensor, no momento procuro elementos de ligação entre diversos casos", respondi. "Tenho razões para suspeitar que Carrie Grethen possa estar direta ou indiretamente envolvida em todos eles e que seu envolvimento começou quando ainda se encontrava em Kirby."

"Impossível."

"Obviamente, a senhora não conhece essa pessoa", falei com firmeza. "Eu, por outro lado, passei metade de minha vida profissional lidando com mortes violentas provocadas por ela, desde o tempo em que Temple Gault cometeu os assassinatos na Virgínia, e depois em Nova York, onde finalmente foi morto. Agora, temos uma nova série. Cinco assassinatos, no mínimo."

"Conheço muito bem o histórico da senhorita Grethen", a dra. Ensor replicou sem hostilidade, embora seu tom fosse defensivo. "Posso assegurar que em Kirby ela foi tratada como um dos pacientes mais perigosos, em regime de segurança máxima..."

"Não há quase nada de útil nas avaliações psiquiátricas", interrompi.

"Como pode saber algo a respeito dos registros médicos..."

"Faço parte do grupo de trabalho nacional do ATF que está investigando os incêndios relacionados aos homicídios", falei, medindo as palavras. "Além disso, trabalho para o FBI, como já disse. Todos os casos citados encontram-se na minha jurisdição, pois sou consultora de instituições federais de investigação criminal. Contudo, minha função não é prender ninguém, nem macular uma instituição como a sua. Meu serviço se restringe a buscar justiça para os mortos e o máximo de tranqüilidade possível para os que sobreviveram. Para tanto, preciso de algumas respostas. E, o que é mais importante, estou disposta a fazer qualquer coisa para evitar novas mortes. Carrie matará outra vez. Talvez até já tenha feito isso."

A diretora permaneceu em silêncio por algum tempo. Olhei pela janela e vi que o helicóptero azul-escuro estava sendo rebocado do hangar para a pista.

"Doutora Scarpetta, o que gostaria que fizéssemos?", a dra. Ensor finalmente falou, com voz tensa e preocupada.

"Carrie tinha uma assistente social encarregada dela? Assistência jurídica? Alguém com quem pudesse conversar?", perguntei.

"Obviamente, ela passava um bom tempo com um psicólogo forense, mas ele não faz parte da nossa equipe. Em geral, vem aqui para realizar avaliações e preparar pareceres para o juiz."

"Então ela provavelmente o manipulou", falei, observando Lucy subir no helicóptero e iniciar a inspeção prévia. "Quem mais? Ela mantinha contato próximo com alguém?"

"Com uma advogada. Tinha assistência jurídica. Se desejar falar com ela, posso providenciar isso."

"Estou saindo do aeroporto agora", informei. "Pousaremos aí dentro de três horas, aproximadamente. Há heliponto?"

"Não me lembro de alguém ter pousado aqui antes. Mas há vários estacionamentos nas proximidades. Terei prazer em ir buscá-la."

"Não creio que seja necessário. Podemos aterrissar perto da instituição."

"Então aguardarei sua chegada e a levarei até o pessoal da assistência legal, ou onde quer que precise ir."

"Gostaria de ver a enfermaria de Carrie Grethen e os lugares onde costumava passar seu tempo."

"Como quiser."

"Muita gentileza sua", falei.

Lucy estava abrindo os painéis de acesso para checar o nível dos fluidos, fiação e qualquer possível anormalidade, antes de decolarmos. Era ágil e conhecia seu ofício. Quando subiu ao topo da fuselagem para inspecionar o rotor principal, fiquei pensando em quantos acidentes de helicóptero ocorriam no solo. Só quando me acomodei no assento do co-piloto notei o fuzil de assalto AR-15 no compartimento acima de sua cabeça. Percebi também que os controles do meu lado não haviam sido removidos. Os passageiros não tinham acesso aos controles manuais da aeronave, e os pedais antitorque deveriam estar afastados o suficiente para evitar que algum desavisado acidentalmente esbarrasse os pés neles.

"O que é isso?", falei a Lucy enquanto prendia o cinto de segurança de quatro pontos.

"Temos um longo vôo pela frente."

Ela testou o manete diversas vezes, para garantir que não emperraria, e o devolveu à posição.

"Eu já sabia."

"Então, a viagem será uma ótima oportunidade para você aprender algo sobre pilotagem."

Ela ergueu o controle do coletivo e realizou movimentos em X com a alavanca do cíclico.

"Qual mão vai onde?", falei, cada vez mais alarmada.

"Mantenha a mão no controle de vôo quando a única coisa a fazer for conservar a altitude, a velocidade e o nivelamento do aparelho."

"De jeito nenhum."

Ela acionou o motor, que começou a roncar.

"Queira ou não queira."

As pás começaram a se movimentar e o rugido do vento ficou mais forte.

"Como vai voar comigo", minha sobrinha, que possuía brevê de piloto e certificado de instrutor de vôo, gritou acima do barulho "preciso saber se poderá me ajudar em caso de um problema imprevisto, entendeu?"

Não falei mais nada enquanto ela aumentava o giro do motor. Acionou interruptores e testou as luzes de segurança, depois ligou o rádio e pusemos os fones de ouvido com microfones acoplados. Lucy levantou vôo da plataforma, anulando a força da gravidade. Manobrou o helicóptero e seguiu em frente, aumentando a velocidade até que a nave pareceu voar por conta própria. Sobrevoamos os bosques, tendo o sol alto a leste. Quando nos afastamos bastante da torre e da cidade, Lucy começou a me ensinar as noções básicas.

Eu já conhecia a localização e a função da maioria dos controles, embora minha compreensão de como eles funcionavam juntos fosse extremamente limitada. Ignorava, por exemplo, que ao se erguer o controle do coletivo e aumentar a potência o helicóptero guinava para a direita, obrigando o piloto a pressionar o pedal antitorque esquerdo para ajustar o torque do rotor principal e manter a estabilidade da aeronave. Conforme se ganhava altitude, devido ao acionamento do coletivo, a velocidade diminuía, exigindo que a alavanca do cíclico fosse empurrada. E assim por diante. Era como tocar bateria, pelo que entendi, com a diferença de exigir atenção para a presença de pássaros distraídos, torres, antenas e outras aeronaves.

Lucy mostrou muita paciência, e o tempo passou depressa enquanto seguíamos a 110 nós. Quando estávamos a norte de Washington, consegui manter o helicóptero relativamente estável enquanto ajustava a direção para seguir a rota prevista. Nosso destino era 050 graus, e, embora eu não pudesse cuidar de mais nada, como o GPS, ou Sistema de Posicionamento Global, Lucy disse que eu me saíra muito bem, seguindo a rota.

"Temos um avião pequeno em três horas", ela disse pelo microfone. "Pode vê-lo?"

"Sim."

"Então diga *tally-ho*. É acima do horizonte. Consegue perceber isso, certo?"

"Tally-ho."

Lucy riu. "Não. Tally-ho não quer dizer tudo bem. E, se há algo acima do horizonte, significa que está acima de nós também. Isso é importante, pois se as duas aeronaves estão na linha do horizonte e a outra parece imóvel, ela está na mesma altitude, aproximando-se ou se afastando de nós. Seria prudente descobrir qual das duas coisas, não acha?"

A aula prosseguiu até avistarmos a silhueta de Nova York contra o céu. A partir daí eu não toquei mais nos controles. Lucy passou a pilotar, voando baixo perto da Estátua da Liberdade e de Ellis Island, aonde meus ancestrais italianos tinham chegado muito tempo atrás para recomeçar a vida, tendo apenas a disposição para aproveitar as oportunidades do novo mundo. A cidade nos cercava, os prédios da área financeira pareciam enormes quando passamos a 150 metros de altura, acompanhados pela sombra do helicóptero na água. Era um dia claro e quente, os helicópteros de turismo sobrevoavam as atrações enquanto outros transportavam executivos que tinham tudo, menos tempo.

Lucy tentava manter contato pelo rádio, mas a torre de controle não parecia disposta a reconhecer nossa presença, tal o congestionamento do tráfego aéreo. Aeronaves voando a duzentos metros não interessavam. A essa altitude, na cidade, a regra era olhe e desvie, ponto final. Seguimos o East River, passando pelas pontes do Brooklyn, Manhattan e Williamsburg, sobrevoando a noventa nós as barcaças de lixo, petroleiros e barcos brancos de turismo. Ao chegarmos aos prédios deteriorados e ao antigo hospital de Roosevelt Island, Lucy avisou La Guardia que pousaríamos. A ilha Ward ficava bem à frente. Apropriadamente, aquele trecho do rio a sudoeste era conhecido como Portão do Inferno.

Meus conhecimentos a respeito da ilha Ward vinham do intenso interesse pela história da medicina. Como ocorrera em muitas ilhas de Nova York no passado, era um local de exílio para prisioneiros doentes e mentalmente insanos. O passado da ilha Ward era especialmente desafortunado, pelo que eu me lembrava, pois em meados do século XIX não tinha aquecimento nem água encanada. As vítimas do tifo iam para lá em quarentena, assim como os judeus russos refugiados. Na virada do século, o asilo de lunáticos da cidade foi transferido para a ilha. Com certeza as condições atuais eram melhores, embora mentalmente a população fosse muito pior. Os pacientes tinham ar-condicionado, advogados e passatempos. E acesso a tratamento médico e dentário, psicoterapia, grupos de apoio e esportes coletivos.

Entramos no espaço aéreo Classe B acima da ilha Ward de um modo enganosamente civilizado, sobrevoando parques verdejantes cobertos de árvores. Os prédios feios de tijolos marrons abrigavam o Centro Psiquiátrico de Manhattan, o Centro de Psiquiatria Infantil e Kirby. A via expressa da ponte de Triborough cruzava a ilha no meio, onde havia um inesperado circo, com lonas listradas, pôneis e artistas de monociclo dando espetáculo. O público era pequeno, dava para ver crianças comendo algodão-doce. Fiquei imaginando por que não estavam na escola. Pouco ao norte havia uma estação de tratamento de esgotos e a academia de treinamento do corpo de bombeiros da cidade de Nova York. Um caminhão equipado com escada Magirus manobrava no estacionamento.

O centro de psiquiatria forense ocupava um prédio de doze andares com janelas revestidas de tela de aço, vidro opaco e aparelhos de ar-condicionado. Havia rolos de arame farpado cercando áreas de recreação e caminhos, para impedir a fuga que Carrie conseguiu realizar tão facilmente. O rio tinha cerca de 1,5 quilômetro de largura no trecho, revolto e ameaçador, e na minha opinião dificilmente alguém conseguiria atravessá-lo a nado. Mas havia uma ponte para pedestres, como me tinham dito, pintada de cinza-azulado, como cobre oxidado, a 1,5 quilômetro de Kirby. Pedi a Lucy que a sobrevoasse, e do alto vimos pessoas cruzando o rio em ambos os sentidos, pela passarela, entrando e saindo do conjunto habitacional de East River, no Harlem.

"Não vejo como ela poderia ter atravessado a ponte em plena luz do dia", transmiti a Lucy. "Teria sido notada por alguém. Mesmo que conseguisse atravessar, o que faria em seguida? A polícia cercaria o local, principalmente o outro lado da ponte. E como ela chegou à comarca de Lehigh?"

Lucy descrevia círculos lentos a 150 metros; o ruído das pás era ensurdecedor. Havia restos de uma balsa que antigamente devia fazer o transporte entre East River Drive e a rua 106, além das ruínas de um píer, que hoje não passava de um amontoado de madeira apodrecendo nas águas hostis de uma pequena área desmatada no lado oeste de Kirby. O campo parecia adequado para aterrissagem, desde que permanecêssemos perto do rio e longe dos caminhos cheios de arame farpado e dos bancos do hospital.

Enquanto Lucy fazia o reconhecimento do local, observei as pessoas no solo. Todas usavam trajes civis, algumas estavam deitadas no gramado, outras sentadas nos bancos ou caminhando entre as pilhas de escombros enferrujados. Mesmo a 150 metros de altura, reconheci o trajar descuidado e os modos estranhos dos loucos varridos que ninguém poderia ajudar. Eles olharam para o alto, impressionados, enquanto examinávamos a área para identificar possíveis problemas, como fios elétricos e telefônicos ou terreno fofo e irregular. O reconhecimento a baixa altitude provou que a área era segura para pouso. Àquela altura, outras pessoas saíam dos prédios, espiavam pelas janelas ou ficavam na porta para ver o que ia acontecer.

328

"Acho que deveríamos ter escolhido um dos parques", falei. "Espero não provocar uma rebelião."

Lucy baixou para 1,5 metro, agitando violentamente o mato e a grama alta. Um faisão e sua cria se assustaram, como era de esperar, e correram pela margem, escondendo-se no mato. Era difícil imaginar bichos tão inocentes e vulneráveis vivendo perto de seres humanos tão perturbados. De repente, pensei na carta que Carrie me escrevera, no curioso endereço que escolhera para Kirby, *Praça do Faisão*. O que pretendia dizer? Que vira os faisões, também? E daí, qual a importância disso?

O helicóptero pousou suavemente e Lucy reduziu a aceleração. Seguiram-se dois longos minutos de espera até que ela pudesse desligar o motor.

As pás giraram conforme os segundos digitais transcorriam. Pacientes e funcionários do hospital nos encaravam. Alguns permaneciam imóveis, olhos vítreos fixos em nós, outros nos ignoravam, passando a mão nas cercas e andando com movimentos abruptos, de olhos baixos. Um senhor idoso que enrolava um cigarro acenou, uma mulher de bobes falava sozinha, um rapaz com fones de ouvido dançava desajeitadamente no passeio, em nossa homenagem, ao que parecia.

Lucy cortou o combustível e freou o rotor principal, desligando o aparelho. Quando as pás pararam de girar totalmente e estávamos descendo, uma mulher saiu do meio dos doentes mentais e seus guardiães. Usava um elegante conjunto espinha-de-peixe, e apesar do calor não tirara o casaco. Tinha cabelo curto e bem cortado. Não precisei ser apresentada para saber que era a dra. Lydia Ensor, e ela também soube quem eu era, pois apertou minha mão primeiro, depois a de Lucy, ao se apresentar.

"Parece que vocês provocaram muita excitação", comentou com um sorriso leve.

"Peço desculpas pela inconveniência."

"Não se preocupe."

"Vou ficar tomando conta do helicóptero", Lucy disse.

"Tem certeza?", perguntei.

"Claro", disse, olhando em volta, avaliando a multidão.

"Em sua maioria, são pacientes externos do centro psiquiátrico que fica ali", a dra. Ensor apontou para outro prédio. "E de Odyssey House."

Ela mostrou um edifício de tijolos bem menor, adiante de Kirby, onde havia jardim e uma quadra de tênis asfaltada com rede frouxa e furada.

"Drogas, drogas, sempre as drogas", acrescentou. "Eles chegam para tratamento e enrolam um baseado assim que vão embora."

"Vou ficar por aqui", Lucy afirmou. "Ou posso ir buscar combustível e retornar em seguida", acrescentou, dirigindo-se a mim.

"Melhor esperar", falei.

A dra. Ensor e eu seguimos pelo curto caminho que dava em Kirby, enquanto olhos brilhavam e despejavam dores e ódios sombrios, indescritíveis. Um sujeito de barba hirsuta gritou que queria dar uma volta, gesticulando em direção ao céu, batendo os braços como se fossem asas, pulando num pé só. Rostos abatidos viviam em outros mundos ou no vazio, e nos fitavam com o amargo desprezo que só poderia vir de quem vivia preso às drogas ou à demência, olhando para as pessoas livres dessas pragas. Éramos os privilegiados. Os vivos. Éramos Deus para os incapazes de fazer qualquer coisa além de destruir suas vidas e as vidas alheias. Para completar, no final do dia voltávamos para casa.

A entrada do Centro Kirby de Psiquiatria Forense era típica de uma instituição pública, com paredes pintadas no mesmo tom cinza-azulado da passarela que atravessava o rio. A dra. Ensor me conduziu até um canto, onde pressionou o interruptor na parede.

"Aproxime-se do intercomunicador", disse abruptamente uma voz que soava como a do Mágico de Oz.

Ela se moveu, sem precisar de mais instruções, falando pelo aparelho.

"Doutora Ensor", disse.

"Sim, senhora", a voz tornou-se humana. "Pode entrar."

O acesso à parte interna de Kirby era típico de uma penitenciária, com portas duplas herméticas que não podiam ser abertas simultaneamente. Havia avisos a respeito de itens proibidos, como armas de fogo, explosivos, munição, álcool e objetos de vidro. Por mais inflexíveis que fossem os políticos, assistentes sociais e membros da ACLU, a Associação Americana pelas Liberdades Civis, aquilo não era um hospital. Os pacientes eram prisioneiros. Criminosos violentos detidos numa penitenciária de segurança máxima por estuprar e espancar pessoas. Por matar a família a tiros, queimar a mãe, esfaquear o vizinho e esquartejar amantes. Monstros que se tornaram celebridades, como Robert Chambers, o assassino yuppie, ou Rabowitz, que assassinara e cozinhara a namorada para servi-la aos moradores de rua. Ou Carrie Grethen, pior que todos.

A porta cinza-azulada gradeada se abriu com um estalo eletrônico, e os guardas de farda azul foram muito corteses com a dra. Ensor e comigo, uma vez que eu era obviamente uma convidada. Mesmo assim, tivemos de passar pelo detector de metais e nossas bolsas foram minuciosamente revistadas. Passei pelo constrangimento de ser informada de que só poderia entrar com uma dose de medicamento, mas levava Motrin, Immodium, Tums e aspirina para suprir uma enfermaria inteira.

"A senhora não deve estar nada bem", um dos guardas comentou, bem-humorado.

"Vida dura", falei, pensando que havia sido uma boa idéia deixar o revólver na maleta, segura no compartimento de bagagem do helicóptero.

"Bem, vamos guardar isso até a senhora voltar. Estará aqui, à sua espera, está bem? Não se esqueça de pegar."

"Obrigada", falei, como se ele tivesse me feito um favor.

Atravessamos outra porta, onde havia um aviso, "MAN-

TENHA AS MÃOS AFASTADAS DAS BARRAS". Em seguida, percorremos corredores desolados e descorados, viramos para um lado e para outro, passamos por portas fechadas onde se realizavam sessões e audiências.

"Tenha em mente que os advogados que prestam assistência jurídica aqui são empregados da Sociedade de Assistência Legal, uma entidade privada sem fins lucrativos que firmou um convênio com a cidade de Nova York. A equipe mantida aqui faz parte da divisão criminal. Não pertence ao quadro de Kirby."

Ela fazia questão de deixar isso bem claro.

"Embora o relacionamento deles com minha equipe tenha se tornado amigável, com o passar dos anos", ela prosseguiu enquanto andávamos estalando os saltos no piso frio, "a advogada em questão, que trabalhou com a senhorita Grethen desde o início, provavelmente fechará a cara ao vê-la e se recusará a responder a qualquer pergunta sua."

Ela olhou de relance para mim.

"E eu não tenho autoridade sobre ela", disse.

"Compreendo perfeitamente", respondi. "Se um advogado de defesa ou assistente jurídico não fechar a cara quando apareço, vou achar que estou em outro planeta."

A Assistência Jurídica da Saúde Mental ficava perdida no meio de Kirby, e eu só poderia afirmar que se situava no térreo. A diretora abriu a porta de madeira, e eu entrei numa sala tão cheia de papéis que as pastas dos processos formavam pilhas no chão. A advogada atrás da mesa era um desastre, desde a roupa mal-ajambrada até o cabelo preto cacheado. Pesada, certamente pouparia seus seios volumosos se usasse sutiã.

"Susan, esta é a doutora Kay Scarpetta, chefe do departamento de medicina legal da Virgínia", disse a dra. Ensor. "Ela veio conversar a respeito de Carrie Grethen, como já sabe. Doutora Scarpetta, esta é Susan Blaustein."

"Tá", disse Blaustein, sem fazer menção de estender a mão ou se levantar, enquanto lia um processo volumoso.

"Vou deixá-las à vontade. Susan, gostaria que mostrasse o local à doutora Scarpetta. Se não quiser, chamarei alguém da minha equipe", disse a dra. Ensor. Pelo modo como me olhou, sabia que eu estava a ponto de começar um passeio pelo inferno.

"Tudo bem."

O anjo da guarda dos criminosos tinha um sotaque do Brooklyn compacto e áspero como um caminhão de lixo.

"Sente-se", disse quando a diretora saiu.

"Quando Carrie veio para cá?", perguntei.

"Há cinco anos."

Ela não pretendia erguer os olhos do processo.

"A senhora conhece seu histórico, os casos de homicídio que ainda aguardam julgamento na Virgínia?"

"Conheço todos."

"Carrie fugiu daqui há dez dias, em dez de junho", prossegui. "Alguém faz idéia de como conseguiu escapar?"

Blaustein virou a página e pegou a caneca de café.

"Ela não foi jantar. Só isso", respondeu. "Fiquei chocada quando desapareceu, como todo mundo."

"Posso imaginar", falei.

Ela virou outra página sem erguer a vista. Para mim, foi o bastante.

"Senhora Blaustein", falei com firmeza, debruçando-me sobre a mesa, "com todo o respeito pelos seus clientes, gostaria de falar a respeito dos meus. Gostaria de saber algo a respeito dos homens, mulheres e crianças chacinados por Carrie Grethen? Um menino raptado no 7-Eleven, onde fora comprar uma lata de sopa de cogumelo para a mãe? Ele levou um tiro na cabeça, e partes da pele foram removidas para ocultar as marcas das mordidas, seu corpo mutilado, só de cueca, foi atirado numa caçamba de lixo sob a chuva fria."

"Já disse que conheço os casos." Ela continuou lendo.

"Sugiro então que ponha de lado esse processo e preste atenção no que vou dizer", avisei. "Além de patologista forense sou advogada, portanto seus modos não me intimidam nem um pouco. Você representa uma psicopata que neste exato momento está solta, assassinando pessoas. Não permita que eu descubra no final do dia que você ocultou informações capazes de evitar a perda de mais uma vida."

Ela resolveu me encarar com olhos frios e arrogantes, pois seu único poder na vida era defender criminosos e atormentar gente como eu.

"Vou refrescar sua memória", continuei. "Desde que sua cliente fugiu de Kirby, sabemos que ela assassinou ou foi cúmplice de assassinato em dois casos, em poucos dias. Homicídios cruéis, nos quais houve tentativas de apagar as pistas pondo fogo nos locais. Antes deles, ocorreram outros assassinatos seguidos de incêndios, e acreditamos que estejam relacionados. Contudo, nos casos anteriores sua cliente ainda estava presa aqui."

Susan Blaustein me encarava em silêncio.

"Pode ajudar em alguma coisa?"

"Todas as conversas com Carrie são confidenciais. Aposto que já sabe disso", falou, apesar de não conseguir ocultar sua curiosidade a respeito do que eu contava.

"Ela mantinha contato com alguém de fora?", perguntei. "Se mantinha, com quem e como?"

"Diga você."

"Ela alguma vez mencionou Temple Gault?"

"Confidencial."

"Então mencionou", falei. "Claro que sim. Como poderia evitar? Sabe que ela escreveu para mim, senhora Blaustein, pedindo que viesse aqui e trouxesse as fotos da autópsia de Gault?"

Ela não falou, mas seus olhos brilhavam.

"Ele foi atropelado por um trem em Bowery. Estraçalhado no meio dos trilhos."

"Você fez a autópsia dele?", perguntou.

"Não."

"Então por que Carrie lhe pediu as fotos, doutora Scarpetta?"

334

"Porque ela sabia que eu poderia consegui-las. Carrie queria ver o sangue, a carne retalhada. Isso ocorreu a menos de uma semana da fuga. Fico imaginando se você sabia que ela escrevia cartas do gênero. Uma indicação clara, no que me diz respeito, de que Carrie premeditara tudo o que fez em seguida."

"Não."

Blaustein apontou o dedo para mim.

"Ela achava que estava servindo de bode expiatório, que ia levar a culpa porque o FBI não conseguia resolver coisa nenhuma e precisava botar a culpa em alguém", acusou.

"Estou vendo que você lê os jornais."

Seu rosto traiu a raiva que sentia.

"Conversei com Carrie durante cinco anos", disse. "Ela não dormia com ninguém do Bureau, certo?"

"De certa forma, sim." Pensei em Lucy. "Falando francamente, senhora Blaustein, não vim aqui para mudar sua opinião sobre sua cliente. Meu objetivo é investigar as mortes ocorridas e fazer o possível para evitar novos crimes."

A conselheira jurídica de Carrie remexeu a papelada novamente.

"Ao que consta, Carrie ficou aqui tanto tempo porque você sempre dava um jeito de mostrar que ela não tinha noção do que estava fazendo, toda vez que faziam uma avaliação de seu estado mental", insisti. "Ou seja, era incompetente para ir a julgamento, certo? Uma doente mental incapaz de compreender as acusações existentes contra ela. Contudo, alguma noção de sua situação ela devia ter. Caso contrário, como poderia montar essa história de que o FBI a escolhera como bode expiatório? Ou isso foi idéia sua?"

"Nossa reunião está encerrada", Blaustein proclamou, e se fosse juiz teria batido o martelo.

"Carrie não passa de uma fingida", falei. "Ela representou o tempo todo, manipulou as pessoas. Sei como é. Ficava muito deprimida e não conseguia se lembrar de nada que fosse importante. Talvez, tomasse Ativan, que provavelmente não fazia nenhum efeito nela. Pelo menos, tinha energia suficiente para escrever cartas. Que outros privilégios desfrutava? Telefone, fotocópias?"

"Os pacientes têm direitos civis", Blaustein disse com frieza. "Ela era muito calma. Jogava xadrez e paciência. Gostava de ler. Havia circunstâncias atenuantes e agravantes na época dos delitos, e ela não era responsável por seus atos. Sentia muito remorso."

"Carrie sempre foi uma tremenda vigarista", falei. "Uma especialista em conseguir o que pretendia, e queria ficar aqui o tempo suficiente para dar o próximo passo. Agora, conseguiu."

Abri a bolsa e tirei uma cópia da carta que Carrie me escrevera. Abri-a na frente de Blaustein.

"Preste atenção no endereço do remetente, no alto. *Praça do Faisão, nº 1, Enfermaria Feminina de Kirby*", falei. "Faz alguma idéia do que ela quis dizer com isso, ou prefere que eu arrisque um palpite?"

"Não tenho a menor idéia." Ela lia a carta com ar apalermado.

"Talvez *Praça, nº 1* tenha a ver com *Praça Hogan, nº 1,* endereço do promotor distrital que cuidaria de seu processo."

"Não faço idéia do que se passava em sua mente."

"Vamos falar sobre os *faisões*", continuei. "Há faisões na margem do rio, perto daqui."

"Nunca notei."

"Eu notei, pois pousamos num campo próximo ao local. Isso mesmo, ninguém notaria, a não ser que tivesse atravessado um campo de capim alto e mato, até chegar à beira da água, perto do antigo píer."

Ela não disse nada, mas percebi que estava ficando nervosa.

"Então, minha dúvida é a seguinte: como Carrie ou outros internos poderiam saber a respeito dos faisões?"

Ela permaneceu calada.

"Sabe muito bem como, não é?", provoquei.

Recebi um olhar hostil em retorno.

"Um paciente de segurança máxima jamais poderia atravessar aquele campo, nem sequer chegar perto dele, senhora Blaustein. Se não falar comigo a respeito, vou deixar o caso por conta da polícia. Lembre-se de que a fuga de Carrie é prioridade absoluta para as forças da lei, no momento. Na verdade, aposto que seu querido prefeito não está gostando nada da publicidade negativa contínua que Carrie traz para a cidade, que aliás andava apregoando suas vitórias contra o crime."

"Não sei como Carrie descobriu", Blaustein disse finalmente. "Essa é a primeira vez que ouço falar em faisões, diacho. Talvez alguém da equipe tenha comentado com ela. Talvez um dos empregados da firma que faz entregas para a loja, ou alguém de fora como você, em outras palavras."

"Que loja?"

"Os programas de readaptação dos pacientes permitem que ganhem créditos ou dinheiro e os gastem na loja. Em geral, compram salgadinhos. Há uma entrega por semana, e os pacientes usam seu próprio dinheiro."

"Onde Carrie conseguia dinheiro?"

Blaustein não contou.

"Em que dia vinham as entregas?"

"Depende. Normalmente, no início da semana. Segunda ou terça, em geral no final da tarde."

"Ela escapou no final da tarde de terça", falei.

"Isso mesmo." Seu olhar endureceu.

"E quanto ao responsável pelas entregas?", perguntei. "Alguém se deu ao trabalho de investigar se ele ou ela teve algo a ver com a fuga?"

"As entregas eram feitas por um homem", Blaustein disse, sem revelar suas emoções. "Ninguém foi capaz de encontrá-lo. Era um substituto do sujeito que fazia as entregas normalmente, e que ficou doente, ao que parece."

"*Substituto?* Entendi. Carrie estava interessada em outra coisa, não em batatas fritas!" Ergui a voz. "Posso imaginar. O pessoal das entregas usa uniforme e vem de perua. Carrie veste um uniforme igual e vai embora com o sujeito. Entra na perua e some."

"Isso é pura especulação. Não sabemos como ela escapou."

"Aposto que sabe, senhora Blaustein. E acho que pode ter ajudado Carrie com dinheiro também, uma vez que ela era tão especial para você."

Ela se levantou e apontou o dedo para mim novamente.

"Se está querendo me acusar de ajudá-la a fugir..."

"Você a ajudou, de um modo ou de outro", interrompi.

Lutei contra as lágrimas ao pensar em Carrie solta na rua, ao pensar em Benton.

"Você é um monstro", falei ao fixar os olhos nos dela. "Gostaria que passasse um dia que fosse com as vítimas. Um único dia, tocando suas feridas, sentindo seu sangue. Um dia com as pessoas inocentes que as Carries do mundo chacinam por esporte. Creio que muita gente vai ficar furiosa quando souber que Carrie tinha tantos privilégios e uma fonte misteriosa de renda", falei. "Além de mim."

Fomos interrompidos pela batidas na porta. A dra. Ensor entrou.

"Achei melhor levá-la para conhecer o local", disse. "Susan deve estar muito ocupada. Já acabaram de conversar?", ela perguntou à advogada.

"Sim."

"Muito bem", ela disse com um sorriso frio.

Sabia que para a diretora estava muito claro como Susan Blaustein abusara indecentemente de seu poder e da confiança que lhe fora dada. No final das contas, Blaustein manipulara o hospital tanto quanto Carrie.

"Obrigada", falei à diretora.

Virei-me, dando as costas para a defensora de Carrie.

Que apodreça no inferno, pensei.

Segui a dra. Ensor novamente, desta vez na direção de um elevador de aço inoxidável enorme que nos levou a um corredor bege desolador, protegido por portas vermelhas pesadas, que exigiam códigos para a passagem. Tudo era monitorado pelo circuito interno de televisão. Ao que constava, Carrie gostava de ajudar a cuidar dos animais, o que lhe dava direito a visitas diárias ao décimo primeiro andar, onde os animais ficavam em jaulas, numa sala com vista para o arame farpado.

O local era mal iluminado e úmido, tomado pelo odor forte dos bichos e da serragem, bem como pelo ruído das garras. Havia periquitos, porquinhos-da-índia e um hamster russo. Na mesa, vi uma caixa cheia de brotos.

"As sementes para alimentar os pássaros são cultivadas aqui", explicou a dra. Ensor. "Os pacientes são estimulados a cultivá-las e vendê-las. Claro, não dá para produzir muito. Mal chega para os nossos próprios pássaros, como você pode ver pela quantidade nas gaiolas e pelo chão. Os pacientes costumam dar batatas fritas e outros salgadinhos para seus mascotes."

"Carrie vinha aqui diariamente?", perguntei.

"Sim, pelo que me disseram. Passei a investigar tudo o que ela fazia enquanto estava aqui." Ela fez uma pausa, olhando para as gaiolas onde os animais de focinhos rosados se coçavam e farejavam.

"Obviamente, na época eu não sabia de tudo. Por exemplo, durante os seis meses em que Carrie supervisionou o programa de animais de estimação, coincidentemente houve um número muito grande de mortes e escapadas inexplicáveis. Um periquito aqui, um hamster ali. Os pacientes chegavam e encontravam os corpos nas jaulas, ou a porta da gaiola vazia aberta."

Ela voltou para o corredor, de lábios firmemente cerrados.

"Infelizmente, você não estava aqui na ocasião", ela disse com certa ironia. "Poderia determinar a causa da morte. Ou quem os matava."

Havia outra porta, no final do corredor. Dava para uma saleta minúscula e mal iluminada onde havia apenas um computador relativamente moderno e uma impressora sobre a mesa de madeira. Notei também uma tomada telefônica na parede. Prognósticos sombrios surgiram em minha mente mesmo antes que a dra. Ensor falasse.

"Creio que Carrie passava a maior parte do tempo livre aqui", disse. "Como certamente você já sabe, ela possuía conhecimentos profundos de informática. Estimulava os outros pacientes a aprenderem a mexer no PC, que foi idéia dela. Sugeriu que procurássemos doadores de equipamentos, e agora temos um computador e uma impressora por andar."

Aproximei-me do teclado e me sentei na frente da máquina. Apertando uma tecla, desativei o protetor de tela e vi pelos ícones os programas disponíveis.

"Quando os pacientes estavam aqui", perguntei, "eram vigiados?"

"Não. Entravam e a porta era fechada e trancada. Transcorrida uma hora, retornavam à enfermaria." Ela ficou pensativa. "Sou a primeira a admitir que me impressionei com o número de pacientes que aprenderam a usar o processador de texto. Alguns sabiam até usar planilhas."

Entrei na America Online e vi a tela que pedia nome do usuário e senha. A diretora me observava.

"Não tinham nenhum acesso à internet", disse.

"Como você sabe?"

"Os computadores não estão ligados na rede."

"Eles têm modems", ressaltei. "Este aqui tem, pelo menos. Não está conectando porque não há um cabo do computador ligado à tomada telefônica."

Apontei para a tomada na parede, depois me virei para confrontá-la.

"Você sabe se por acaso uma linha telefônica desapareceu misteriosamente?", perguntei. "De uma das salas? Da sala de Susan Blaustein, por exemplo?"

A diretora desviou a vista, seu rosto traía raiva e contrariedade, percebendo aonde eu queria chegar.

"Meu Deus", murmurou.

"Claro, ela pode ter conseguido ajuda de fora. Talvez da pessoa que fazia as entregas para a loja."

"Não sei."

"A questão é que não sabemos de muita coisa, doutora Ensor. Não sabemos, por exemplo, que diabo Carrie realmente fazia aqui dentro. Ela podia muito bem entrar e sair das salas de bate-papo, colocar seu perfil em arquivos para contato, fazer amigos. Com certeza você acompanha o noticiário e sabe quantos crimes foram perpetrados graças à internet. Temos pedofilia, estupro, homicídio, pornografia infantil etc."

"Por isso havia uma supervisão estrita", ela disse. "Ou deveria haver."

"Carrie pode ter planejado sua fuga assim. Você disse que ela teve acesso ao computador há bastante tempo, certo?"

"Sim, há cerca de um ano. Após um longo período de comportamento exemplar."

"*Comportamento exemplar*", repeti.

Pensei nos casos em Baltimore, Venice Beach e, mais recentemente, Warrenton. Imaginei que Carrie poderia ter conhecido seu cúmplice por e-mail, num bate-papo ou site da Web. Teria cometido crimes informáticos durante o período de prisão? Teria trabalhado por baixo do pano, aconselhando e instigando um psicopata que roubava rostos humanos? Depois da fuga, ela pôde cometer os crimes pessoalmente.

"Alguém foi solto de Kirby nos últimos dois anos, que tivesse perfil de incendiário, principalmente homicida? Alguém que Carrie pudesse ter conhecido? Um de seus alunos, quem sabe?", perguntei, por via das dúvidas.

A dra. Ensor apagou a luz e retornamos ao corredor.

"Ninguém que eu recorde", ela disse. "Ninguém com

o perfil que você descreveu. Devo acrescentar que um funcionário estava sempre presente nas aulas."

"E os pacientes masculinos e femininos não se misturavam durante as atividades recreativas?"

"Não. Nunca. Homens e mulheres vivem totalmente segregados aqui."

Embora eu não tivesse como provar que o cúmplice de Carrie era homem, suspeitava disso e me lembrei do que Benton anotara no final a respeito de um elemento do sexo masculino, entre 28 e 45 anos. Os funcionários, na verdade guardas desarmados, podiam garantir a ordem durante as aulas, mas eu duvidava seriamente de sua capacidade de perceber que Carrie mantinha contatos pela internet. Pegamos o elevador novamente, descendo no terceiro andar.

"A enfermaria feminina", explicou a dra. Ensor. "Temos 26 mulheres pacientes no momento, num total de 170 internos. Este é o local para visitas."

Ela apontou pelo vidro, mostrando uma área ampla com poltronas confortáveis e televisão. Não havia ninguém lá naquele momento.

"Ela recebia visitas?", perguntei enquanto caminhávamos.

"De fora, não. Nunca recebeu ninguém. Assim inspirava mais piedade, creio." Ela sorriu, amargurada. "As mulheres ficam ali."

Apontou para outra área, onde havia camas de solteiro.

"Ela dormia lá, perto da janela", informou a dra. Ensor.

Peguei a carta de Carrie no bolso e a li novamente, parando no quinto parágrafo:

LUCY-BOO na TV. Voa através da janela. Goza com nós Debaixo das cobertas. Goza até de manhã. Ri e canta. Mesma canção batida. LUCY LUCY LUCY e nós!

De repente, pensei no videoteipe de Kellie Shephard, na atriz de Venice Beach que fazia pontas em séries de televisão. Pensei nas sessões de fotos e nas equipes de produção, cada vez mais convencida de que havia uma conexão entre elas. Mas o que Lucy tinha a ver com tudo isso? Como Carrie poderia ter visto Lucy na televisão? Ou ela sabia que Lucy pilotava, especificamente helicópteros?

Notei uma movimentação num canto, as guardas traziam as pacientes femininas da recreação para a enfermaria. Suavam, gritavam, tinham rostos atormentados e uma delas usava um equipamento preventivo de agressão, ou PAD, na verdade um termo politicamente correto para grilhões que prendiam pulsos e tornozelos a uma correia de couro grossa atada à cintura. Era jovem, branca, seus olhos se arregalaram ao me ver, e a boca entreaberta completava o esgar. Poderia ser Carrie, pois usava o cabelo descolorido e tinha o corpo andrógino e pálido. Senti um arrepio quando os olhos pareceram querer me sugar. As pacientes passavam por nós, muitas tentavam esbarrar em mim.

"É advogada?", indagou uma negra obesa quase cuspindo e fixando os olhos em mim.

"Sou", respondi sem me intimidar, devolvendo o olhar duro, pois havia muito aprendera a enfrentar gente cheia de ódio.

"Vamos." A diretora me puxou. "Esqueci-me de que elas estavam para subir. Lamento."

Mas eu havia gostado da cena. Em certo sentido, encarara Carrie sem me assustar.

"Conte o que aconteceu exatamente na noite do desaparecimento", falei.

A dra. Ensor digitou o código no painel e passamos por outro par de portas vermelhas.

"Pelo que pudemos reconstituir", respondeu, "Carrie saiu com as outras pacientes, no horário de recreação. Os salgadinhos chegaram, e na hora do jantar ela não apareceu."

Descemos pelo elevador. Ela consultou o relógio.

"Imediatamente, a busca foi iniciada. Alertamos a polícia. Ninguém a viu, e não me conformo com isso", disse. "Como ela conseguiu sair de uma ilha em plena luz do dia, sem que ninguém a visse? Chegaram guardas, cães, helicópteros..."

Parei ali, no meio do saguão do térreo.

"Helicópteros?", perguntei. "Mais de um?"

"Claro."

"Você os viu?"

"Impossível não vê-los", respondeu. "Eles sobrevoaram a área por várias horas, e o hospital inteiro virou uma confusão."

"Por favor, descreva os helicópteros", falei, sentindo o coração disparar.

"Pois não. Primeiro chegaram três da polícia, depois um enxame de helicópteros da imprensa."

"Por acaso um deles era branco, pequeno? Como uma libélula?"

Ela demonstrou surpresa.

"Lembro-me de ter visto um helicóptero assim", disse. "Pensei que fosse um piloto qualquer, curioso com a agitação."

22

Lucy e eu decolamos da ilha Ward com vento quente e pressão barométrica baixa, o que reduzia a velocidade do Bell JetRanger. Seguimos o East River e continuamos voando através do espaço aéreo Classe B de La Guardia, onde pousamos, permanecendo apenas o tempo suficiente para reabastecer e comprar biscoitos cream cracker e refrigerantes nas máquinas. Aproveitei para telefonar para a Universidade da Carolina do Norte, em Wilmington. Desta vez fui transferida para a diretora de orientação aos estudantes. Considerei isso um bom sinal.

"Compreendo a necessidade de preservar a instituição", disse a ela, depois de fechar a porta da cabine telefônica existente no terminal Signatures. "Mas peço que reconsidere sua decisão. Mais duas pessoas foram assassinadas desde a morte de Claire Rawley."

Seguiu-se um longo silêncio.

Em seguida, a dra. Chris Booth disse: "A senhora poderia comparecer pessoalmente?".

"Era o que eu pretendia", respondi.

"Então, tudo bem."

Liguei para Teun McGovern em seguida para contar o que estava ocorrendo.

"Creio que Carrie fugiu de Kirby no mesmo Schweizer branco que vimos sobrevoar a fazenda de Kenneth Sparkes quando trabalhávamos no local, após o incêndio", expliquei.

"Ela sabe pilotar?" A voz de McGovern traía sua confusão.

"Não, claro que não. Nunca imaginei isso."

"Sei."

"Seu cúmplice, seja quem for", falei, "é o piloto. Quem a ajudou a escapar está fazendo tudo isso. Os dois primeiros casos serviram como aquecimento. Baltimore e Venice Beach. Teun, talvez nunca tivéssemos descoberto. Creio que Carrie queria nos armar uma cilada. Ela esperou até Warrenton."

"Então está pensando que Sparkes era o alvo", ela disse, pensativa.

"Sim, para atrair nossa atenção. Garantir nossa presença no local. Isso mesmo", confirmei.

"E onde Claire Rawley entra na história?"

"É isso que pretendo descobrir em Wilmington, Teun. Acredito que ela seja a chave para tudo. A pista que pode nos levar até ele, seja lá quem for o sujeito. Além do mais, acho que Carrie sabe que pensarei nisso e estará lá, à minha espera."

"Acha que ela está lá?"

"Sem dúvida. Aposto que sim. Ela contava com a ida de Benton à Filadélfia, e ele foi. Agora aguarda Lucy e eu em Wilmington. Ela conhece nosso modo de pensar, de agir. Sabe tanto a nosso respeito quanto sabemos a respeito dela, pelo menos."

"Você chegou à conclusão de que os próximos alvos são vocês, portanto."

A idéia era água gelada no meu estômago.

"Na cabeça dela."

"Não podemos correr o risco, Kay. Estaremos lá quando vocês pousarem. A universidade deve ter um campo esportivo. Vamos tomar as providências, muito discretamente. Se aterrissarem para reabastecer, ou por qualquer outro motivo, mande uma mensagem pelo pager. Manteremos contato permanente."

"Você não pode permitir que ela saiba de sua presença", falei. "Isso arruinaria tudo."

"Confie em mim. Ela não perceberá nada", disse McGovern.

Decolamos de La Guardia com 75 galões de combustível e um longo vôo pela frente. Três horas de helicóptero eram o bastante para mim, sempre fora. O peso do capacete, o ruído e a vibração exerciam forte pressão no alto da cabeça e davam a impressão de que as articulações do corpo afrouxavam. Suportar tudo isso por mais de quatro horas em geral resultava numa dor de cabeça terrível. Demos sorte, pegamos um vento forte na cauda, e, apesar da indicação de velocidade ser 110 nós, o GPS mostrava que nossa velocidade real superava os 120 nós.

Lucy passou o controle para mim novamente, e consegui pilotar com mais suavidade, aprendendo a não exagerar nos comandos. Quando as correntes ascendentes e os ventos nos sacudiam como uma mãe furiosa, eu não lutava contra eles, deixava que nos levassem. Tentativas de controlar o aparelho durante as rajadas só pioravam as coisas, e isso era difícil para mim. Queria fazer tudo com perfeição. Aprendi a ficar atenta aos pássaros e de vez em quando conseguia ver outra aeronave ao mesmo tempo que Lucy.

As horas transcorriam monótonas, indistintas, à medida que avançávamos lentamente ao longo da costa, sobrevoando o rio Delaware e Eastern Shore. Reabastecemos perto de Salisbury, em Maryland, onde usei o banheiro e tomei uma Coca, depois seguimos pela Carolina do Norte, onde as criações de porcos rasgavam a topografia com barracões compridos de alumínio e lagoas para tratamento de dejetos cor de sangue. Entramos no espaço aéreo de Wilmington pouco antes das duas horas. Meus nervos começaram a se contrair conforme eu imaginava o que poderíamos ter pela frente.

"Vamos descer a 180 metros", disse Lucy. "E reduza a velocidade."

"Eu devo fazer isso?" Queria ter certeza.

"Você está no comando."

Não fui muito bem, mas consegui.

"Acho que a universidade não fica dentro d'água, provavelmente é um conjunto de prédios de tijolos."

"Obrigada, Sherlock."

Para onde quer que olhasse eu só via água, condomínios fechados, estações de tratamento de esgoto e instalações industriais. O oceano situava-se a leste, reluzente e agitado, alheio às nuvens escuras e compactas que se amontoavam no horizonte. Uma tempestade estava a caminho e, embora não parecesse ter pressa, era ameaçadora.

"Minha nossa, não quero pousar ali assim, vulnerável", falei pelo microfone quando avistei um conjunto de prédios georgianos de tijolos.

"Não sei como vamos fazer." Lucy examinava o local. "E se ela estiver lá? Onde, tia Kay?"

"Estará onde achar que estaremos." Disso eu tinha certeza.

Lucy assumiu o comando.

"Estou no controle", disse. "Não sei se quero que você tenha razão ou não."

"Você quer", respondi a ela. "Na verdade, quer tanto que chega a me assustar, Lucy."

"Fui eu quem provocou tudo isso."

Carrie tentara acabar com Lucy. Carrie assassinara Benton.

"Sei quem provocou tudo isso", falei. "Foi ela."

A universidade estava logo abaixo de nós, e vimos o campo onde McGovern estaria nos esperando. Homens e mulheres jogavam futebol, mas havia um espaço livre perto das quadras de tênis, e Lucy resolveu pousar lá. Ela sobrevoou a área duas vezes, primeiro bem alto, depois mais baixo, e nenhuma de nós notou obstruções, com exceção de uma ou outra árvore. Havia vários carros estacionados nas proximidades, e quando descemos no gramado notei que um deles era uma Explorer azul-escuro, com alguém no lugar do motorista. Foi então que percebi que o técnico do jogo de futebol era Teun McGovern, de short e camiseta. Tinha um apito no pescoço, e os times eram formados por jovens atléticos, fortes.

Olhei em torno, como se Carrie estivesse observando tudo, mas o céu estava desimpedido, nada indicava sua presença. No momento em que tocamos o solo, encerrando a manobra de aterrissagem, a Explorer cruzou o gramado e parou a uma distância segura das pás. Uma mulher desconhecida guiava o veículo, e a presença de Marino no banco do passageiro me surpreendeu.

"Não acredito", falei a Lucy.

"Como ele veio parar aqui, caramba?" Ela também ficou pasma.

Marino nos observava através do pára-brisa, enquanto aguardávamos os dois minutos necessários para descer. Ele não sorriu nem se mostrou cordial quando subi no banco traseiro do carro, enquanto Lucy prendia as pás do rotor principal. McGovern e seus jogadores de futebol de araque seguiam jogando, sem dar a mínima atenção a nós. Mas não pude deixar de notar as sacolas de material esportivo sob os bancos, na lateral do campo, e tinha certeza de seu conteúdo. Parecia até que esperávamos o ataque de um exército, uma emboscada das tropas inimigas. Pensei que Carrie talvez estivesse zombando de todos nós mais uma vez.

"Não esperava vê-lo aqui", falei a Marino.

"Você acha possível que a USAirways vá para algum lugar sem obrigar a gente a uma escala em Charlotte?", ele se queixou. "Levei quase tanto tempo quanto você para chegar aqui."

"Sou Ginny Correll." A motorista virou-se e apertou minha mão.

Ela tinha mais de quarenta anos, era uma loura muito atraente, elegante, de conjunto verde-claro, e se eu não soubesse a verdade imaginaria que ela trabalhava na faculdade. Mas havia um scanner e um rádio no carro, e vi de relance o brilho da pistola no coldre de ombro, debaixo do casaco. Ela esperou até que Lucy entrasse na Explorer e manobrou na grama, enquanto o jogo de futebol prosseguia.

"Bem, a situação é a seguinte", Correll começou a explicar. "Não sabemos onde o suspeito ou os suspeitos podem estar esperando, seguindo ou preparando uma emboscada para vocês. Portanto, nos preparamos para tudo."

"Dá para notar que vocês capricharam."

"Os times sairão de campo em dois minutos, e o mais importante é que temos agentes espalhados pelo local, cobrindo todos os pontos. Alguns se fingindo de estudantes, outros passeando na cidade, registrados nos hotéis ou bebendo nos bares. Coisas do gênero. Agora estamos seguindo para o centro de orientação dos estudantes, onde a diretora-assistente nos aguarda. Ela aconselhava Claire Rawley e tem todos os registros."

"Certo", falei.

"Acho bom você saber, doutora", Marino explicou, "que um policial de serviço no campus acredita ter visto Carrie ontem, no grêmio estudantil."

"No Hawk's Nest, para ser específica", disse Correll. "É uma lanchonete."

"Cabelo curto tingido de vermelho, olhos esbugalhados. Comprou um sanduíche, foi notada por ter encarado o guarda ao passar por ele, a caminho de sua mesa. Quando mostramos a foto dela por aí, o guarda disse que poderia ser ela. Mas não foi capaz de jurar."

"Seria típico dela olhar fixamente para um guarda", disse Lucy. "Atormentar as pessoas é seu passatempo favorito."

"Também é compatível com o estilo dos estudantes parecer sem-teto", comentei.

"Estamos checando as lojas de penhores locais para ver se alguém com as características de Carrie adquiriu uma arma, além de verificar os carros roubados na região", disse Marino. "Nossa suposição é que ela e o comparsa roubaram carros em Nova York e na Filadélfia, mas não apareceriam por aqui com placas de lá, para não dar na vista."

O campus formava uma imaculada coleção de edifícios georgianos modernizados, rodeados de palmeiras, magnólias, murtas e pinheiros diversos. Quando saímos do carro, as gardênias em flor enchiam o ar quente e úmido com seu perfume, mexendo comigo.

Eu adorava os perfumes do Sul, e por um momento não vi chance de que algo ruim ocorresse ali. Estávamos no verão, o campus não tinha muita gente. Os estacionamentos pela metade, poucas bicicletas nos apoios. Alguns carros passavam por College Road com pranchas de surfe presas no teto.

O centro de orientação situava-se no segundo piso de Westside Hall, e a sala de espera para estudantes com problemas de saúde era cor de malva e azul, bem iluminada. Havia sobre as mesas de café quebra-cabeças de mil peças, com cenas campestres, em diversos estágios de montagem, para distrair quem aguardava atendimento. A recepcionista nos esperava e nos levou pelo corredor, passando por salas de observação e reunião, além de locais para testes psicológicos. A dra. Chris Booth era enérgica, seus olhos perspicazes e gentis combinavam com sua figura cinqüentona que adorava sol, pelo que deduzi. As marcas da vida ao ar livre lhe davam personalidade, a pele bronzeada e enrugada contrastava com o cabelo branco curto. O corpo era esguio e rijo.

Era psicóloga, e sua sala de canto dava vista para o prédio de belas-artes e carvalhos vigorosos, exuberantes. A personalidade oculta dos escritórios sempre me fascinara. Seu local de trabalho era aconchegante e cordial, mas astuto na disposição das poltronas, adequada a diversos tipos mentais. Havia uma poltrona especial, para pacientes que preferiam se aninhar em almofadas fofas e receber ajuda, uma cadeira de balanço com encosto de vime e um sofá pequeno para duas pessoas. A paleta de cores privilegiava o verde-claro e havia quadros de veleiros nas paredes, além de vasos de barro com begônias.

"Boa tarde", a dra. Booth abriu um sorriso ao nos convidar para entrar. "É um prazer recebê-los."

"O prazer é todo meu", respondi.

Escolhi a cadeira de balanço, enquanto Ginny se acomodava no sofá. Marino olhou em volta, meio constrangido, e sentou-se na poltrona estofada, fazendo o possível para não ser engolido por ela. A dra. Booth ocupava a poltrona giratória, de costas para uma mesa inteiramente vazia, exceto pela lata de Pepsi Diet. Lucy ficou montando guarda na porta.

"Eu esperava que alguém viesse falar comigo", começou a dra. Booth, como se tivesse convocado a reunião. "Mas, honestamente, não sabia a quem procurar, nem se era o caso."

Seus olhos cinzentos vivos examinaram os presentes.

"Claire era muito especial — e sei o que todos dizem a respeito dos mortos", ela declarou.

"Nem todos", retrucou Marino, cínico.

A dra. Booth sorriu, melancólica. "Quero dizer apenas que orientei muitos estudantes, no decorrer dos anos. Claire me tocou o coração profundamente e eu nutria muitas esperanças a seu respeito. Fiquei desolada com a notícia de sua morte."

Ela fez uma pausa, olhando pela janela.

"Estivemos juntas umas duas semanas antes de ela falecer, e tentei tudo o que estava ao meu alcance para encontrar uma explicação para o ocorrido."

"Quando fala que estiveram juntas, refere-se a esta sala? Para uma sessão?"

Ela fez que sim. "Conversamos durante uma hora."

Lucy estava ficando cada vez mais inquieta.

"Antes de entrarmos nessa parte", falei, "poderia nos dar um retrospecto do caso, com o máximo possível de detalhes?"

"Claro. Por falar nisso, tenho as datas e os horários das sessões, se precisarem. Tratei dela por três anos, com interrupções."

"Interrupções?", perguntou Marino, ajeitando-se na poltrona para não afundar novamente no estofamento macio.

"Claire bancava sozinha o custo da faculdade. Trabalhava como garçonete no Blockade Runner, em Wrightsville Beach. Dava duro no serviço e economizava o dinheiro, pagava um semestre e largava o curso para trabalhar outra vez. Eu não a via quando se afastava da escola, e acredito que suas dificuldades começaram em grande parte nesses períodos."

"Vou deixar vocês cuidarem disso por algum tempo", Lucy disse abruptamente. "Quero ter certeza de que o helicóptero está bem guardado."

Lucy saiu e fechou a porta. Senti uma onda de medo. Temia que Lucy fosse à procura de Carrie. Marino trocou um olhar rápido comigo e notei que imaginara a mesma coisa. Nossa escolta, Ginny, mantinha-se rígida no sofá, adequadamente discreta, sem fazer nada além de prestar atenção.

"Há cerca de um ano", prosseguiu a dra. Booth, "Claire conheceu Kenneth Sparkes, e sei que não estou contando algo que vocês ainda não sabem. Ela era surfista, chegou a participar de campeonatos, e ele tinha uma casa de praia em Wrightsville. Para encurtar a história, os dois se envolveram, tiveram um caso curto, intenso, passional, que ele quis terminar."

"Isso ocorreu quando ela estava cursando a faculdade", falei.

"Exato. Segundo semestre. Eles romperam no verão, e ela só voltou ao curso no inverno seguinte. Veio conversar comigo em fevereiro, quando o professor de Inglês sentiu nela cheiro de bebida alcoólica e notou que cochilava freqüentemente durante a aula. Preocupado, procurou o diretor, e ela foi posta em observação, com a condição de se tratar comigo. Tudo isso teve relação com Sparkes, creio. Claire era adotada, tinha uma vida muito infeliz. Saiu de

353

casa aos dezesseis anos, veio para Wrightsville e fez todos os tipos de serviço para sobreviver."

"Onde moram os pais dela, agora?", Marino quis saber.

"Os pais biológicos? Nem sabemos quem são."

"Não. O casal que a adotou."

"Chicago. Eles perderam contato com ela desde que saiu de casa. Mas já sabem que morreu. Conversei com eles."

"Doutora Booth", falei, "tem alguma idéia do motivo que levou Claire até a casa de Sparkes, em Warrenton?"

"Ela era totalmente incapaz de lidar com a rejeição. Só posso concluir que foi lá para vê-lo, na esperança de conseguir reatar o relacionamento. Sei que ela parou de telefonar para ele na primavera passada, pois Sparkes mudou o número e não colocou o novo na lista. A única forma possível de contato seria ir lá pessoalmente, portanto."

"Num Mercedes velho que pertencia a um psicoterapeuta chamado Newton Joyce?", perguntou Marino, ajeitando-se novamente na poltrona.

A dra. Booth ficou atônita. "Eu não sabia disso", falou. "Ela estava dirigindo o carro de Newton?"

"A senhora o onhece?"

"Pessoalmente, não. Mas conheço sua reputação. Claire começou a se tratar com ele por sentir a necessidade de uma perspectiva masculina sobre seus problemas. Isso ocorreu nos últimos dois meses. Contudo, eu jamais o teria indicado."

"Por quê?", perguntou Marino.

A dra. Booth estudou as palavras, mas seu rosto se contraiu de raiva.

"A situação é muito confusa", disse finalmente. "Por isso relutei em falar a respeito de Claire, quando ligaram pela primeira vez. Newton é um sujeito mimado, rico, que nunca trabalhou na vida, mas resolveu ser psicoterapeuta. Uma forma de se sentir poderoso, creio."

"Ao que tudo indica, ele desapareceu no ar", comentou Marino.

"Nada de extraordinário nisso", ela respondeu secamente. "Ele aparece e some quando quer. Por vezes, passa meses, até anos fora. Já trabalho na universidade há mais de trinta anos, e me recordo de quando era menino. Encantador, capaz de convencer as pessoas a fazer qualquer coisa, mas só pensava em si. Fiquei muito preocupada quando Claire começou a se tratar com ele. Vamos dizer que Newton não adota a ética habitual, no mínimo. Faz suas próprias regras. Mas nunca foi apanhado."

"Fazendo o quê?", perguntei. "Apanhado em quê?"

"Manipulando pacientes de modo muito impróprio."

"Tendo relações sexuais com eles?", perguntei.

"Nunca tivemos provas disso. Tratava-se de uma questão mais ligada à mente, uma forma de dominação. Obviamente, ele controlava Claire à vontade. Ela se tornou profundamente dependente dele, num estalo." Ela estalou os dedos. "Depois da primeira sessão, ela vinha aqui e passava o tempo inteiro falando dele, obcecada. É isso que torna tão estranha sua visita a Sparkes. Eu pensava que ela havia superado tudo e que estava encantada com Newton. Sinceramente, acredito que teria feito qualquer coisa que Newton mandasse."

"Seria possível que ele sugerisse a ela visitar Sparkes? Alegando razões terapêuticas, como terminar o caso de vez?", indaguei.

A dra. Booth sorriu com ironia.

"Ele pode muito bem ter sugerido a ela que fosse até lá, mas duvido que fosse para ajudá-la", retrucou. "Lamento dizer, mas se foi idéia de Newton, ele a manipulou."

"Eu gostaria muito de saber como os dois se conheceram", disse Marino, lutando contra a poltrona que o sugava. "Alguém deve ter recomendado o sujeito."

"Não", ela rebateu. "Eles se conheceram numa sessão de fotos."

"Como assim?" Senti o sangue gelar nas veias.

"Ele vive encantado com tudo o que diz respeito a Hollywood, e consegue convencer as equipes de produção dos filmes e fotos de publicidade a contratá-lo. Vocês sabem que o estúdio da Screen Gems fica na cidade, e Claire fazia cinema como matéria optativa. Sonhava em se tornar atriz. Só Deus sabe se conseguiria, mas beleza era o que não lhe faltava. Pelo que me contou, estava trabalhando como modelo para uma revista de surfe, fazendo fotos na praia, essas coisas. E ele fazia parte da equipe, no caso como fotógrafo. Dizem que é muito bom nisso."

"A senhora mencionou que ele costumava passar muito tempo fora da cidade", disse Marino. "Poderia ter residências em outros locais?"

"Não sei de mais nada a respeito dele, sinceramente", ela respondeu.

O Departamento de Polícia de Wilmington obteve em menos de uma hora o mandado de busca para revistar a propriedade de Newton Joyce no distrito histórico, a várias quadras da praia. A casa branca com estrutura de madeira era térrea, com uma água-furtada que cobria a varanda na frente. Situava-se no final de uma rua tranqüila, repleta de outras casas do século XIX, com terraços e varandas.

Magnólias imensas sombreavam o jardim, deixando apenas trechos fracamente iluminados pelos raios de sol e o ar cheio de insetos. McGovern fora ao nosso encontro e aguardava nos fundos. Um policial usou o cassetete para quebrar um vidro da porta de entrada. Enfiando a mão pelo vão, destrancou a porta.

Marino, McGovern e o detetive Scroggins foram os primeiros a entrar, mantendo as armas próximas ao corpo, em posição de tiro. Segui-os de perto, desarmada, nervosa naquele covil lúgubre que Joyce considerava seu lar. Entramos na sala de estar pequena, modificada para servir de sala de espera aos pacientes. Havia um velho sofá vitoriano de veludo vermelho medonho, uma mesa com tampo de mármore com uma luminária de vidro leitoso no meio e uma mesinha de centro contendo revistas velhas de muitos meses. Uma porta dava acesso a seu consultório, que era ainda mais estranho.

As paredes de pinho amarelado cheios de nós estavam quase totalmente cobertas de fotografias emolduradas que pareciam ser de modelos e atores posando para divulgação. Literalmente, havia centenas de fotos, e deduzi que o próprio Joyce as batera. Não conseguia imaginar um paciente contando seus problemas rodeado por tantos corpos e rostos belíssimos. Na mesa de Joyce havia um arquivo de endereços tipo Rolodex, agenda, papéis e um telefone. Enquanto Scroggins ouvia os recados na secretária eletrônica, segui examinando o local.

Nas prateleiras encontrei livros antigos, clássicos encadernados em couro ou tecido, empoeirados demais para terem sido abertos nos últimos anos. Havia um divã de couro rachado, provavelmente para os pacientes, e a seu lado uma mesinha com um único copo para água. Estava quase vazio, e na borda vi uma marca leve de batom cor de pêssego. Bem na frente do sofá encontrava-se uma poltrona de mogno de espaldar alto, rebuscadamente entalhada, que mais parecia um trono. Notei que Marino e McGovern revistavam outros cômodos e que vozes saíam da secretária eletrônica de Joyce. Todas as mensagens eram posteriores a 5 de junho, véspera da morte de Claire. Os pacientes telefonaram para confirmar sessões. Um agente de viagem mencionou duas passagens para Paris.

"Como foi que você disse mesmo que era o negócio usado para começar o fogo?", perguntou o detetive Scroggins ao abrir mais uma gaveta.

"Uma barra delgada de metal prateado", respondi. "Não dá para errar, se você vir uma."

"Nada do gênero por aqui. Mas o sujeito adorava elástico. Deve haver milhares. Pelo jeito, usava-os para fazer essas bolas."

Ele mostrou uma esfera perfeita, formada por um número enorme de elásticos.

"Por que diabo ele fazia isso?", perguntou Scroggins,

curioso. "Acha que ele começou fazendo uma, depois foi se animando e ficava pondo mais e mais?"

Eu não sabia.

"Que tipo de mentalidade tem um sujeito desses, afinal?", prosseguiu Scroggins. "Acha que ele ficava aqui sentado, fazendo isso, enquanto os pacientes falavam?"

"A esta altura", comentei, "nada mais me surpreenderia."

"Que pirado. Até agora contei treze, catorze... dezenove bolas."

Ele as tirava e punha em cima da mesa. De repente, Marino gritou, lá no fundo da casa.

"Doutora, acho melhor vir até aqui."

Segui o som da voz dele e da de McGovern, cruzando a pequena cozinha com eletrodomésticos antigos, cobertos pelos vestígios de inúmeras refeições. Os pratos estavam empilhados na pia, dentro da água suja com espuma de sabão, e a lata de lixo transbordava. O cheiro era terrível. Newton Joyce era mais desleixado que Marino, e eu não imaginava que isso fosse possível, não combinava com o comportamento maníaco de quem fazia as bolas de elásticos nem com a maneira de agir nos assassinatos que eu atribuía a ele. Mas, apesar dos textos dos criminalistas e dos roteiros de Hollywood, as pessoas não agiam com coerência, e seu comportamento podia ser muito contraditório. Um belo exemplo estava na descoberta de Marino e McGovern na garagem.

O acesso se dava por uma porta trancada a cadeado, removido por Marino com um cortador de ferro que McGovern pegou na Explorer. Do outro lado havia uma espécie de oficina, sem porta de saída, que fora fechada com blocos de cimento. As paredes eram brancas, e havia tambores de cinqüenta galões de gasolina de aviação encostados numa delas. Havia um freezer Sub-Zero de aço inoxidável com porta macabramente trancada a cadeado. O piso de concreto era imaculado, e no canto encontramos cinco caixas de alumínio para transporte de material fotográfico e caixas de isopor de tamanhos variados. No meio, uma mesa grande de madeira compensada, coberta de feltro, exibia os instrumentos usados nos crimes de Joyce.

Meia dúzia de facas perfeitamente enfileiradas, com a mesma distância entre uma e outra. Todas possuíam bainha de couro, e uma caixa pequena de madeira guardava as pedras de amolar.

"Puxa vida", disse Marino, apontando para as facas. "Você não faz idéia do que temos aqui, doutora. As facas com cabo de osso são R. W. Loveless para esfolar, fabricadas pela Beretta. Peças de colecionador, numeradas, custam mais de seiscentos dólares cada."

Ele as olhou com avidez, mas sem tocá-las.

"As de aço azulado são Chris Reeves, valem pelo menos quatrocentos paus cada, e os cabos são atarrachados, podem ser removidos para guardar fósforos", prosseguiu.

Ouvi ao longe o ruído de uma porta se fechando, e logo Scroggins apareceu com Lucy. O detetive ficou encantado com as facas, como Marino. Em seguida, os dois e McGovern seguiram abrindo gavetas de cômodas, além de arrombar dois armários que guardavam outros indícios macabros que mostravam ser ele o assassino que tanto procurávamos. Numa sacola plástica Speedo havia oito toucas de natação de silicone, todas cor-de-rosa forte, ainda na embalagem plástica com a etiqueta de preço, indicando que Joyce pagara dezesseis dólares por unidade. Encontramos também quatro acendedores de fogueira numa sacola do Wal-Mart.

Joyce tinha um computador em sua caverna de concreto, e deixamos por conta de Lucy acessar o que fosse possível. Ela sentou-se numa cadeira dobrável e começou a teclar, enquanto Marino usava o alicate de cortar ferro para tirar o cadeado do freezer, que coincidentemente era do mesmo tipo que eu tinha em casa.

"Isso tudo está fácil demais", disse Lucy. "Ele copiou os e-mails para o disco rígido. Não precisa de senha nem nada. Mensagens enviadas e recebidas. Últimos dezoito meses, creio. Na lista de correio eletrônico temos um nome de usuário curioso, FMKIRBY. *From Kirby*, presumo. Fico imaginando quem poderia manter contato com ele, de Kirby", acrescentou, sarcástica.

Aproximei-me e espiei por cima do ombro dela. Vimos as mensagens enviadas por Carrie a Newton Joyce, cujo apelido horrível era *esfolador*, bem como as que ele havia mandado para ela. No dia 10 de maio, escreveu:

Encontrei-a. Uma ligação que vale uma vida. Que tal um magnata da mídia? Não sou o máximo?

Em seguida, Carrie respondeu:

Sim, ÓTIMO. Quero pegá-los. Pode me tirar daqui, homem-pássaro. Depois você me mostra tudo. Quero espiar nos olhos vazios deles e ver.

"Meu Deus", murmurei. "Ela queria que ele matasse alguém na Virgínia, e que fizesse isso de modo a garantir meu envolvimento."

Lucy consultou outras mensagens, batendo nervosa na tecla com a seta apontando para baixo.

"Então ele topa com Claire Rawley numa sessão de fotos e descobre que serve a seu objetivo. É a isca perfeita, em função do relacionamento passado com Sparkes", prossegui. "Joyce e Claire vão à fazenda, mas a vítima não estava lá. Sparkes é poupado, mas Joyce mata e mutila a moça antes de incendiar o local." Parei, lendo outros trechos das mensagens. "E agora, aqui estamos nós."

"Estamos aqui porque ela queria que viéssemos", disse Lucy. "Deixaram tudo pronto para nós descobrirmos."

Ela teclava com muito nervosismo.

"Será que você não percebe?", perguntou.

Lucy virou-se para me encarar.

"Ela nos atraiu para cá, para que víssemos tudo", disse.

O estalo alto do cortador de ferro indicou que o cadeado havia sido cortado. A porta do freezer se abriu com um chiado.

"Meu Deus do céu", gritou Marino. "Porra!"

23

No alto da prateleira aramada havia duas cabeças de manequins, uma de mulher e outra de homem, com rostos inexpressivos sujos de sangue escuro congelado. Os manequins eram usados como apoio para os rostos removidos por Joyce, para dar forma às faces congeladas. Joyce envolvera as máscaras horrorosas que guardava como troféus com uma tripla camada de plástico para congelar e as rotulara como fazíamos com provas, indicando número do caso, data e local.

A mais recente estava no alto; automaticamente a peguei e meu coração começou a bater com tanta força que tudo ficou preto por um momento. Comecei a tremer e perdi a noção das coisas. Senti que McGovern me segurava e usava os braços para me apoiar. Ela me levou até a cadeira onde Lucy estivera sentada.

"Tragam um pouco d'água para ela", disse McGovern. "Está tudo bem, Kay, tudo bem."

Olhei para o freezer e sua porta escancarada, para as pilhas de sacos plásticos que guardavam carne e sangue. Marino andava pela garagem, passando os dedos compulsivamente pelos poucos fios de cabelo que lhe restavam. Seu rosto arroxeado indicava que poderia sofrer um ataque a qualquer momento. Lucy desaparecera.

"Onde está Lucy?", perguntei, com a boca seca.

"Foi buscar o kit de primeiros socorros", McGovern respondeu com voz mansa. "Fique quieta, tente relaxar, vamos sair logo daqui. Você não precisa ver essas coisas."

Mas eu já tinha visto. Vira o rosto vazio, a boca deformada, o nariz sem a ponte. A pele alaranjada coberta de cristais de gelo cintilantes. A data na etiqueta do saco plástico no freezer era 17 de junho, o local, Filadélfia, e a informação penetrou em minha mente no momento em que olhei, e aí já era tarde demais, ou talvez não; teria olhado de todo modo, precisava saber.

"Eles estiveram aqui", falei.

Esforcei-me para levantar, mesmo sentindo que poderia desfalecer novamente.

"Eles ficaram aqui o tempo necessário para deixar isso. Para que encontrássemos isso", falei.

"Filho-da-puta!", gritou Marino. "MAS QUE FILHO-DA-PUTA DO CACETE, PORRA!"

Ele limpou os olhos com a manga da camisa e continuou andando de um lado para o outro feito um louco. Lucy desceu a escada. Estava pálida, com os olhos vítreos. Parecia confusa.

"McGovern a Correll", disse pelo rádio portátil.

"Correll", respondeu uma voz.

"Mande a equipe para cá."

"Positivo."

"Estou chamando o pessoal de medicina forense", disse o detetive Scroggins.

Ele também estava atônito, mas não como nós. Para ele, não havia nada de pessoal. Nunca ouvira falar em Benton Wesley. Scroggins examinava cuidadosamente os sacos no freezer, movendo os lábios ao contar.

"Minha nossa", disse assombrado. "Há 27 sacos aqui."

"Com datas e locais", falei, reunindo as forças que me restavam para caminhar até onde ele estava.

Examinamos o material juntos.

"Londres, 1981. Liverpool, 1983. Dublin, 1984. E um-dois-três-quatro-cinco-seis-sete-oito-nove-dez. Onze, no total, da Irlanda, durante o ano de 1987. Ao que parece, ele pegou gosto pela coisa", Scroggins disse, cada vez mais excitado, como acontece com as pessoas à beira da histeria.

Conferindo o material, a seu lado, verifiquei que os crimes de Joyce começaram na Irlanda do Norte, em Belfast, e continuaram na República da Irlanda, em Dublin e outras localidades, como Ballboden, Santry e Howth, além de um homicídio em Galway. Depois Joyce iniciou sua jornada predatória nos Estados Unidos, dando preferência ao Oeste, atacando em áreas remotas de Utah, Nevada, Montana e Washington, além de uma vez em Natches, no Mississippi, o que explicava muita coisa, principalmente quando me lembrei do que Carrie escrevera na carta para mim. Ela havia feito uma referência enigmática a *ossos serrados.*

"Os torsos", falei quando a verdade me atingiu como um raio. "Os desmembramentos que permaneceram sem solução na Irlanda. Depois, ele passou oito anos sem ser notado, pois começou a matar no Oeste e os corpos nunca foram encontrados, ou os casos não entraram no registro geral. Por isso não ficamos sabendo de nada. Ele jamais parou de matar. Então, veio para a Virgínia, onde sua presença atraiu minha atenção e quase me levou ao desespero."

Em 1995, surgiram os dois primeiros torsos, o primeiro perto de Virginia Beach, o segundo em Norfolk. No ano seguinte houve mais duas mortes similares, na parte oeste do estado, uma em Lynchburg e outra em Blacksburg, bem perto do campus da Virginia Tech. Em 1997, Joyce permanecera inativo, aparentemente. Eu desconfiava que tivesse sido nessa época que Carrie se aliara a ele.

A comoção pública por causa dos esquartejamentos tinha sido enorme, apenas dois dos corpos desmembrados e sem cabeça puderam ser identificados, pela comparação com chapas de raios X tiradas antes da morte de pessoas desaparecidas, no caso dois rapazes, estudantes universitários. Cuidei dos casos, houve um tremendo alarde e acabaram chamando o FBI.

Concluí que o objetivo principal de Joyce não era dificultar a identificação, mas sim ocultar a mutilação dos corpos. Era importante que ninguém soubesse que ele roubava a beleza das vítimas, simbolicamente, furtando sua identidade ao usar a faca para remover o rosto e acrescentá-lo à coleção de faces congeladas. Talvez ele temesse que novos desmembramentos provocassem uma caçada ampla demais, capaz de apanhá-lo. Portanto, mudou o *modus operandi* para incêndio, possivelmente por sugestão de Carrie. Não havia como escapar à conclusão de que os dois mantinham contato pela internet.

"Não entendo", disse Marino.

Um pouco mais calmo, ele se aproximou para examinar os sacos de Joyce.

"Como ele trouxe tudo isso para cá?", perguntou. "Da Inglaterra e da Irlanda? De Venice Beach e Salt Lake City?"

"Gelo seco", expliquei objetivamente, olhando para as caixas de metal e de isopor. "Ele deve ter protegido bem os sacos e colocado junto com a bagagem, sem que ninguém notasse."

A busca prosseguiu na residência de Joyce, revelando novas provas que o incriminavam, todas à vista. O mandado listava acendedores de fogueira de magnésio, facas e partes de corpos, além de dar permissão à polícia para revistar gavetas e até furar e derrubar paredes, se necessário. Enquanto o legista local removia o conteúdo do freezer para transportá-lo ao necrotério local, a polícia revistava armários e arrombava um cofre. Dentro dele havia moeda estrangeira e milhares de fotografias de centenas de pessoas que tiveram muita sorte de escapar com vida.

Havia fotos de Joyce também, confirmamos. Ocupando o assento do piloto de seu Schweizer branco ou encostado no helicóptero com os braços cruzados na altura do peito. Olhei para a imagem do sujeito e tentei analisá-la. Era um homem baixo, delgado, de cabelo castanho. Poderia ser considerado belo, não fossem as marcas terríveis de acne.

A pele exibia marcas das borbulhas até abaixo do pescoço. Imaginei sua vergonha na adolescência, as brincadeiras e zombarias dos colegas. Conheci jovens como ele, gente deformada por doenças genéticas ou adquiridas, incapazes de desfrutar as alegrias da juventude e de encontrar quem os amasse.

E ele roubava dos outros o que não tinha. Destruía as pessoas como fora destruído, o foco inicial de tudo havia sido seu quinhão de sofrimento na vida, sua personalidade perturbada. Mas não senti pena dele. Tampouco acreditava que ele e Carrie continuassem na cidade, ou na região. Ela conseguira seu objetivo, pelo menos por enquanto. A armadilha que eu preparara só servira para me pegar. Ela queria que eu achasse Benton, e teve êxito.

O momento final, com certeza, seria o que ela faria a mim. Mas naquela hora eu me sentia arrasada demais para me importar. Morta. Busquei o silêncio num banco de mármore velho e gasto, no quintal de Joyce tomado pelo mato alto. Lírios-do-brejo, begônias e figueiras-bravas lutavam com o capim pela luz do sol. Encontrei Lucy na sombra lançada pelos carvalhos, onde havia hibiscos vermelhos e amarelos que se espalharam, por falta de poda.

"Lucy, vamos embora para casa."

Sentei-me ao lado de minha sobrinha na pedra fria e dura que associava a cemitérios.

"Tomara que ele já estivesse morto quando fizeram aquilo", ela disse mais uma vez.

Eu não queria pensar no assunto.

"Espero que não tenha sofrido."

"Ela quer que a gente fique pensando coisas do gênero", falei, sentindo a raiva romper a névoa da incredulidade. "Ela já tirou coisas demais de nós, não acha? Chega de dar a ela o que ela deseja, Lucy."

Ela não tinha uma resposta para me dar.

"O ATF e a polícia cuidarão do caso, de agora em diante", falei, segurando sua mão. "Vamos para casa, sair daqui."

"Como?"

"Não sei direito", falei com toda a sinceridade.

Levantamo-nos juntas e demos a volta até chegar à frente da casa. McGovern conversava com um agente, ao lado do carro. Virou-se para nós duas, e a compaixão suavizava seu olhar.

"Se nos levar até o helicóptero", disse Lucy, com uma firmeza que não sentia, "posso conduzi-lo até Richmond e a Patrulha da Fronteira pode apanhá-lo lá. Se não houver nenhum problema, claro."

"Não sei se você deveria pilotar agora", disse McGovern, exercendo novamente a função de supervisora de Lucy.

"Confie em mim, estou bem", Lucy respondeu com dureza na voz. "Além disso, quem poderia pilotar? Você não pode largar a aeronave aqui, no campo de futebol."

McGovern hesitou, os olhos fixos em Lucy. Abriu a porta da Explorer.

"Tudo bem", falou. "Subam."

"Vou preparar o plano de vôo", Lucy disse ao ocupar o assento na frente. "Assim você poderá saber onde estamos, se isso a faz se sentir melhor."

"Bem melhor", disse McGovern, ligando o motor.

McGovern pegou o rádio e chamou um dos agentes no interior da casa.

"Quero falar com Marino", disse.

Após um momento de espera, a voz de Marino chegou ao receptor.

"Pode falar."

"O grupo vai se dispersar. Você vem conosco?"

"Vou ficar em terra", foi a resposta dele. "Preciso ajudar o pessoal daqui."

"Entendido. Obrigada."

"Diga a elas para tomarem cuidado", alertou Marino.

Um policial do pelotão do campus que patrulhava o local de bicicleta montava guarda no helicóptero quando chegamos, e várias pessoas jogavam tênis nas quadras próximas, enquanto alguns rapazes treinavam futebol perto do gol. O céu azul-claro e as árvores quase imóveis davam a impressão de que nada ruim poderia acontecer ali. Lucy fez o exame prévio enquanto McGovern e eu aguardávamos na perua.

"O que você vai fazer?", perguntei.

"Espalhar fotos dos dois e qualquer informação que possa ajudar as pessoas a reconhecê-los", ela respondeu. "Eles precisam comer. Precisam dormir. Ele precisa de gasolina de aviação. Não pode passar o resto da vida voando."

"Não faz sentido. Como nunca foi notado antes? Reabastecendo, pousando, decolando, voando por aí?"

"Constatamos que ele mantém um bom suprimento de gasolina na garagem. Além disso, há muitas pistas de pouso pequenas na região, onde poderia pousar e abastecer", ela explicou. "E ele não precisa manter contato com a torre no espaço aéreo fora das rotas, pois não há controle. E os Schweizers são relativamente comuns. Sem falar que ele *foi* notado." Ela olhou para mim. "Nós o vimos, por exemplo. Assim como o ferrador e a diretora de Kirby. Só não sabíamos o que estávamos vendo."

"Realmente."

Meu estado de espírito piorava a cada minuto. Não queria voltar para casa. Não queria ir a lugar nenhum. Era como se o tempo tivesse fechado, eu sentia frio, solidão. Não poderia escapar de nada. Em minha mente as perguntas e respostas se entrechocavam, deduções se misturavam a gritos. Sempre que parava um pouco, eu o via. Via seu corpo nas ruínas fumegantes. Via seu rosto atrás dos sacos plásticos.

"... Kay?"

Percebi que McGovern falava comigo.

"Quero saber como você está se sentindo. De verdade." Seus olhos se fixaram em mim.

Respirei fundo, lentamente. A voz saiu trêmula, quando falei, "Vou superar tudo, Teun. Fora isso, não sei mais nada. Não sei como me sinto, nem tenho certeza de que sinto algo. Mas sei o que fiz. Estraguei tudo. Carrie brincou comigo como se eu fosse uma marionete e Benton morreu. Ela e Newton Joyce continuam soltos por aí, prontos para cometer novas maldades. Talvez já tenham feito algo. Nenhuma atitude minha fez diferença, Teun."

As lágrimas encheram meus olhos enquanto eu via Lucy conferindo se a tampa do tanque de combustível estava bem presa. Ela começou a soltar as pás do rotor principal. McGovern me passou um lenço de papel e segurou meu braço com carinho.

"Você foi brilhante, Kay. Para começo de conversa, se não fossem suas descobertas, não teríamos elementos para conseguir um mandado e listar o que buscávamos. Talvez nem tivéssemos conseguido a ordem de busca, e onde estaríamos agora? Ainda não os pegamos, mas pelo menos sabemos *quem são*. E vamos encontrá-los."

"Descobrimos o que eles queriam, apenas", falei.

Lucy olhou para mim ao terminar a inspeção.

"Acho melhor ir andando", falei a McGovern. "Obrigada."

Apertei sua mão com força.

"Cuide bem de Lucy", falei.

"Tenho certeza de que ela mesma sabe se cuidar muito bem."

Desci e me virei para acenar em despedida. Abri a porta do co-piloto e subi para meu lugar, prendendo o cinto. Lucy tirou a lista de tarefas da bolsa na porta e a estudou, acionando comandos e interruptores, verificando se o controle do coletivo estava na posição e o controle de mistura de combustível, fechado. Meu coração se recusava a bater no compasso normal, e eu só conseguia respirar com dificuldade.

Decolamos e manobramos conforme exigia o vento. McGovern observou nossa ascensão, protegendo a vista com uma das mãos. Lucy me entregou um mapa da região e pediu que eu ajudasse na navegação. Iniciou o sobrevôo e entrou em contato com o Controle do Tráfego Aéreo.

368

"Torre de Wilmington, aqui é o helicóptero dois-um-nove Sierra Bravo."

"Prossiga, helicóptero dois-um-nove, pela torre de Wilmington."

"Solicito autorização para voar do campo de esportes da universidade direto para nosso destino em ISO Aero. Câmbio."

"Torre registrando plano de vôo. Liberado da posição atual para seguir a rota indicada. Mantenha contato comigo e comunique quando realizar o pouso e estiver em segurança em ISO."

"Dois Sierra Bravo, positivo."

Lucy transmitiu para mim, em seguida. "Vamos seguir o curso três-três-zero. Portanto, assim que ganharmos velocidade, sua tarefa é manter o indicador de direção de acordo com a bússola, além de consultar o mapa."

Ela subiu a 150 metros e a torre nos contatou novamente.

"Helicóptero Dois Sierra Bravo", a voz entrou pelos fones. "Aeronave não identificada em seis horas, altitude de cem metros, aproximando-se de você."

"Aeronave não identificada a três quilômetros a sudeste do aeroporto, identifique-se", a torre transmitiu a quem estivesse ouvindo.

Mas não houve resposta alguma.

"Aeronave não identificada no espaço aéreo de Wilmington, identifique-se", a torre insistiu.

Silêncio.

Lucy avistou a aeronave primeiro, bem atrás de nós e abaixo do horizonte. Portanto, sua altitude era menor que a nossa.

"Torre de Wilmington", ela disse pelo rádio. "Aqui helicóptero Dois Sierra Bravo. Fizemos contato visual com a aeronave citada. Vamos manter distância."

"Tem alguma coisa errada", comentou Lucy, virando-se no assento para olhar para trás novamente.

24

Era apenas um ponto negro, no início, voando atrás de nós, exatamente na mesma rota, aproximando-se cada vez mais. Ao chegar mais perto, foi clareando. Revelou-se um Schweizer branco refletindo a luz do sol na parte dianteira transparente. Meu coração deu um salto, senti medo.

"Lucy!", gritei.

"Já vi", ela disse, tomada por uma fúria instantânea.

"Porra, não dá para acreditar nisso."

Ela puxou o controle do coletivo e iniciou uma subida rápida. O Schweizer manteve a altura, movendo-se mais depressa do que nós enquanto ganhávamos altitude e a velocidade baixava para setenta nós. Lucy empurrou a alavanca do cíclico para a frente conforme o Schweizer se aproximava, manobrando de modo a se posicionar a boreste, do lado em que ela se encontrava. Lucy acionou o microfone.

"Torre. Aeronave não identificada realizou movimento hostil", disse. "Tentarei manobras evasivas. Contatem autoridades policiais locais, suspeito em aeronave não identificada é um fugitivo armado e perigoso. Evitarei áreas habitadas, realizando manobra evasiva em direção ao mar."

"Positivo, helicóptero. Vamos contatar as autoridades locais."

A torre mudou para a freqüência aberta.

"Atenção, todas as aeronaves. Aqui é a torre de controle de Wilmington. O espaço aéreo da região está fechado a todo o tráfego, a partir de agora. Todos os aviões em terra devem suspender as decolagens. Repito, área fechada para pousos e decolagens. Aeronaves ainda em terra devem suspender manobras. Todas as aeronaves nesta freqüência devem imediatamente passar para o controle de aproximação de Wilmington, em Victor 135.75 ou Uniform 343.9. Repito, todos nesta freqüência mudem imediatamente para o controle de aproximação em Victor 135.75 ou Uniform 343.9. Helicóptero Dois Sierra Bravo, permaneça na freqüência atual."

"Aqui Dois Sierra Bravo. Entendido", respondeu Lucy.

Eu sabia por que ela seguia na direção do oceano. Se caíssemos, Lucy não queria que fosse numa área habitada, onde pessoas poderiam ser atingidas e morrer. Também tinha certeza de que Carrie previra que Lucy faria exatamente isso, pois Lucy era boa. Sempre pensava primeiro nos outros. Seguimos para leste e o Schweizer acompanhou nossas manobras, mantendo porém a mesma distância, cerca de cem metros, como se estivesse confiante, sabendo que não precisava ter pressa. Foi então que me dei conta de que Carrie certamente vinha nos seguindo havia muito tempo.

"Não podemos ir a mais de noventa nós", Lucy me disse, e a tensão subia sem parar.

"Ela nos viu pousar no campo hoje", falei. "Sabe que não reabastecemos."

Sobrevoamos a praia e a seguimos por um pequeno trecho, vendo pontos coloridos, maiôs e esteiras sobre a areia. As pessoas que tomavam sol ou banho de mar ergueram as cabeças para ver os dois helicópteros que passavam rapidamente, a caminho do oceano. Oitocentos metros mar adentro, Lucy começou a reduzir a velocidade.

"Não podemos manter o ritmo", ela explicou em tom sombrio. "O motor iria estourar, jamais conseguiríamos retornar. E temos pouco combustível."

O marcador indicava menos de vinte galões. Lucy fez um volta brusca de 180 graus. O Schweizer estava cerca de quinze metros abaixo de nós. O sol impossibilitava a identificação dos ocupantes, mas isso eu já sabia. Não tinha a menor dúvida, e quando chegou a menos de 150 metros de distância, pelo lado de Lucy, senti o impacto de uma rajada, como uma seqüência de batidas. A aeronave balançou. Lucy sacou a pistola do coldre de ombro.

"Estão atirando em nós!", exclamou Lucy para mim.

Pensei na submetralhadora, na Calico desaparecida da coleção de Sparkes.

Lucy tentou abrir sua porta. Teve dificuldade, mas conseguiu se livrar dela, que caiu girando no céu e desapareceu. Ela reduziu a velocidade.

"Estamos sendo atacados!", Lucy voltou ao rádio. "Vamos revidar o fogo! Mantenham todo o tráfego aéreo afastado da área da praia de Wrightsville!"

"Entendido! Precisam de ajuda?"

"Enviem equipes de emergência de terra para a praia de Wrightsville! Haverá baixas, provavelmente."

Quando o Schweizer estava diretamente abaixo de nós, vi o cano de uma arma reluzir e os relâmpagos provocados pelos disparos, feitos pelo lado do co-piloto. Senti novos impactos.

"Acho que eles acertaram os controles", gritou Lucy, tentando posicionar a pistola pela porta aberta e pilotar ao mesmo tempo, com a mão que empunhava a arma enfaixada.

Enfiei a mão na bolsa e constatei desesperada que meu .38 ficara na valise, guardada em segurança no compartimento de bagagem. Lucy me passou a pistola e pegou atrás da cabeça o rifle de assalto AR-15. O Schweizer manobrou, para nos forçar a seguir no rumo da terra firme, sabendo que estávamos encurraladas, pois não arriscaríamos a vida de quem se encontrava no solo.

"Precisamos nos afastar da praia", disse Lucy. "Não posso atirar neles aqui, tia Kay. Arranque sua porta. Puxe os pinos das dobradiças e empurre com força!"

Consegui fazer isso, nem sei como, e a porta saltou. O vento forte fustigou meu rosto, o mar parecia se aproximar. Lucy deu outra volta e o Schweizer a seguiu. O ponteiro de combustível continuava descendo. A manobra pareceu durar uma eternidade, o Schweizer nos perseguia mar adentro. Logo teríamos de retornar para a costa e pousar. Mas eles não podiam atirar em nós naquela posição, pois atingiriam suas próprias pás.

Quando atingimos 330 metros, voando a cem nós sobre o mar, os tiros acertaram a fuselagem. Nós duas sentimos o impacto na parte traseira, perto da porta do passageiro.

"Vou virar para a direita, agora", avisou Lucy. "Consegue manter a altitude?"

Fiquei aterrorizada. Nós duas íamos morrer.

"Vou tentar", disse, assumindo os controles.

Seguíamos direto para o Schweizer. O outro helicóptero não poderia estar a mais de quinze metros de distância, cerca de trinta metros abaixo de nós, quando Lucy destravou a arma e se preparou para abrir fogo.

"Abaixe o cíclico! Agora!", ela gritou para mim ao apontar o rifle para fora, pela porta aberta.

Descíamos a trezentos metros por minuto, tive certeza de que bateríamos em cheio no Schweizer. Tentei desviar, mas Lucy não permitiu.

"Siga em frente, direto!", ordenou com um grito.

Não ouvi os disparos quando passamos pelo Schweizer, tão perto que tive a impressão de que seríamos atingidas pelas pás. Ela seguiu atirando, vi relâmpagos e clarões. Em seguida Lucy pegou a alavanca do cíclico e virou bruscamente para a esquerda, afastando-se do Schweizer, que explodiu, transformando-se numa bola de fogo. Por pouco não atingiu nossa lateral. Lucy reassumiu o controle e eu fiquei na posição para aterrissagem de emergência.

As ondas de choque nos sacudiram com violência, mas passaram depressa. Vi de relance os fragmentos em chamas caindo no oceano Atlântico. Conseguimos manter o helicóptero estável e Lucy deu a volta com cuidado. Olhei para minha sobrinha, atônita, incrédula.

"Vão se foder", disse friamente ao olhar para os pedaços de fuselagem e fragmentos em chamas que caíam na água, faiscantes.

Ela acionou o rádio, com a maior calma deste mundo.

"Torre de controle", disse. "A aeronave fugitiva explodiu. Queda a duas milhas ao largo da praia, em Wrightsville. Vestígios de sobreviventes, negativo. Sobrevoando o local em busca de sinais de vida."

"Positivo. Precisa de ajuda?", foi a resposta.

"Mais tarde. Negativo, no momento. Retornando ao aeroporto para reabastecimento imediato."

"Positivo." O onipotente controlador da torre gaguejava. "Retorno autorizado. Autoridades locais a aguardam em ISO."

Mas Lucy seguiu sobrevoando a área, descendo a quinze metros. Vimos que viaturas policiais e carros de bombeiros se aproximavam velozmente da praia, com sirenes e luzes ligadas. As pessoas nadavam desesperadas e saíam do mar correndo, em pânico. Tropeçavam e se levantavam, erguendo os braços, como se um tubarão-branco as perseguisse. Os destroços se aproximavam da praia, trazidos pelas ondas. Havia coletes salva-vida cor de laranja, mas ninguém dentro deles.

UMA SEMANA DEPOIS, NA ILHA DE HILTON HEAD

Era uma manhã nublada, o céu cinzento como o mar, quando nós, as poucas pessoas que amaram Benton Wesley, nos reunimos num local ermo e vazio do bosque de pinheiros.

Estacionamos perto dos condomínios fechados e seguimos um trilha até as dunas. Dali para a frente seguimos pelo jundu cheio de espinhos até chegarmos à praia, mais estreita naquele trecho. A areia fofa continha pedaços de madeira trazidos pelo mar, lembranças de incontáveis tempestades.

Marino usava terno risca-de-giz, camisa branca e gravata escura. Suava profusamente, e aquela talvez fosse a primeira vez que eu o via vestido formalmente. Lucy, de preto, ainda não chegara. Só a veríamos mais tarde, pois tinha algo muito importante a fazer.

McGovern viera também, assim como Kenneth Sparkes. Não o conheceram bem, mas estavam ali para prestar solidariedade a mim. Connie, ex-esposa de Benton, e suas três filhas eram como pontos perto do mar; era estranho olhar para elas agora e não sentir nada, apenas dor. Não restara ressentimento, animosidade ou medo. A morte dispersara tudo o que a vida havia despertado.

Apareceram outros, amigos queridos de Benton no passado, agentes aposentados e um ex-diretor da Academia do FBI que investira havia muitos anos no trabalho de Benton, apoiando as visitas a penitenciárias e pesquisas sobre perfis psicológicos. A especialidade de Benton tornara-se um lugar-comum batido, explorada à exaustão pela tevê e pelo cinema, mas um dia havia sido novidade. Benton fora um dos pioneiros, criando um modo mais avançado de conhecer seres humanos verdadeiramente psicóticos, implacáveis e perversos.

Nenhum pastor ou religioso assumiria o comando dos ritos fúnebres, pois Benton não freqüentava a igreja desde que eu o conhecera, só um capelão presbiteriano que aconselhava agentes atormentados estava ali. Seu nome era Judson Lloyd, um sujeito frágil com ralos cabelos brancos. O reverendo Lloyd usava gola de padre e portava uma pequena Bíblia de couro. No total, menos de vinte pessoas estavam reunidas na praia.

Benton deixara bem claro o que deveria ser feito. Nada de música, flores, panegíricos ou despedidas formais. Encarregara-me de seus restos mortais, pois como ele mesmo escrevera, *é isso que você sabe fazer muito bem, Kay. Sei que cumprirá meus desejos.*

Ele recusara qualquer cerimônia fúnebre. Não queria o enterro militar a que tinha direito, dispensara os batedores da polícia para abrir caminho, salvas de tiros e caixão coberto pela bandeira. Seu desejo era simplesmente ser cremado e ter as cinzas espalhadas no local que mais gostava, a Terra do Nunca civilizada de Hilton Head, para onde fugíamos sempre que conseguíamos, onde por um momento breve como um sonho esquecíamos nossa luta.

Lamentaria para sempre que ele tivesse passado seus últimos dias ali sem mim, e jamais me recuperaria da amarga ironia de ter sido impedida de ir pela carnificina engendrada por Carrie. Fora o princípio do fim e levaria à morte de Benton.

Seria fácil para mim desejar não ter me envolvido no caso. Mas se não o fizesse outra pessoa se encarregaria e estaria agora em algum lugar do mundo, comparecendo a um enterro, como tantos fizeram no passado, e a violência dela prosseguiria. Começou a garoar de leve. Toquei o rosto com as mãos frias, cobertas de areia fina.

376

"Benton nos reuniu aqui hoje, mas não foi para uma despedida", disse o reverendo Lloyd. "Ele desejava que viéssemos para buscar forças uns nos outros e seguir adiante, cumprindo nossas missões assim como cumprira as suas. Defendendo o bem e combatendo o mal, lutando pelos mais fracos e guardando tudo dentro de nós, sofrendo solitariamente os horrores para não sobrecarregar a sensibilidade alheia. Ele deixou o mundo melhor do que o encontrou. Ele nos deixou melhores do que nos conheceu. Meus amigos, façamos como ele."

Abrindo a Bíblia, leu do Novo Testamento:

"Que fazer o bem não nos fatigue: pois na estação propícia colheremos os frutos, se não desanimarmos", leu.

Sentia por dentro aridez e ardor, não pude evitar as lágrimas. Enxuguei os olhos com lenços de papel e olhei para baixo, vendo a areia que cobria as pontas de meus sapatos pretos de camurça. O reverendo Lloyd tocou os lábios com a ponta dos dedos e leu outros versículos dos Gálatas, ou seria de Timóteo?

Pouco absorvi do que disse. Suas palavras formavam um fluxo ininterrupto, como a água correndo num regato, e eu não compreendia seu significado, lutando para bloquear as imagens que infalivelmente me venciam. Principalmente, recordava-me de Benton usando o abrigo de náilon vermelho, em pé observando o rio quando eu o magoava. Daria qualquer coisa do mundo para retirar cada uma das palavras duras que havia dito. Contudo, ele havia compreendido. Sei que entendia.

Lembrei-me de seu perfil harmonioso e do rosto inescrutável quando se encontrava com outras pessoas além de mim. Talvez o considerassem frio, quando na verdade usava um escudo para proteger seu jeito sensível e gentil. Talvez, se tivéssemos nos casado, eu sentisse as coisas de modo diferente, agora. Minha independência poderia ser resultado da uma insegurança profunda. Pensei que talvez tivesse errado.

"Sabemos disso, que a lei não foi feita para o homem

justo, mas para quem vive de modo ilegal, sendo desobediente, ímpio e pecador, blasfemo e profano, para os assassinos de pais e assassinos de mães, para os homicidas", o reverendo pregava.

Senti o ar se mover atrás de mim quando olhei para o mar lerdo, deprimente. Vi que Sparkes se aproximara, nossos braços quase se tocaram. Olhava direto para a frente, o queixo firme e resoluto, aprumado em seu terno escuro. Virou-se para mim e me olhou com muita compaixão. Balancei a cabeça de leve.

"Nosso amigo desejava paz e o bem de todos", disse o reverendo Lloyd, referindo-se a outra passagem. "Queria a harmonia que as vítimas defendidas por ele jamais obtiveram. Queria se libertar da revolta e do sofrimento, não ser mais aprisionado pela raiva e pelas noites de temor, desprovidas de sonhos."

Ouvi o ruído das pás ao longe, o ronco que sempre anunciava a chegada de minha sobrinha. Ergui a vista, o sol brilhava fraco por entre as nuvens que pareciam realizar a dança dos véus, deslizando infinitamente, fragmentadas e brilhantes como vidro colorido no poente, próximas do horizonte. As dunas atrás de nós brilhavam, conforme as tropas do mau tempo se rebelavam. O som do helicóptero aumentou, olhei para as palmeiras e pinheiros, vendo quando passou com o bico ligeiramente baixo, sobrevoando a área.

"E portanto quero que as pessoas orem em todos os lugares, erguendo as mãos sagradas, sem ódio nem dúvida", prosseguiu o reverendo.

As cinzas de Benton estavam numa pequena urna de latão, entre minhas mãos.

"Oremos."

Lucy pairava acima das árvores, o ruído e o vento fustigavam nossos ouvidos. Sparkes aproximou-se para falar comigo, não pude ouvi-lo mas a proximidade de seu rosto me fez bem.

O reverendo Lloyd seguiu rezando, mas nós não es-

378

távamos mais disponíveis ou interessados nas preces ao Todo-Poderoso. Lucy manteve o Jet-Ranger em baixa altitude, perto da praia, borrifando água com a força das pás.

Vi seus olhos fixos em mim através da bolha plástica e juntei os cacos de meu espírito partido. Caminhei em direção à tempestade que ela provocara enquanto o reverendo protegia o pouco cabelo que lhe restava contra a turbulência. Aproximei-me da beirada.

"Deus o abençoe, Benton. Descanse em paz. Sinto sua falta, Benton", disse. Palavras que ninguém mais podia ouvir.

Abri a urna e olhei para minha sobrinha, que estava ali para criar a energia que ele desejava quando chegasse seu momento de partir. Dei um sinal para Lucy e ela ergueu o polegar. O aperto no coração fez com que eu derramasse mais lágrimas. As cinzas pareciam seda, senti fragmentos dos ossos calcinados quando apanhei um punhado dele e o segurei na mão. Atirei-o para o vento. Devolvi-o para o mundo superior que ele teria construído aqui, se fosse possível.

1ª edição [2002] 3 reimpressões

ESTA OBRA FOI COMPOSTA EM GARAMOND PELO GRUPO DE CRIAÇÃO E
IMPRESSA PELA GEOGRÁFICA EM OFSETE SOBRE PAPEL ALTA ALVURA DA
SUZANO S.A. PARA A EDITORA SCHWARCZ EM OUTUBRO DE 2019

A marca FSC® é a garantia de que a madeira utilizada na fabricação do papel deste livro provém de florestas que foram gerenciadas de maneira ambientalmente correta, socialmente justa e economicamente viável, além de outras fontes de origem controlada.